LES CERISES
D'ICHERRIDÈNE

JULES ROY

LES CHEVAUX DU SOLEIL

* * *

LES CERISES D'ICHERRIDÈNE

ÉDITIONS BERNARD GRASSET
61, RUE DES SAINTS-PÈRES
PARIS-VIe

IL A ÉTÉ TIRÉ DE CET OUVRAGE
30 EXEMPLAIRES SUR MADAGASCAR
NUMÉROTÉS MADAGASCAR 1 A 30,
50 EXEMPLAIRES SUR VERGÉ A BARBE
NUMÉROTÉS VERGÉ A BARBE 1 A 50,
10 EXEMPLAIRES HORS COMMERCE
NUMÉROTÉS VERGÉ A BARBE I A X ET
26 EXEMPLAIRES, NUMÉROTÉS A A Z,
RÉSERVÉS A L'AUTEUR, LE TOUT
CONSTITUANT L'ÉDITION ORIGINALE.

Fils de l'homme, prophétise et dis :
L'épée ! l'épée !
Elle est aiguisée, elle est polie
C'est pour massacrer qu'elle est aiguisée
C'est pour étinceler qu'elle est polie...
Crie et gémis, fils de l'homme,
Car elle est tirée contre mon peuple
C'est l'épée du carnage, l'épée du grand carnage
L'épée qui doit poursuivre
Pour jeter l'effroi dans les cœurs...

EZÉCHIEL, *XXI*, 14-20.

Salut à la guerre ! C'est par elle que l'homme, à peine sorti de la boue qui lui sert de matière, se pose dans sa majesté et sa vaillance. C'est sur le corps d'un ennemi battu qu'il fait son premier rêve de gloire et d'immortalité.

P. J. PROUHDON, *La Guerre et la Paix*.

PREMIÈRE PARTIE

LA NUIT DE BACH

Qu'est-ce pour nous, mon cœur, que les nappes de sang
Et de braise, et mille meurtres, et les longs cris
De rage, sanglots de tout enfer renversant
Tout ordre...

Tout à la guerre, à la vengeance, à la terreur,
Mon Espoir ! Tournons dans la Morsure. Ah ! passez,
Républiques de ce monde ! Des empereurs,
Des régiments, des colons, des peuples, assez !

ARTHUR RIMBAUD.

1

Pas un Kroumir. L'ennemi était si bien dissimulé derrière ses retranchements qu'on croyait taper sur des pierres. Jusqu'à présent, à travers la Kabylie foulée pas à pas depuis Tizi-Ouzou, on avait toujours aperçu quelques burnous crasseux tapis dans les broussailles, quelques cachabias de laine grossière, de la bure en poil de chèvre, on avait dirigé sur eux le tir des canons et les feux d'infanterie pendant qu'une compagnie les prenait à revers. Là, rien. Aucun détail. Tout en haut de la première crête, le hérissement des fortifications qu'on pouvait confondre avec les rochers ; à gauche, le redan où débouchait l'un des chemins creux qui montaient vers le village ; une masse de granit et son étoc monstrueux, à droite.

Dans l'oculaire des jumelles, le capitaine Griès ne voyait qu'un fourmillement de pantalons rouges grimpant à travers les buissons et les schistes, des luisances de baïonnettes et de sabres, et, par-dessus les troupes, les vapeurs et les fumées des obus. On disait qu'il y avait sept mille Kroumirs pour défendre Icherridène, qu'ils avaient traîné là un vieux canon d'avant la conquête dont on n'avait pas encore entendu la voix, qu'ils se feraient hacher plutôt que de se rendre, qu'ils avaient rassemblé toutes leurs forces, donné le sacrement de la mort à une multitude de jeunes *im'sse-blines,* les dévoués, les sacrifiés, les volontaires qu'on abandonnait sur la route, pareils à ceux qui s'étaient jetés sur les murailles de Fort-National, qu'il avait fallu tuer les uns après les autres et qui ne desserraient les mâchoires que percés de coups, comme des chiens enragés. La veille, la nouvelle lune était à peine descendue devant son étoile de l'autre côté des montagnes, les chacals glapissaient plus fort que d'habitude au milieu d'un concert tragique d'autres bêtes, des hyènes, des chats sauvages, des grands ducs et des hiboux. Presque toute la nuit, les versets du Coran avaient roulé sur les fronts des combattants de la foi, les aspergeant de l'écume de gloire promise aux héros tombés, qu'on enterrait dans leurs vêtements de guerre comme dans une cuirasse, avec la bénédiction de tout un peuple qui jalousait leur assurance du paradis. Ça ne se liquidait pas facilement ces oiseaux-là.

De loin on avait reconnu leurs défenses en chevrons successifs, chaque échelon tirant à tour de rôle pour donner aux autres le temps de recharger les longs fusils. On disait encore qu'après le dernier chevron ils avaient jeté des bâts de mulets pour couper toute retraite vers le village. Quand on était kabyle et qu'on avait juré de ne pas fuir, on ne franchissait pas la ligne des bâts de mulets sans se couvrir de honte. Mieux valait mourir avec honneur si les hommes feignaient de ne pas vous voir ou si les femmes se détournaient de vous et crachaient sur votre passage. Les bâts des mulets, qui aurait imaginé cela dans l'armée française ? En 70, personne n'y avait pensé pour empêcher les régiments de reculer devant les Prussiens. On prévoyait tout, l'horaire du décrochement, les feux, les flanquements, le ravitaillement en munitions, la transmission des ordres, les brancardiers et les ambulances, les mouvements de la cavalerie, la messe, l'emplacement des postes de commandement, les objectifs de l'artillerie, les distances, les hausses, les itinéraires, on analysait le terrain, on entassait les approvisionnements, on comptait les quintaux de fourrage, on définissait la tenue de combat, on précisait le poids des sacs, le nombre de biscuits dans la musette et de cartouches dans les cartouchières, la chemise à porter, les tours à donner à la ceinture de flanelle, l'allure du pas, la durée des pauses, la composition des musiques et des moindres états-majors, le chargement des cantines sur les fourgons, la préséance des unités d'après l'ancienneté des chefs, le port des épaulettes et des décorations, la façon de lacer les chaussures et de boutonner les guêtres, mais personne n'avait songé à un moyen aussi simple pour contenir une débâcle : des bâts de mulets. Le capitaine Griès se le disait en fouillant les ressauts de l'espace devant lui pour délimiter la position de ses compagnies de tête, quand le nom de Marguerite lui vint à l'esprit.

Sa femme, en un pareil moment ! Il se rappela que lorsque l'ordonnance l'avait secoué, on n'avait pas sonné la diane, crainte d'attirer l'attention de l'ennemi, il s'était réveillé, sous sa tente dans son lit de camp étroit et dur comme un cercueil, avec la sensation bizarre d'un rêve amoureux interrompu. Avec Marguerite, après dix ans de mariage ? Il se souvint que non. Ni avec une mouquère des mechtas, ni avec une autre femme de sa jeunesse, du temps où il était aide de camp du général de Roailles. Avec une inconnue qui le prenait doucement par la main, l'entraînait à travers les rues d'Alger, le poussait dans une maison puis dans une chambre, lui ouvrait les bras, se coulait en lui. Il était resté près d'elle toute la nuit sans bouger, perdu, brisé, immobile comme un gisant, flottant sur la surface d'une mer d'azur, sous un ciel d'azur avec des guirlandes d'étoiles rouges... Chez les zouaves il avait pourtant la réputation d'un sabreur, d'un hussard égaré dans une union légitime, d'un homme de lumière et d'éclat avec des ombres sur l'âme.

D'un coup il se redressa, sauta par-dessus des rochers, se retourna provocant, un bras levé.

— Vous venez, Krieger ?

— Voilà mon capitaine.

— Grouillez-vous.

Il s'élança vers la falaise, en escalada le pied puis s'arrêta pour choisir le meilleur cheminement dans la paroi. Le lieutenant trébucha sur des pierres en le rattrapant.

— Au combat, les heures perdues ne se retrouvent pas. Ce n'est pas notre faute si la mise en place a été retardée. Je ne peux pas aller plus vite sans compromettre la sécurité du bataillon. Le colonel a beau s'impatienter derrière, je m'en balance. Mais si une compagnie est rejetée dans cinq minutes par ces sauvages et que je ne sois pas sur ses talons, hein ? comment ferai-je pour la contenir ? Et Kossaïri, je le dirigerai où ? Ça suit ?

— Ça suit, mon capitaine.

Le lieutenant criait car on ne s'entendait plus dans le fracas des départs de l'artillerie, quatorze canons et quatre obusiers plus sourds, qui tiraient sur le sommet de la colline par-dessus les attaquants. Ce tonnerre-là devait résonner dans toute la Kabylie révoltée. Entre les salves, on distinguait le crépitement sec, un peu ridicule, de la mousqueterie ennemie. Des balles perdues ricochaient et rebondissaient en miaulant avec le son aigu d'une corde de harpe pincée, se plaquaient contre une paroi ou sur le sol avec un flocon de poussière. Les balles kabyles ne pesaient que quinze grammes, dix de moins que les balles des chassepots, elles étaient toutes petites, inégales, moulées en deux hémisphères soudés par un bourrelet. Le chemin qu'elles se frayaient dans les corps ravageait les chairs. Des soldats tombaient sans un cri, comme s'ils butaient, et ne se relevaient plus.

Le capitaine soupira. Son rêve lui revint, le recouvrit d'une onde subite de douceur que les deux mitrailleuses découpèrent. Elles crachaient de la gauche, par-dessus le premier ravin. Sur quoi ? Peu importait. Leur claquement saccadé déchirait la rumeur de la bataille et la criaillerie des hauts. Il rassurait. Se trouver sous le soleil en pleine escalade dans des masses de calcaire, de gneiss en lamelles, de mica à odeur fétide, des schistes, des cristaux couleur

de rouille qui roulaient sous les semelles, s'accrocher aux
broussailles et aux racines pour ne pas tomber, souffler,
souffler, suer, penser à un clairon qui avait lancé les premières notes de la charge avant de mourir et se détacher
d'une belle inconnue qui vous retenait de ses bras, de ses
cuisses, de sa bouche, pas facile.

— Dites-moi...

Il reprit sa respiration.

— Dites-moi, Krieger...

Il n'allait pas se mettre à lui parler de son rêve, Krieger
ne comprendrait pas.

— Vous avez quelque chose à...

Il fit un geste de la main. Il n'en pouvait plus.

— ... à siffler ?

Le lieutenant s'approcha, tendit une gourde en peau de
bouc.

— De l'eau seulement. A peine teintée.

Le capitaine déboucha le goulot, éleva la gourde en la
pressant, un sein en fuseau, un sein de mouquère, but à la
régalade quelques gorgées, garda la dernière, se rinça la
bouche, cracha, s'essuya la moustache qu'il portait plus courte
à présent, sans mouche.

Déjà on étouffait et, à l'aube, on s'était réveillé en gre-
lottant dans un brouillard qui roulait sur les montagnes,
les brassait, pétrissait leur dure pâte, découvrait des ravins
abrupts et des pentes comme des corps nus, pour les engloutir de nouveau. Il avait fallu attendre huit heures du matin
pour que les brigades pussent avancer sans s'égarer vers
le village qu'on avait dû écraser quatorze ans plus tôt de
la même façon. En 57, le maréchal Randon avait confié
l'attaque à toute la division Mac-Mahon. Cette fois, on était
moins nombreux, trois mille hommes à peine dans la colonne
du général Lallemand commandant en chef les forces de
la répression qu'il avait rassemblées dans la région en venant
de Tizi-Ouzou, d'Aumale et de Bougie pour en finir avec
le village le plus intraitable de la confédération des Aït
Iraten, le plus indomptable de la tribu des Aouggacha, Icherridène l'irréductible, derrière lequel, au-delà d'un enchevê-

trement de vallées, de contreforts et de crêtes où brillaient les tuiles d'innombrables repaires que l'armée n'avait pas encore détruits, s'élevait la masse énorme et bleue du Djurdjura dont les pentes en glacis et les arêtes de roc bouchaient toute la moitié du ciel.

2

Dès qu'on avait pu se repérer à travers les bancs du brouillard qui s'effilochait, on avait canonné les villages en contrebas et de chaque côté de l'axe d'attaque. La veille, on avait distingué des retranchements sur la grande crête qui barrait l'accès. On avait essayé de tout aplatir, un peu à l'aveuglette. Pas le moindre signe de vie. Massée sur le mamelon d'où était parti l'assaut en 57, de chaque côté du grand olivier qu'on s'attendait à trouver là, qu'on appelait déjà « l'arbre du maréchal » parce que Randon y avait dirigé la manœuvre et qui avait disparu, arraché, scié ou détruit ? l'infanterie s'était ruée au pas de course dans le ravin et avait commencé l'escalade de la falaise vers les retranchements aux bâts de mulets. L'infanterie, c'est-à-dire le 4ᵉ zouaves, le bataillon Dupuis à droite, le bataillon Griès à gauche, en deux colonnes qui devaient rivaliser d'ardeur et de courage. En 57, l'attaque avait des forces deux fois supérieures, on le savait, on avait exhumé les archives de l'époque : la brigade Bourbaki que Mac-Mahon avait lancée comprenait deux régiments, le 2ᵉ zouaves et le 54ᵉ de ligne, appuyés par cinq sections d'artillerie, ils avaient été bloqués deux fois par les Kroumirs, au pied de la falaise et à mi-chemin ; sans le débordement du 2ᵉ étranger, par l'aile gauche, les ossements des assaillants y seraient peut-être encore, mêlés aux cailloux. Cette fois, on était en retard sur l'horaire. A dix heures seulement, l'artillerie avait rugi en masse sur la première crête enfin dégagée des nuages. Brusquement la chaleur était tombée. Un brasier. Ces différences de température éprouvaient l'armée.

Le capitaine Griès enleva son képi, s'épongea le front et se glissa dans un renfoncement. « Je respire un peu sinon je vais crever... » A trente pas derrière, l'adjudant Delfini et la section de commandement s'arrêtèrent. Le capitaine jeta un mauvais regard sur son lieutenant adjoint, puis, la tête au-dessus d'un rempart de pierre grise dont les cristaux éblouissaient, observa les pantalons rouges ripatonner. Ils n'étaient encore qu'à mi-distance des retranchements et leur élan faiblissait. Le capitaine se recoiffa et se mit à mâchonner un petit cigare. Des balles pleuvaient toujours, lourdes, inattendues, imprécises, s'aplatissaient avec un choc mat sur la terre ou éraflaient les rochers. Elles pouvaient vous étendre raide, vous arracher un bras, vous ouvrir le ventre, il suffisait d'un hasard. A présent les Kroumirs se dressaient un instant comme des diables au-dessus des blocs et des troncs d'arbres derrière lesquels ils s'abritaient. Ils n'appuyaient pas la crosse de leur fusil contre l'épaule mais contre la poitrine et visaient très vite, au jugé, dans le tas, au petit bonheur. La plupart de leurs coups trop longs s'égaraient.

— Ça n'avance plus. Ça se déglingue.

Krieger n'avait pas dû entendre. Le capitaine avait à peine desserré les lèvres. La sueur le glaçait. A cause du vent qui s'était levé et couchait les fumées ? Des rochers que les défenseurs précipitaient décrivaient des courbes dans le ciel, rebondissaient sur des arêtes, tombaient parfois sur des hommes. Comment s'abriter sinon en se collant contre la paroi ? En 57 aussi les Kroumirs avaient lancé des blocs de granit comme au Moyen Age. Son képi brodé incliné sur sa moustache blanche, le maréchal pestait, rageait, tapait du pied. Ces hommes de petite taille... Il venait de poser la première pierre de Fort-Napoléon dans un grand fracas de canons et d'orémus, et les Kabyles osaient lui résister !

Entre deux départs d'obusiers, on entendit encore un clairon. La charge déjà ? Brusquement, l'artillerie cessa de tonner. Un gouffre de silence s'ouvrit sur la fusillade, des cris lointains, une rafale de mitrailleuse. Pourquoi ne tiraient-

elles pas en même temps, les deux mitrailleuses sur affût
qui battaient par de longs feux obliques l'encaissement du
chemin creux ? L'une devait être enrayée, l'autre se tut bientôt, ça n'était pas au point ces engins-là. Les canons qui
risquaient d'atteindre les assaillants allaient changer de position, franchir toute une série de ravins pour prendre le
village à revers et cogner sur les fuyards. La manœuvre des
pièces et des attelages de mulets durerait une demi-heure
peut-être. Le commandant de la brigade avait attiré l'attention de tous les chefs de corps sur le moment critique où
l'infanterie ne pourrait compter que sur elle. Dans ce terrain coupé, haché, plein d'effondrements, la cavalerie ne
servait qu'à parader.

— Il a sonné où, ce clairon ?
— A droite on dirait.

Ce fayot de Dupuis qui voulait la croix, sans doute. Il
ne sonnait plus en tout cas. Une illusion ? A l'aplomb de
la falaise on ne voyait plus rien. Comment savoir alors si
les compagnies de tête avaient atteint la proximité des retranchements et hissé le fanion qui indiquerait qu'elles étaient
prêtes, leur épaule collée à l'autre bataillon ? Denef, qui
arrivait toujours après la bataille avec ses convois de ravitaillement, prétendait qu'on allait entrer dans du beurre,
que c'était fini, qu'il suffisait de se montrer. Dans les popotes, on plastronnait, on se moquait, on tournait l'ennemi en
ridicule. L'escalade des crêtes de Fort-National n'avait duré
qu'une seule matinée, mais aussi quel déploiement de forces, quel déluge d'artillerie ! Et le lendemain à l'aube, il
avait fallu massacrer deux mille fanatiques accrochés aux
murailles de la citadelle. Le dégagement de Tizi-Ouzou
avait demandé quinze jours. A droite, plus rien en tout cas.

— Je ne suis pas sourd. Ce clairon...

Le capitaine eut un mouvement de colère. L'adjoint était
tendu, fébrile. La sueur lui ruisselait des tempes et sur la
nuque. Rasé de l'aube pourtant, la barbe mangeait son visage

glabre. Une émotion vive hérissait le poil. Le capitaine se
passa la main sur les joues. Elles piquaient, et pourtant lui
aussi, comme ses officiers à qui il avait imposé cette discipline, il s'était raclé dès la première lueur... Avant même
le café les ordonnances apportaient l'eau tiède pour les blai-
reaux. Il était brun, mais à côté de Krieger... Un Alsacien,
noir à ce point ? Un ancien mercenaire espagnol du prince
de Saxe. Krieger, Griès, il y avait une analogie dans les
noms. En consonance seulement. Griès, ça voulait dire « le
Grec » probablement, le malin, le rusé, le filou, et Krieger,
en allemand, « l'homme de guerre », un nom de militaire.
Alors que les autres officiers disaient « Krieger » comme
dans « berger », il prononçait « Krigère » en faisant sonner
la dernière syllabe, à l'allemande, croyait-il, ignorant qu'il
aurait dû pour cela placer l'accent tonique sur la première
syllabe et assourdir la dernière, « Krigre », comme dans
« tigre ». Dans ce cas le nom terrible et sourd sonnait dans
un martèlement de bottes, avec un léger clocheté d'éperons.
Est-ce qu'il éprouverait lui aussi ce vide des entrailles, ce
flottement de l'esprit qui trahissaient la peur ? Si on ne se
dominait pas, on se mettait à bafouiller, tout se relâchait,
la débâcle s'emparait des idées, on ne savait plus quoi
décider, on titubait. Krieger avait un visage long, des yeux
foncés, un nez droit et quand il enlevait son képi un front
court où les cheveux s'enracinaient très bas. Un visage de
militaire, dur, borné, qui ne s'éclairait que lorsqu'il parlait service, ou à table. Il était marié, sans enfants, à une
petite personne sèche soucieuse de l'avancement de son mari.
Ses fonctions d'adjoint à un chef de bataillon le comblaient.
En 70, dans la terreur d'être fait prisonnier, il n'avait songé
qu'à échapper. Toujours astiqué, debout avant tout le monde,
l'œil sur tout, exigeant, pratique, il veillait à tous les détails
de la vie en campagne. S'il rêvait, il devait se voir en train
de houspiller les sergents ou d'imaginer des systèmes de
distribution ou de transmission. Il inventait des tas de trucs,
fouinait. Cette manie de parler toujours de la campagne de
57, une façon à lui d'oublier le présent. Et quoi dans le
présent ?

— En 57 l'artillerie n'a pas décroché d'un coup. Les obusiers rayés, dont la portée était de deux mille mètres, n'ont pas bougé. On les avait placés à droite de l'arbre du maréchal. Ils ont envoyé quarante-sept obus sur les retranchements de plein fouet, je l'ai lu dans le rapport du commandant de l'artillerie. Ce sont les canons obusiers et les obusiers de montagne qui ont manœuvré au plus près de l'infanterie. Et les fusées, je vous ai parlé de fusées à la Congrève, mon capitaine ? Il y en avait quatre. Elles ont posé des problèmes car on ne pouvait pas les faire tirer pardessus les troupes. Ça partait comme ça pouvait. Ça revenait parfois en arrière. Ça rebondissait, mais ça f... le feu partout. Dommage qu'on n'en ait plus. Ici, on les avait collées à gauche pour agir sur les ouvrages de droite et le terrain accidenté entre les ouvrages et le village. Histoire d'amuser les troufions et de flanquer la pagaille chez les Kroumirs, comme en 1830 à Staouéli. Vous me direz que je remonte au déluge...

Il se baissa, cueillit un brin d'herbe, le flaira.

— De la lavande. Sentez, mon capitaine.

Puis il ouvrit sa sacoche où les crayons de couleur taillés fin étaient passés dans des glissières, en tira des cartes, des calepins, un paquet de sandwiches soigneusement enveloppés dans du papier.

— Vous ne voulez pas manger un morceau ?

— Ah non, mon vieux, merci.

A cette idée seulement, le capitaine avait envie de vomir. Mastiquer, encore, mais avaler... A peu près comme si on se mettait à admirer le paysage avec ces paquets de nuages qui, déboulant de l'ouest, de la direction de Blida, avaient passé au-dessus de Marguerite, et caressaient d'une ombre légère les brigades échelonnées dans le ravin et sur le plateau de l'olivier, derrière les deux bataillons sacrifiés pour enlever la première crête sauvage, cette falaise où le sang coulait déjà à flot... Krieger n'avait donc pas peur ?

— Dites donc, Krieger, ça ne vous est jamais arrivé d'avoir les foies ?

— Je ne pense pas beaucoup, mon capitaine. En 70,

j'ai connu ça quand j'ai cru qu'on était tourné. Je me suis vu fusillé par les Pruscots. Je ne vous le cacherai pas, j'ai détalé en vitesse avec ma section. Mais ici non. En 57 je ne sais pas ce que j'aurais éprouvé. Bloqué deux fois par les Kroumirs ? Quand le général Bourbaki a vu que les troupes s'engageaient toutes dans cet entonnoir, il a voulu les redresser. Sa voix couverte par le bruit n'a pu se faire entendre.

Le capitaine se retourna vers l'adjudant Delfini. Avait-on idée de penser aux femmes, au casse-croûte, à 70, aux nuages ? Il fallait bousculer tout ça, ne pas se laisser arrêter, marcher, s'accrocher, grimper à quatre pattes, se traîner, ramper, mais progresser, gagner, mordre.

— Votre gueule, Krieger ! Vos zouaves de l'époque étaient des jean-foutre. Nom de Dieu, hurla-t-il, en avant !

3

C'était quand on hésitait que tous les malheurs se précipitaient. Il recula pour braver les rochers qui chutaient autour de lui, songea un instant à sortir son sabre du fourreau puis tendit la main vers le clairon qui le suivait, prêt à souffler dans son instrument.

— Ton flingot. Donne-moi ça. Tu n'en as pas besoin, toi.

Il empoigna l'arme, manœuvra la culasse pour engager une cartouche, visa le haut de la falaise, tira, rechargea, tira encore puis avança avec des gestes du bras haut levé qui brandissait le fusil.

— En avant, en avant !

Atteindre les hauts, tout droit, allez, debout toi, où êtes-vous, Sauvemagne, je ne vous vois pas ? Et vous, Allaire ? Avancez, bousculez vos hommes ! Les rochers ne vous abriteront pas ! Ce village vous provoque, il a fait courir le bruit que nous ne l'aurions pas, que nous détruirions peut-être dix mille autres villages de Kabylie, mais pas celui-là, pas cette forteresse bâtie sur un éperon où tous les hommes courageux se sont rassemblés pour nous arrêter. Nous en avons déjà brûlé combien de l'Alma à Tizi-Ouzou et de Tizi-Ouzou à ici ? Mille ? Eh bien, un de plus. Et, après lui, mille autres s'ils ne demandent pas grâce ! Derrière nous la terre est noire, les pentes sont rasées, les montagnes fument. Sur les routes en lacet les convois de l'armée et de nouvelles batteries d'artillerie roulent en grinçant des essieux. Qu'est-ce qu'ils ont prétendu les gens d'Icherridène ? Qu'on peut broyer tout le pays, qu'ils nous casseront les dents ? Ils ont déjà lancé le même bobard en 57, demandez au lieutenant Krieger, et le maréchal Randon les a eus. Avec quarante-cinq mille hommes, il est vrai. Nous avons fait des progrès depuis. Nous avons inventé le chassepot, les mitrailleuses. Fort-National s'appelait Fort-Napoléon. Les Kabyles disaient : « C'est une épine dans notre œil. » Pour l'enlever ils ont attendu 71, ils ont cru qu'on était vaincus, qu'ils pouvaient nous chasser. Les maîtres de l'heure de toutes les mosquées, toujours à guetter les étoiles, ont proclamé que ça y était, que Dieu commandait le grand soulèvement. En avant, nom de Dieu, c'est au nom du Dieu des chrétiens que je vous parle, moi ! Nous avons rasé mille villages pour les dresser à nous respecter. Et pour finir, un 24 juin, comme en 57, demandez encore au lieutenant Krieger, le jour du solstice d'été quand le soleil est au zénith, on va leur donner une fête. Si vous ne me croyez pas, regardez derrière vous un instant, juste un instant. Tous les drapeaux des régiments, le nôtre, celui du 80ᵉ de marche, celui du 27ᵉ bataillon de chasseurs à pied, celui du 1ᵉʳ tirailleurs, l'étendard des cavaliers, tous rassemblés près du commandant en chef. Le moment venu on les déploiera dans les fumées d'Icherridène, avec les musiques. Ce soir, on lancera un grand feu d'artifice pour la Saint-Jean. Allez, les zouaves !

Il s'arrêta un moment, mit un genou à terre, épaula. Dans la meurtrière d'un retranchement, il visa avec soin une face sombre grimaçante, appuya sur la détente, encaissa le recul brutal de l'arme, se releva. A cinquante pas devant

lui les commandants de compagnie atteignaient le sommet,
le jeune Sauvemagne à gauche, le gros Allaire à droite, ils
enfourchaient les rochers, plongeaient de l'autre côté. Sur
le plateau, les falzars rouges ressemblaient à un champ de
coquelicots agités par le vent. L'air chaud puait le drap
militaire, le cuir sale, la poudre, le burnous. Ça pétaradait
de partout, ça gueulait. L'artillerie se remit à tirer, les obus
tombaient sur la lisière du village, sur rien, car les Kabyles
n'avaient pas fui, ils étaient tous là étendus dans leurs trous
à la renverse, la tête fracassée, ou couchés sur les pierres,
couverts de sang.

Krieger marchait à droite du capitaine, le revolver au
poing. Delfini suivait de près, son chassepot prêt à faire feu.
La clameur grandissait, devenait énorme, terrible, percée de
jurons pareils à des cris de bêtes. Les nuages éraflaient la
crête, bouchaient subitement le ciel, engloutissaient d'un
coup la croupe gigantesque du Djurdjura, ratissaient le plateau, y découpaient des ombres, des gibets, des glacis
vaporeux puis se relevaient sur un continent d'azur et de
soleil. Au-delà de tout, du côté du village, aurait-on dit,
mais de quel village au juste ? Dans les intervalles entre les
salves d'artillerie plus loin et le halètement des mitrailleuses
en contrepoint, des trilles indistincts se tordaient dans les
fumées, s'y perdaient un instant, hésitaient, s'étouffaient
puis rejaillissaient.

— Vous entendez, mon capitaine ? Les mouquères sont
encore là...

Un long moment, Griès avait cru à une stridulation de
cigales. On était tout de même en été, la chaleur accablait
au milieu du jour, souvent les cigales chantaient, leur sifflement aigu s'établissait dans les vallées, une même note haute
qui variait à peine, se répondait de crête en crête, les secouait,
les battait, une sorte de béatitude stupide ou une plainte
lancinante, excédante, exaspérante. Mais là, dans le fracas
des canons, le vacarme, la fusillade ? Les cigales avaient

fichu le camp plus loin ou s'abritaient dans des creux de troncs d'arbres, sous l'écorce, sous la terre peut-être, terrorisées. Le capitaine aurait dû y penser plus tôt. Pour chanter en un pareil moment, pour battre des élytres ou des mains, laisser éclater la joie ou la douleur, il fallait appartenir au genre humain : c'était le hurlement perçant, aigre ou éclatant, des you-you qui perforaient les fêtes et les drames comme un trépan. Ces idiots-là avaient tellement cru à la victoire qu'ils n'avaient pas renvoyé les femmes, ou alors c'étaient elles qui n'avaient pas voulu partir pour s'offrir en otages, forcer les hommes à vaincre, les menacer de se donner à d'autres vainqueurs s'ils se montraient lâches. En Kabylie aussi elles travaillaient comme des bêtes de somme et ne participaient pas aux conseils des djemaâs, mais elles inspiraient les hommes, fouettaient leur orgueil, les obligeaient à ne jamais céder. Dans toutes les fédérations, chez les Iratènes et chez les Maâtkas, les Idjer, les Djedianes, les Sedkas, les Iflissènes, les Ouaguennoun, les Aïssis, les Menguellat, chez tous les Aït de Kabylie, sauf chez les Djennad et les Améraouas qui pactisaient avec les Français, on trouvait de ces louves, des femelles de sacrifiés de la mort, pour résister à tout, dire non à tout, préférer le pire, la dévastation, le malheur à l'humiliation ou au pardon. Leur férocité entre Kabyles était déjà légendaire. Pour l'étranger qui avançait les armes à la main, elles ne cédaient qu'écrasées. Des cigales, quelle dérision ! C'était le chant de haine des femmes, les insultes des femmes, la folie des femmes, qui au moment des mariages ou des baptêmes devenaient le chant d'amour, les bénédictions, l'allégresse des femmes. Pas la raison, en ce pays la raison n'existait pas. A cette distance on aurait pu, quand on était un homme d'Europe, confondre cette vibration avec une modulation de cigales obstinées qui s'accrochaient aux rameaux des frênes et des noyers ou dans les broussailles. Par trois mois de guerre à travers les montagnes, Krieger en savait assez de la Kabylie pour ne pas s'y tromper et reconnaître, dominant les bruits de la bataille, les furieux roulements de gorge lâchés par une meute enragée, un ricanement d'hyènes folles vers ceux

qui défendaient la liberté de leur terre, une imprécation
barbare, un hymne, mais lequel ? un hosanna, un magnificat,
un miserere ou un alléluia, une prière ou un chant de
vengeance, de victoire ou de mort ? Les femmes remer-
ciaient peut-être Dieu de l'holocauste des martyrs de la foi,
parce que les héros allaient droit au ciel. Les clairons qui
s'essoufflaient et se répondaient à présent de place en place
semblaient ridicules à côté.

Le capitaine se retourna. Toute la pente grouillait de
bataillons en marche. En bas, les escadrons de cavalerie
s'égaillaient. Vers Fort-National, dont les murailles brillaient au nord-ouest, la route fumait sous les convois dans
les vallées. Une première ligne de hauteurs cachait la grande
dépression de l'oued Sebaou, d'autres sommets ennuagés se
relevaient derrière avec la sombre forêt d'Azazga. Après
quoi c'étaient la mer, invisible, les plages et les écueils de
Dellys tenus tant bien que mal contre les rebelles. Tout près,
tout en bleu ciel dans ses serouals et ses boléros, la compagnie de tirailleurs montait en s'encourageant avec des excla-
mations gutturales. Le capitaine chercha le lieutenant Kossaïri qui la commandait. Soudain, derrière un rocher,
il apparut assez petit, agile, simiesque, un turban jaune au-
dessus du visage sombre, injuriant des hommes qui glissaient dans les éboulis. « Jusqu'à présent, se dit le capitaine,
canons, fusées ou pas, personne n'a trouvé le moyen d'achever un combat autrement que par l'infanterie. Encore quelques pas et je vais déboucher sur la fin de notre métier, je
vais voir ces Kabyles qui se croyaient invincibles, toucher
ces bâts de mulets qui leur ont coupé la retraite, entraîner
avec nous les Arabes de notre armée à se venger des tribus
qui les ont trahis au moment de l'expédition d'Alger, à les
piller, à les anéantir. Dans la compagnie de Kossaïri il y a
aussi de jeunes soldats qui vont se jeter sur leurs frères et
les achever. Savent-ils seulement ce qu'il font ? Et moi, crétin, suis-je plus malin qu'eux ?... »

Etait-ce parce qu'il approchait des retranchements où un
agonisant pourrait se dresser pour lui lâcher un coup de feu
dans la poitrine ? Son cœur se mit à battre à coups précipités.

Tout en haut, des zouaves se baissaient derrière les derniers blocs de granit, hésitaient à sauter par-dessus.

— En avant, nom de Dieu !

Se déchirer aux broussailles, s'accrocher à leurs racines, aux aspérités de la rocaille, allez, allez, ne réfléchissez surtout pas, ne pensez à personne, qui est cette femme à qui j'ai rêvé toute la nuit ? Ne pensez même pas à vous, ne vous demandez pas où vous êtes ni ce que vous faites, marchez, vous êtes les bûcherons de la mort, cognez, frappez, gueulez, il y a là-haut toute une forêt qui vous brave, il faut la cisailler, ne dites pas que vous êtes fatigués, que vous en avez marre parce que ça dure trop, ils ont montré comment on s'y prend pour réduire un adversaire, incendié nos fermes et nos villages, ouvert le ventre à nos hommes, violé nos femmes, vous vous reposerez ensuite. Et si les bûcherons allaient être frappés à leur tour, si les arbres s'abattaient sur eux ? Tout à coup le souvenir d'Antoine lui vint. Où était-il, le soldat Antoine Bouychou ?

4

— Delfini !...

Il suivait d'un pas égal avec sa trogne tordue, vaguement rigolard, le doigt sur la détente de son chassepot. Celui-là, pour lui faire perdre son calme ! Le capitaine avait toujours envie de le secouer.

— Mon capitaine ?

Jamais un mot plus vif que l'autre. Une voix traînarde. Antoine était là, avec la section de commandement, intact. Le capitaine se reprocha de mal veiller sur lui. Il se souvint d'avoir songé à lui en un éclair, en bas, au moment où les blocs de rochers commençaient à pleuvoir. Si Antoine était tué on ne le lui pardonnerait pas, on l'accuserait de l'avoir emmené en Kabylie, le vieux en ferait une maladie, tout serait fini, l'amour de Marguerite, le bonheur de Marie Aldabram, la paix, les souvenirs de Boufarik. Est-ce que

c'était lui qui avait poussé Antoine à s'engager ? Est-ce que
la Kabylie était plus dangereuse que la guerre avec les Prussiens, la déroute, les bombardements, les champs de mort
de Lorraine, les moissons de cimetières de Sedan, les convois
de prisonniers ? Un simple soldat devait-il être plus invulné-
rable qu'un capitaine ? Choisissait-on de naître ? Qu'était-ce
que la vie et la mort ? Un soulagement tout de même :
Antoine était là. Les batteries massées sur la gauche de
l'éperon tonnaient presque toutes ensemble, leur fracas se
répercutait de ravin en ravin et de crête en crête comme un
orage terrifiant, d'autres explosions claquaient au loin, derrière le village semblait-il, des fumées blanches montaient
dans le ciel vers les troupeaux de nuages. Le long de l'arête
où les vagues d'assaut se pressaient, une clameur s'étendait,
gagnait dans l'effondrement où les brigades de réserve se
précipitaient, débordait la colline abrupte, une clameur âpre,
aiguë, chargée d'imprécations dans toutes les langues. Ça y
était, tous les clairons sonnaient, les baïonnettes luisaient,
les bataillons de zouaves surgissaient d'un même élan dans
un grand ébrouement rouge de falzars et de chéchias, se
ruaient dans une tornade de feu et de fer. Krieger, ça vous
est arrivé d'avoir les foies ? Plus maintenant. Et il avait
ajouté : devant les Prussiens oui, jamais devant les Kabyles.
Est-ce qu'un officier avait peur ? Une lutte à mort, on croyait
transformer un village en un tas de cendres, on le traversait
l'arme à la bretelle et des fantômes se levaient dans les
ruines pour vous fusiller. Dans les montagnes, quand leurs
munitions étaient épuisées, d'autres fantômes vêtus de
cachabias en poil de chèvre jetaient des pierres. Et là,
avec ce vieux canon de la conquête, quel tour s'apprêtaient-
ils à jouer ?

Voyez, Krieger, si même, par hasard, vous aviez les foies
et que vous ayez honte de l'avouer, eh bien, à cet instant ça
passe. Vous avez des ailes tout à coup. Evidemment vous
n'êtes pas comme les autres, vous m'avez tout expliqué d'un
mot : vous ne pensez pas. Au pied de la falaise, tout à
l'heure, vous songiez à demeurer à l'abri, à ne plus bouger,
vous m'offriez de casser la croûte comme si nous étions en

promenade. A présent vous galopez comme moi, vous ne
sentez plus rien, une saloperie de plomb kabyle vous éten-
drait que vous ne sauriez pas ce qui vous arrive, noir bûche-
ron des armées du prince de Saxe qui portait la civilisation
espagnole en Alsace, vous vous laisseriez glisser dans la
tiédeur du sang comme moi cette nuit dans cette douceur de
femme, mais mon petit ami ne serait-ce pas pour le même
plaisir et, comment dire ? la même griserie. Si ? Vous vous
imaginez, Krieger, parce que vous n'avez jamais connu de
belles filles aux longues cuisses dorées, mais seulement
Mme Krieger, du ramolli, du rassi, du réchauffé, du moisi
mon cher. Si vous tombez, ne comptez pas sur moi pour
vous relever, j'ai autre chose à faire, il y a des brancardiers
et, à l'ambulance, des chirurgiens expérimentés. Avec de
la chance on vous collera sur la bouche un tampon de
chloroforme, vous vous en tirerez avec un bras ou une jambe
en moins.

— Vous ne croyez pas, Krieger ?
— Quoi, mon capitaine ? Je cours, je cours, je vous suis.

Le capitaine était content, il riait, ça craquait de partout,
les deux compagnies de tête avaient sauté de l'autre côté
des retranchements, elles avançaient, des types flanquaient
des coups de pied dans les bâts de mulets et cherchaient
les mulets, mais non il n'y avait que les bâts, un symbole
pour rappeler aux défenseurs, comme les you-you des
femmes, qu'ils ne devaient pas regarder en arrière, que leur
honneur était fiché là, dans des trous, entre des troncs
d'arbres et de vieux battants de portes arrachés aux maisons
inutiles, ces fous furieux qu'il faudrait abattre à bout portant
ou embrocher. Pas la peine d'avoir été si loin en 70 apprécier
les qualités du fusil Dreyse des Prussiens et de leurs obus
pour s'offrir aux moukahlas à pierre que les Kabyles chargeaient encore par la gueule en y bourrant la poudre, mais
qui tuaient quand même, proprement ou pas. Que disait
donc le capitaine ? « Ne me parlez plus de vos Randon et

de vos Mac-Mahon... » Le fier maréchal Randon avait paci-
fié la Kabylie pour la seconde fois en 57, il était ministre de
la Guerre en 70 à la démission de Mac-Mahon gouverneur
général, avant de céder la place au maréchal Lebœuf.
On l'avait supplié de revenir en Algérie, il n'avait pas refusé,
mais ça ne s'était pas fait, la déclaration de guerre avait
tout bousculé. Où était-il à présent ? Disparu, englouti
dans le grand naufrage de l'empire et des maréchaux ou à
Versailles lui aussi ? Ratiboisé. Enseveli dans des océans
de silence et d'ombre. Un autre ancien d'Icherridène, Bourbaki, commandait l'armée du Nord. Vaincu il avait tenté de
se suicider, ça ne se voyait pas tous les jours un général
qui ne voulait pas survivre à une défaite, ça valait bien un
coup de chapeau. Le grand vainqueur d'Icherridène, Mac-
Mahon, s'était fait battre en Alsace, battre à Sedan, battre
partout, il avait même capitulé devant les casques à pointe.
Mais alors à Paris, sous la Commune, avec des ouvriers et
des gardes nationaux devant lui, quelle revanche, que de
lauriers cueillis place de la Concorde et sur les Tuileries !

Le capitaine criait presque pour se faire entendre, tout
en avançant et en déchargeant de temps en temps son chassepot sur un Kabyle qui bougeait encore. Tiens pour Randon ! Tiens pour Mac-Mahon ! Il n'aurait pas été si adroit
que c'eût été dangereux pour les zouaves qui le précédaient.

— Ce nom-là, Krieger, ne le prononcez plus devant moi.

— Mac-Mahon ? Pourtant, vous ne savez pas, mon capitaine...

Par acquit de conscience, Krieger vidait aussi son revolver
sur tous les Kroumirs étendus, morts ou pas, regarnissait
le barillet en marche, d'une main que l'émotion faisait trembler. Ainsi était-il sûr de ne laisser personne sur son chemin.

— ... vous ne savez pas que tout à l'heure vous avez agi
comme la Légion en 57.

— Comment ça ?

— Quand vous avez senti qu'on était bloqué, vous vous
êtes dressé et vous avez forcé le bataillon à avancer, vous
l'avez cravaché. En 57 par deux fois les Kabyles nous avaient
cloués sur place. Comment relever des troupes qui ont le

nez dans la poussière ? C'est alors que le général qui commandait la division, je ne dirai plus son nom puisque vous me le défendez, lança sa troisième colonne, le régiment de Légion...

— Avec de la musique ?

— Sans même un tambour, sans rien. Le commandant Mangin se mit à la tête de son bataillon et... Attrape ça, toi. Et escalada les pentes. Sans un coup de feu. En silence. Et sans se dépêcher. Du pas d'enterrement que vous connaissez. Par la gauche, tout à fait à revers, sans même s'abriter derrière la pente, sur la ligne de crête... Il y a eu un moment de stupeur. On regardait ces hommes verts qui grimpaient, les Kabyles n'en croyaient pas leurs yeux. Vous m'écoutez, mon capitaine ?

— Allez-y, mon vieux.

— Ne tirez plus, je vous protège... Les Kabyles se sont décidés à les canarder. Des légionnaires sont tombés. Les autres ne s'arrêtaient pas. Ils ont atteint les retranchements. La défense s'est écroulée. A sept heures moins le quart, le 24 juin 57, c'était fini. Icherridène était entre nos mains. La poursuite a commencé. Et nous, on continue ?

— Halte. On m'a commandé de m'établir défensivement une fois la première crête conquise. Faites exécuter. Je ne bouge plus.

Krieger courut vers les compagnies de tête qui s'installaient pour se garder par leurs feux. Il revint.

— Vous êtes cinglé, vous me récitez la bataille de 57 comme à l'Ecole militaire. Je m'en f...

— Il y a trois prisonniers à gauche. Le lieutenant Sauvemagne demande ce qu'il doit en faire.

— Quels sont les ordres ?

— Pas de prisonniers, je sais, mon capitaine. Il se trouve qu'il y en a.

— Delfini, allez dire au lieutenant Sauvemagne que je n'en veux pas. Au besoin, s'il hésite n'est-ce pas...

Delfini s'éloigna. A droite le bataillon Dupuis atteignait les premières maisons du village où la fusillade se rallumait. La réserve se tassait derrière avec des cris, un bruit de dispute. Il allait avoir sa croix, Dupuis. Et pourtant il avait achoppé un moment lui aussi dans la montée, il n'avait abordé la crête qu'entraîné par la gauche, après avoir failli céder. Pour se rattraper à présent il fonçait. On l'entendait aboyer de sa voix sèche, autoritaire et brève. Il voulait être le premier.

— Kossaïri !

Le lieutenant indigène approcha, embarrassé dans son sabre dégainé trop long pour lui et son fourreau qui lui battait dans les jambes.

— Placez votre compagnie à ma droite, abritez vos hommes et n'avancez plus.

5

Les Kabyles s'étaient souvenus de 57 et de la manœuvre de la Légion. Dans l'idée que tout recommencerait de la même façon, ils avaient renforcé l'aile qu'ils jugeaient dangereuse. Ils s'étaient trompés. Cette fois il n'y avait pas la Légion, qu'avec tous les Allemands qui se trouvaient dans ses rangs, on hésitait à employer depuis 70. Qu'on fût zouave ou légionnaire n'avait-on pas les mêmes raisons de mourir ? Le capitaine se posa la question et aussitôt le souvenir de son rêve revint le visiter. Il rendit son fusil au clairon, mit une main dans sa poche, en sortit le brin de lavande de Krieger, qu'il avait sans s'en douter enfoui là, le respira un instant, le jeta. Toute une nuit avec une belle inconnue, dans une maison inconnue, sous les étoiles d'Alger. Est-ce que ce ne serait pas avec... ? Il n'osa pas prononcer le nom qui lui avait surgi à l'esprit. Des images se précipitèrent, qu'il chassa, d'illuminations et de splendeurs traînées longtemps avec lui dans un tumulte d'orage et de canonnades. Depuis un mois on n'entendait plus chanter les rossignols de Kabylie, les fleurs des asphodèles commençaient à se faner, au moment où il l'avait presque oublié qu'était donc cet amour qui

le tourmentait parce que Krieger lui parlait de la Légion
en 57 ? « Si la mort m'avait frappé, je ne me serais aperçu
de rien et qui m'eût regretté ? Krieger et Delfini peut-être.
Denef ? Marguerite se serait consolée plus facilement que
j'aurais cru. Quant à... » Le nom lui revint encore dans un
éblouissement de flambeaux, de cristaux, d'argenterie et de
dorures, à cause de ce parfum de lavande sauvage un instant
capté. On se laissait emporter par une charge, on la poussait
devant soi, elle vous roulait, on enjambait des fossés avec
des cadavres de Kabyles et des cadavres de zouaves aux
bras étendus vers leur chassepot échappé devant eux, le
front ouvert, la chéchia épongeant le sang. Les nuages
s'espaçaient, ils dérivaient haut dans le ciel lavé, les mouches
agaçaient.

— En 57, mon capitaine, savez-vous ce qu'Icherridène
nous a coûté ? Je ne l'ai pas dit hier pour n'impressionner
personne. Quarante morts dont deux officiers, plus de trois
cents blessés dont vingt-deux officiers. Le général Bourbaki
a eu un cheval tué sous lui.

Delfini revenait de son long pas égal et flematique. Il
eut le geste d'épousseter un pan de sa tunique, puis il leva
un peu la main.

— Réglé, mon capitaine.

L'artillerie ne tirait plus. Alors c'était fini ? Le capitaine
prêta l'oreille : plus de you-you. Les femmes avaient dû
fuir, troupeau de brebis apeurées, cinglées par les balles
du bataillon Dupuis.

— Qu'est-ce que vous en auriez fait des mouquères,
Krieger ?

Les amours de Krieger c'était quoi ? Une fatalité, une fin,
une formalité, une façon comme une autre de s'accommoder
de la vie ? Son mariage avait dû pourtant se célébrer par une
fête à tout casser, une signature chez le notaire, une pluie
de dragées à la sortie de l'église, deux cents couverts à
l'auberge, des accordéons, des rôtis de dinde et de cochons

de lait, des pièces montées, le vin d'Alsace coulant à flot
et pour finir du champagne qui rosissait les joues des filles
en jupe rouge et gros nœud de satin noir dans les cheveux. Le
lieutenant en grande tenue et la mariée en robe blanche.

— C'est à vous que je pensais, mon capitaine.

— Du passé, mon cher, ma réputation. Les mechtas dans
la montagne de Blida, qui s'en souvient ? Même pas moi.
Accompagnez-moi. Faisons le tour des compagnies.

La noce sentait la poudre, le soleil, l'odeur d'huile rance
qui se dégageait du corps des Kabyles, la fumée des premiers
incendies allumés dans le village et que des tourbillons de
vent rabattaient, mais ces noces-là chaque bataille les ramenait, quand on était dans le métier, elles ne finissaient qu'à
l'hôpital, au cimetière ou à la retraite. Chaque fois leur
célébration variait, les ornements changeaient. De la poussière, de l'émeraude, de l'or, du violet. Ce jour-là tout était
rouge. Depuis trois mois, le spectacle de la victoire de
l'armée, à travers les ruines, les vergers dévastés et les pentes
couvertes de corps en loques grises n'inspirait plus de pitié.
On était blasé et pour peu qu'on eût fait la guerre de 70...
Cette fois on tenait la revanche de tous les revers subis.
On buvait la gloire des armes. On se laissait griser.

Le grand tumulte de la bataille s'apaisait et l'accent
gascon du capitaine Griès détonnait dans la rocaille, sous le
soleil trop fort. Il ne faisait pas sérieux : toujours avec ce
fond de plaisanterie, ce ton léger qui rappelait le confit
d'oie, les villages pimpants sur les collines du Gers, les
rivières qui couraient se jeter dans la Garonne. La pétarade
se rallumait par moments comme pendant les grandes
chasses à la perdrix qu'on organisait parfois dans les zones
pacifiées sous prétexte d'amuser la troupe et d'améliorer
l'ordinaire : on tombait par hasard sur des maisons de pierre
dissimulées sous la roche, pareilles à des cavernes que les
fauves venaient de quitter. On trouvait des traces de feux
éteints depuis peu, des caches secrètes, des vêtements, des
silos, des galettes d'orge oubliées, alors la chasse se transformait en battue.

Les zouaves clignaient de l'œil à leur chef de bataillon,

certains souriaient, jouaient les flambards. « On les a drôlement possédés, mon capitaine... » Le capitaine se disait
que l'affaire avait été moins difficile qu'il le craignait, une
blague le fameux canon des Kroumirs. On se passait des
bidons de gros rouge, on sortait le saucisson à l'ail, on
s'asseyait commodément pour le casse-croûte, le fusil entre
les cuisses, le front découvert par la chéchia très en arrière
dont le gland pendait sur le cou ou l'épaule, on poussait des
cadavres du pied comme on touche du gros gibier abattu.
On s'étonnait des têtes rases, des jambes griffées par la
broussaille, de la plante des pieds durcie comme des sabots,
on décortiquait des colliers de noyaux d'olives, des talis-
mans, des versets du Coran cousus dans des feuilles de cuir,
des chaussures en peau de chèvre, une simple lamelle retenue par des lacets entre le gros orteil et le talon. Et les armes
des Kroumirs ! Des pétoires de pacotille au canon branlant,
des *flissas,* ces couteaux qui servaient à égorger les bêtes et
les hommes, des cornes à poudre, des sacs pleins de billes de
plomb.

Les morts étaient presque tous imberbes, des enfants, les
fameux *im'sseblines* que de simples bâts de mulets avaient
conduits là, leur gloire à eux, leur foi, toute cette forêt de
jeunes arbres abattus, confondus avec la terre et couchés
dans leurs gandourahs de bergers. Il n'y avait que deux
vieux hommes à burnous, à barbe grise et à turban, leur
grand chapeau écrasé dans le dos. On les retournait pour
mieux les examiner car on ne voyait que de loin les rebelles
vivants. On aurait pu les croire semblables aux Kabyles
soumis, usés, brisés, qui venaient derrière leurs chefs saluer
les troupes à leur passage chez eux et aux prudents qui, par
vengeance entre tribus, embrassaient la cause française. Eh
bien non. Il existait entre eux les mêmes différences qu'entre
les animaux sauvages et les animaux domestiques. Les
rebelles semblaient plus ardents, plus blonds, beaucoup
avaient des yeux bleus, brouillés par le commencement d'un
sommeil qui ne finirait plus.

— Noir comme vous êtes, Krieger, vous ne feriez pas
un bon Kroumir. Ils sont plus germains que vous.

La Kabylie avait toujours été le refuge des proscrits. Les étrangers qui demandaient asile étaient bien reçus. On leur donnait une maison, ils pouvaient acheter une femme à condition de se placer sous la protection d'un clan. On citait des déserteurs du temps de la conquête, un Angevin surtout dont on avait retrouvé la trace quand on avait bâti Fort-Napoléon et qui, bien qu'amnistié, avait préféré rester Kabyle. Ses enfants, musulmans, ne parlaient même pas français. Un vrai Kroumir au visage tanné qui avait changé son nom de Clément ou de Clozier en un vague Mekhelouf et revenait parfois trinquer avec la garnison. Sa descendance n'était-elle pas là ?

Le capitaine avança vers le lieutenant Sauvemagne qui commandait la 9ᵉ compagnie, il le découvrit la main gauche en sang.

— Vous êtes blessé ? Delfini ne m'a rien dit.

— Pas grand-chose. Je passerai à l'infirmerie tout à l'heure.

— Quelles sont vos pertes ?

— Deux tués. Une dizaine d'amochés qu'on a emmenés.

Le capitaine se détourna un peu.

— Vous aviez des prisonniers ? Quelle drôle d'idée !

— Des gamins qu'on croyait morts. J'ai été surpris. Je me demandais si...

— Ne vous demandez jamais rien. L'armée, mon petit vieux, c'est l'obéissance d'abord et toujours. Rien que ça. J'exécute ce qu'on me dit. Si on m'ordonne d'avancer, j'avance, de ne pas bouger je ne bouge pas, c'est pourquoi je laisse le bataillon Dupuis f... le camp, de ne pas faire de prisonniers je n'en fais pas. Si chacun agit à sa guise, vous comprenez...

Toute sa faconde d'autrefois tombée, il était devenu un pète-sec, semblait jouir de la confusion du lieutenant, prenait plaisir à l'augmenter, espérait vaguement que Dupuis, étrillé, tomberait sur un bec pour n'avoir pas respecté les ordres.

Dans le ciel dégagé, le vent soufflait fort de l'ouest, charriait des bribes de la marche que les musiques jouaient en bas, dans le ravin d'où les escadrons avaient enfin jailli sur la crête de l'autre côté du village. Les chevaux, les sabres, les tuniques bleues et les culottes rouges, un champ d'anémones.

> *Pan pan l'Arbi*
> *Les chacals sont par ici...*

Une onde de mélancolie le couvrit. La bataille finie, il retrouvait en lui la même déception. Quelque chose le quittait, qui l'habitait autrefois longtemps après quand il régnait dans les montagnes de Blida, seigneur et maître des hameaux qu'il connaissait tous par leurs noms arabes, même quand ils étaient en ruine. Ces ruines lui appartenaient, perles noires qui lui battaient sur la poitrine comme un collier d'annonciade. Il se reprocha sa dureté. Il exagérait. Il voulait se montrer plus discipliné qu'il ne l'était, son intention n'était pas pure, il se posait lui aussi des questions. A la place du lieutenant il aurait fait grâce à ces enfants. La faute de ce sauvage de Krieger qui n'avait pas parlé de l'âge des prisonniers.

A l'autre bout du terrain du bataillon, le capitaine Allaire, le képi sous le bras, son sabre rengainé lui battant le flanc, semblait jovial. A cause de sa grosse moustache plaquée sur sa face ronde et de son œil pétillant ? Lui aussi avait trois zouaves tués et une douzaine de blessés. Griès le félicita puis revint en arrière. Les morts, on en avait tant vus qu'on ne s'en souciait plus. Ceux des Kroumirs on les comptait comme des moutons de razzia. Enfin percés de balles, ils ne couraient plus la campagne, on n'avait plus à monter de coûteuses opérations contre eux. Les rebelles, il en fallait des hécatombes, des gerbiers bien fournis, des forêts jetées bas à coups de hache. La vraie noce, c'était cela. Une vraie

noce d'hommes, sans femmes, avec des rites d'hommes, des
cris d'hommes, des poignards bien aiguisés et des fusils
encore chauds de poudre, sans jamais de blessés ni de prisonniers : tout dans le grand troupeau de moutons sacrifiés.
On trouvait parfois des ennemis enlacés, couchés l'un à
côté de l'autre, mêlés les uns aux autres. Après le combat
on les séparait : les rebelles à la fosse commune, quand on
ne les abandonnait pas aux chacals, les zouaves dans des
fourgons qui les ramenaient à Fort-National.

Le bruit courait qu'après Icherridène, la campagne de
l'armée ne serait plus qu'une promenade militaire, les Kabyles
ne pourraient plus se regrouper nulle part, ils seraient cuits,
on grimperait allégrement le col de Tirourda, à l'est de
l'énorme bosse du Djurdjura, on se laisserait glisser dans la
vallée de l'oued Sahel pour rejoindre une autre colonne, il
suffirait de tracer des routes dans la montagne pour les
convois. Icherridène conquis, ce serait la franche nouba, le
couronnement. Le général avait raison de vouloir une fête.
Sans femmes encore ou avec des femmes ? Au souvenir des
you-you le capitaine se remit à penser aux mouquères,
comme disait Krieger. Pourquoi pas ? Krieger n'était pourtant pas porté sur la bagatelle, à moins que, de retour à
Alger près de sa digne épouse il ne se livrât qui sait ? à des
orgies à l'allemande en racontant ses faits d'armes.
Mme Krieger regardait peut-être son mari comme un dieu...

6

— Ne gaspille pas tes cartouches.

Disait-il cela pour économiser les munitions ou pour
empêcher le zouave de tirer sur les oiseaux de proie ? Des
aigles ou des vautours ? A cette distance il était difficile de
le savoir. Plutôt des vautours, bien qu'ils fussent séparés
par de longs espaces, il y en avait trop, les aigles étaient
plus solitaires, le bruit les éloignait alors que la bataille

attirait les vautours. On aurait dit qu'instruits par l'expérience, ils suivaient l'armée dans l'espoir des ripailles, s'impatientaient quand on tardait à combattre. Le tambour de l'artillerie les ralliait. Presque immobiles face au vent, cahotant dans les remous, leurs grandes ailes étendues, l'œil agile à tout saisir, ils paraissaient épier, se surveiller les uns les autres, guettaient le premier d'entre eux qui s'abattrait sur un mort, bête ou homme. Alors ils s'élanceraient tous à la curée, se griseraient d'entrailles, leur régal, plongeraient la tête dans les ventres déchirés, quelle bombance ! capables pour se repaître de ce festin de planer des jours et des jours au-dessus du chaos des montagnes, d'aspirer les courants, de s'attacher obstinément aux troupes, et, quand l'affaire se déclenchait, de humer de loin son odeur. Des vautours fauves assurément : par moments on les entendait croasser, ils s'excitaient, et pourtant avec leur cou replié dans les épaules une allure et des envergures d'aigles, mais les aigles ne criaient jamais, ils contemplaient tout du zénith de leur royauté et ne s'attaquaient qu'à des proies vives alors que les vautours n'aimaient que la mort.

Pourquoi les chasser ? Ils accomplissaient leur tâche de fossoyeurs, nettoyaient mieux les corps que les chacals, n'y laissaient pas un lambeau de chair, seulement les squelettes qu'ils abandonnaient à leur tour aux gypaètes. Quel estomac ceux-là ! brisant les os en les laissant tomber de haut, engloutissant tout.

Une noce aussi pour eux. « Frères vautours... » Le capitaine Griès s'attendrit brusquement. Il eut pour les vautours une sorte d'élan de jalousie. Lui aussi, il était un oiseau de proie, à demi-aigle et à demi-vautour, aimant la vie, mais aspiré par la mort, s'enivrant de carnage. « Frères vautours, si je tombe loin des miens peut-être viendrez-vous un jour me dévorer, pour vous tout est bon, vous ne distinguez pas entre Kroumirs et Roumis, vous vous jetez sur les morts, vous engloutissez le foie, le cœur, les yeux puis vous vous envolez ivres de sang, un peu titubants. Peut-être alors deviendrai-je votre chair, vos corps gonflés de vent, les ailes qui vous soutiennent, votre bec poignard, vos yeux à facettes.

Je m'élèverai dès l'aube, je chasserai, le soleil dans le dos, je fondrai sur des rongeurs, des oiseaux, des agneaux, à la saison des amours j'aurai des noces en plein ciel... »

Il se sentait aigle mythologique, emportant une femme dans les airs et sur les cimes, comme Jupiter prenant la forme d'un aigle pour enlever Ganymède. Il se dit que ses serres n'étaient pas assez puissantes et que les femmes étaient plus fortes que lui. Il disait « les femmes » alors qu'il ne pensait qu'à une seule, celle du rêve, la secrète, la cachée, qui le tenait plus qu'il ne la tenait. Il sourit : il pensait à cette fable arabe de l'aigle qui avait piqué sur un lièvre et l'emportait, quand il rencontrait un autre aigle qui lui disait : « Malheureux, lâche ce que tu tiens. Ne vois-tu pas que c'est un chat ? » Et l'autre : « C'est à lui que tu devrais demander de me lâcher... » Ainsi, cette femme sur laquelle il avait cru s'abattre était accrochée à lui, il allait depuis des mois avec le souvenir d'elle, ses griffes enfoncées en lui, il portait ses marques, il était son Icherridène, il songeait à la laisser s'écraser sur des rochers, elle faisait corps avec lui, il faudrait redescendre mais comment se poser ?

L'idée qu'il pouvait mourir le traversa encore. Que restait-il de ceux qui étaient tombés dans les assauts précédents ? Le souvenir d'un visage déjà brouillé, pas plus que la trace d'un foyer entre des pierres dans la montagne. On chiffrait les pertes, on se moquait de soi parce qu'on s'était arrêté un moment derrière un bloc de granit sans oser avancer. Cette amertume dans la bouche ! Il cracha le petit cigare qu'il mâchonnait toujours. Krieger, ça ne vous est arrivé qu'en 70 d'avoir les foies ? Parce que moi figurez-vous chaque jour, à plusieurs reprises, on ne m'accusera pas d'être inconscient. Vous certainement, c'est que vous êtes un homme de guerre, moi pas du tout, malgré les apparences. Une étude de notaire m'attend en Gascogne, je n'aurais qu'un mot à dire et quelques inscriptions de droit à terminer dans la bonne ville de Toulouse...

Une brusque fusillade sur le versant qui donnait sur le Djurdjura. Des hurlements, des mouvements, une course en sens inverse, des balles qui sifflaient et ricochaient en se plaignant.

— Qu'est-ce que c'est ? Allez voir ça, Krieger, vite.

Les zouaves se redressèrent, empoignèrent les chassepots. Un nouvel engagement imprévu. Evidemment, avec cette aile droite découverte par la progression incohérente de Dupuis. Krieger revint essouflé, décomposé. La course, la surprise ?

— Dans le ravin, dit-il en ahanant, des Kroumirs... Des Kroumirs sortis de terre. Ils avancent.

Griès donna des ordres d'une voix qui avait du mal à cacher son triomphe : ce salaud de Dupuis... Tout le monde tourné vers le sud, face au soleil, deux compagnies en appui de feu, la compagnie Kossaïri se glisserait sous la falaise pour prendre les Kabyles de flanc. Le capitaine suivait pour commander la manœuvre. En bas les musiques jouaient toujours la marche des zouaves ; les jumelles à la main, le colonel débouchait, achevant de mastiquer un casse-croûte, entouré d'officiers qui dépliaient en hâte des plans directeurs.

— Que se passe-t-il ?

Du menton le capitaine désigna la droite.

— Une contre-attaque. Je la bloque.

Il s'éloigna en s'accrochant aux aspérités de la roche, sur les talons de sections de réserve, au milieu des tirailleurs. Quelques-uns, sans chéchia, avaient noué un mouchoir en guise de turban sur leur crâne tondu, un autre perdait sa ceinture de flanelle et se reculottait. Tout sentait la sueur et la graisse. Par chance la falaise abordait les hauts en oblique. A l'abri des blocs, on voyait des Kroumirs brandissant leurs vieux flingues, bondissant, hurlant. Le capitaine eut encore une pensée vers les vautours : « Ils vont se régaler ce soir... » Il laissa les Kabyles avancer, le dépasser, puis tout à coup se tourna vers le clairon.

— La charge !

L'homme s'arc-bouta sur ses jambes, porta l'embouchure contre ses lèvres, prit sa respiration et sonna en postillonnant. Ses veines se gonflèrent sur son cou et ses tempes. Le capitaine se hissa sur le plateau avec un geste vers le commandant de compagnie. Allez, mon vieux, tirez-vous de là !

— Kossaïri !

Qu'attendait-il Kossaïri ? Ne savait-il pas qu'un officier devait donner l'exemple, le premier partout, c'étaient les risques du métier, peut-être pas dans l'armée turque mais dans l'armée française, grâce à quoi on avait droit à des honneurs, à des égards et à des faveurs, on ne portait pas le sac comme les hommes, on couchait et on mangeait à part, on disposait parfois de la vie et de la mort, on était Dieu. « Ce salaud de Dupuis, s'il était resté à sa place... » Ne jamais croire que tout était fini, ça pouvait venir d'un Kroumir déjà étendu ou d'un tirailleur pressant bêtement la détente de son chassepot, ce fusil miracle approvisionné avec des cartouches qui se suivaient dans leur magasin comme les wagons d'un train et sautaient dans la culasse dès que l'étui précédent était éjecté. « Ah ! ma mémoire sera gardée un mois ou deux, Krieger racontera... » Qu'il était un héros, un chef comme on en voit peu, avec des brusqueries et des humeurs, que depuis un mois il ruminait des tristesses, qu'on aurait dit qu'il cachait quelque chose, on avait beau multiplier les attentions à son égard, on ne s'attirait que des rebuffades. Pas de pitié, pas de prisonniers surtout, pas le moindre cas de conscience. Le moment pour Kossaïri et la compagnie de tirailleurs de vider leur querelle avec les Kabyles, d'en finir avec les rivalités de clans, les haines mortelles. Fils de renégats ou pas, tous les Kroumirs à la casserole ! Ils avaient de la chance, bercés par la voix des imans ils allaient droit au ciel pour la patrie kabyle, *tamurt imazirène*, la terre des nobles et des hommes libres. Sur le glacis semé de cailloux brillants et coupants, à travers les anciennes tranchées de 57 dont ils avaient retrouvé les traces, où les *im'sseblines* dormaient de leur sommeil d'éternité près de leurs bâts de mulets, des nuées de mouches furieuses d'être dérangées s'élevaient quand on passait sur les corps, on enjambait des ruisseaux sombres dans la pierraille, des balles de chassepot claquaient, les abrutis de zouaves se défendaient de leur côté et descendaient les Kroumirs sans penser qu'ils risquaient d'atteindre les tirailleurs surgissant à revers. Dans la ligne de mire ça se reconnaissait pourtant, les tirailleurs, on ne confondait pas leur seroual bleu ni les pantalons rouges du chef de bataillon et de ses officiers avec la gandourah des Kroumirs !

— Vous tirez sur nous, bande de c...

L'artillerie servait à quoi ? Et ces escadrons de cavalerie qui caracolaient derrière la croupe d'Icherridène tandis que le bataillon Dupuis atteignait bêtement le minaret de la mosquée !

Eh bien oui, des noces et les plus belles de toutes ! Un champ de mort. Les tirailleurs de Kossaïri achevaient une cinquantaine de Kroumirs qui se défendaient encore sur la gauche. L'un d'eux, un enfant, si on jugeait par sa taille et son agilité, s'était échappé et courait en zigzaguant comme un lièvre. On le ratait. Puis il obliquait soudain vers le ravin encore libre et ses broussailles et là on l'abattait, il ne se relevait plus, ou alors il avait réussi à gagner l'effondrement où l'on voyait briller au loin les villages des Aït Yenni et des Menguellat, l'affluent à sec de l'oued Aïssi qui descendait des pentes sauvages pour rejoindre au nord, après une longue chevauchée entre les rochers, la grande vallée du Sebaou d'où venait l'armée. Ça y était, cette fois on pouvait s'ébrouer.

7

— Delfini, je veux bien manger un morceau.

L'adjudant s'empressa, ouvrit sa musette, en tira une assiette de métal, une fourchette.

— Non, sur le pouce.

— Vous avez faim, mon capitaine ?

Quand tout était fini, oui. Comme les vautours. Tant que la bataille durait ils se tenaient à l'écart, les veinards, avec leur mine insolente et patibulaire, après ils se précipitaient en caquetant. Griès jeta un coup d'œil par-dessus la falaise où les oiseaux semblaient s'apprêter et se rassemblaient. Il n'y en avait pas dans les montagnes de Blida, ou alors le capitaine ne se souvenait plus : les pensées qui l'habitaient n'étaient plus les mêmes. Peut-être tout le branle-bas de la plaine, la civilisation, les cultures des colons jusqu'au pied du massif avaient repoussé les charognards plus loin : on ne tuait pas tellement, on nettoyait proprement. Dans la montagne de Blida le capitaine, comme un baron entre ses écuyers, avançait vers le lieu du festin où un mouton arrosé de beurre tournait au-dessus des braises, et dans un gourbi tendu de couvertures de laine une fille attendait. Les Arabes savaient qu'en en sacrifiant une ils auraient des faveurs. Donnez-moi une fille je respecterai vos femmes, vos troupeaux, vos maisons. Sinon... Ils en laissaient une, que les zouaves découvraient à demi folle de terreur, serrée contre des poules dans le recoin d'une cour, et qu'ils apprêtaient pour leur capitaine. Un jour, les mechtas étaient restées vides, sans un œuf, et le capitaine avait arrêté les zouaves qui voulaient tout incendier. Pourquoi cette pitié qui ne rapportait pas ? De la fatigue ? Il avait dû attendre l'Alsace, au mois d'août 70, pour découvrir le vrai motif de sa magnanimité : les rôles étaient renversés, il était devenu le bic des Prussiens. Chose étrange, la fois d'après, les Arabes avaient paru lui rendre hommage et le comprendre : il avait eu de nouveau sa fille, seize ans peut-être, la plus belle qu'on lui eût jamais offerte, avec un collier d'argent...

Chaque fois, après la bataille, un furieux appétit que l'éloignement du danger déchaînait : des sandwiches au pâté de foie qu'il partageait avec Delfini, Krieger avait les siens toujours au poulet, chez lui c'était avant que la peur déclenchait la boulimie, et un fond de bouteilles de Cahors dont la réserve, si Denef tardait, allait s'épuiser. Le moment de boire un coup à la santé des morts et des vautours !

— Allez-y, Krieger. Finissez de me raconter comment ça s'est passé en 57. Je vous écoute. Bourbaki est remonté à cheval ?

— Je ne sais pas. Sans doute. Ce que je sais c'est que le commandant de l'artillerie se déplaçait sur son bourrin malgré le feu des Kabyles, il allait de pièce en pièce rectifier le tir.

— Il y avait des musiques ?

— Je n'en ai pas trouvé trace. Les canons obusiers avançaient précédés d'un détachement du génie qui leur frayait la route, chaque pièce était attelée de six chevaux. La fusillade dura toute la journée et toute la nuit, plusieurs attaques furent repoussées.

— On a f... le feu ?

— Bien entendu. Et tout rasé. A l'époque il y avait beaucoup de jardins et de vergers. C'était la saison des cerises. Vous entendez ?

Ridicules ces musiques qui devaient accompagner le commandant en chef pendant que les zouaves se faisaient tuer sur le plateau, une belle mort en fanfare. Saint-Arnaud pas un seigneur ? A distance, les vieilles ironies de M. de Roailles blessaient encore le capitaine, Saint-Arnaud aurait piqué une crise devant cette mascarade : la marche des tirailleurs à présent, les clairons alternant avec l'aigreur des raïtas dont le vent par moments tordait les trilles acides.

Krieger fredonna :

> *... les turcos deviennent méchants*
> *Mais ça n'empêch' pas les sen-ti-ments*
> *Les turcos, les turcos sont de bons enfants...*

— C'est *Voilà du boudin* qu'ils devraient jouer, ajouta-t-il. En votre honneur. Sans vous cette fois-ci, à part le silence... La Légion est montée sans un cri et sans un mot. Vous pas. Cette nuit déjà vous parliez. De ma tente je vous

ai entendu. Je me suis levé. J'ai cru un moment que vous
m'appeliez. J'ai allumé une chandelle, je suis allé vous voir.
Vous dormiez. Vous paraissiez heureux. Vous commenciez
l'assaut. Pas le même. Vous n'en aviez pas après les
Kroumirs.

— Après qui alors ?

— Je ne sais pas. J'ai l'impression que c'était après une
femme.

— Je disais son nom ?

— Vous n'arrêtiez pas de le répéter.

— Marguerite alors.

— Un autre. J'ai oublié.

Le capitaine sourit, tendit son gobelet à Delfini. S'il se
mettait à présent à réveiller tout le bivouac avec ses rêves...
En buvant ce vin-là, feindre était inutile, du moins à ses
propres yeux : ce vin lui rappelait autre chose que la Mitidja ou les coteaux du Sahel, il avait un autre bouquet.

Delfini avait tiré son couteau, écrasait le pâté sur le pain
puis s'en taillait des cubes, les piquait pour les porter à ses
lèvres à la façon des hommes de troupe et des ouvriers, pour
lui ça faisait plus distingué que de mordre dans le sandwich
à pleines dents.

— Il faudra que je rompe...

— Pardon, mon capitaine ?

— Rien. Une pensée qui me vient.

Trop de pensées. Sans doute parce que Marguerite n'écrivait pas. L'imagination vagabondait. On disait que les
im'sseblines s'attachaient parfois les uns aux autres et les
derniers à des arbres pour mourir sur place. Lui il était
attaché à une femme, comme l'aigle au chat. Et le chat à
l'aigle ?

Le colonel venait à eux. Le capitaine se leva en s'essuyant
la bouche, se mit au garde-à-vous, salua.

— Ne bougez pas, continuez.

Le colonel était plutôt petit et malgré son âge, quarante-cinq ans peut-être, on avait, à cause de sa grosse tête enfantine sans moustache et sans barbe et de ses cheveux très blonds, tendance à le prendre pour un gamin. On le sentait toujours prêt à se rebiffer, à se vexer, à montrer que le chef c'était lui. Sa voix paraissait aussi disproportionnée à sa taille et ajoutait à son allure de roquet enroué. Avec ça du cœur, soucieux de se montrer bon et inquiet de son autorité, susceptible, distribuant sans jugement les générosités et les blâmes. Griès ne l'aimait pas, ça se sentait, il le traitait à la légère, le tenait pour négligeable, commandant le régiment pour la forme.

— Je vous ai vu grimper tout à l'heure et démolir la contre-attaque. Pas mal. Vous n'aviez plus vos liaisons avec Dupuis ?

— Vous m'avez donné l'ordre de ne pas dépasser le plateau. Pour aller plus loin je vous attends, mon colonel.

— Si Dupuis a continué c'est qu'il avait des raisons.

— Il aurait dû m'en informer.

— Nous verrons ça. Pas de prisonniers ?

Le capitaine balaya du geste le plateau. Chez les Kabyles rien que des morts et des mourants.

— Bien, bien. Ne bougez pas. La réserve vous relève. Je vous avertirai quand vous devrez rejoindre.

Le colonel s'éloigna avec son état-major. Le capitaine refusa le gobelet que lui offrait Delfini, épousseta son pantalon et le pan de sa tunique, s'épongea le front, enleva un instant son képi, gratta un peu les trois galons ternis qui séparaient le bandeau noir du fond rouge où le trèfle d'or étalait ses replis. Le soleil dévorait les couleurs, le drap s'élimait, la visière se tordait, la coiffe portait des ondes de sueur. Il aurait dû flatter le colonel, lui demander des avis, tempérer l'ardeur de ses répliques, lui laisser croire qu'il avait inventé la poudre, les compliments auraient été plus chauds que ce « pas mal » condescendant. Dupuis était plus habile, il saurait transformer son indiscipline en opportunité tactique, il avait foncé vers le village parce que toute résistance avait cessé devant lui, Griès aurait dû le sentir aussi et le suivre, la contre-attaque ennemie n'aurait pas eu

lieu. Dupuis ajouterait qu'en ne laissant pas aux Kabyles
le temps de souffler, il pensait avoir économisé des vies
humaines et le colonel approuverait. Il approuvait toujours
Dupuis, qu'il admirait. Un vrai chouchou. La contre-attaque
se serait déclenchée quand même, elle serait tombée sur les
arrières, les aurait culbutés et coupés de la tête. On veillait à
ce que tout se passât dans l'ordre, quand on sentait tout
flancher on se jetait comme un fou à l'assaut des falaises, on
entraînait le front entier avec soi pour récolter un « pas
mal » mêlé à des reproches.

Les bataillons de réserve débordaient de la muraille, sub-
mergeaient le plateau, des unités de génie poussaient devant
elles des mulets chargés de haches, de longues scies dans leur
étui, des caisses d'explosifs. Des hommes s'affublaient de
grands chapeaux de paille, de djellabas. A droite, dans un
ravin, claquaient encore des coups de feu. Pour traquer les
fuyards dans les broussailles, on avait lancé une compagnie
de turcos, ils se déchaînaient devant l'appât des prises de
guerre, tout ce que les tirailleurs saisissaient leur appartenait, les troupeaux, les armes, le grain, les femmes. On
exploitait leur cruauté naturelle, mais on évitait de les lancer
dans les villages vaincus ou alors on leur abandonnait quelques maisons comme on jette un os à des chiens. Ils raclaient
tout. Derrière eux, plus une couverture, plus un ustensile
de cuisine, plus une brassée de fourrage, plus une outre
d'huile, plus une poignée de figues sèches, plus un chat, rien.
Ce qu'ils ne pouvaient emporter, ils le brisaient. La vraie
razzia.

A gauche, par le chemin dégagé qui longeait l'éperon, les
musiques débouchaient, tambours et cuivres en tête, la
nouba des tirailleurs précédée d'un énorme bélier aux cornes
en colimaçon. Tout près, les hommes du 80° de marche
et du 27° bataillon de chasseurs à pied se bousculaient,
goguenards, louvoyaient devant les masses de rochers,
butaient parfois sur des cadavres, plaisantaient, se lançaient
des bidons de vin. Ils se hâtaient pour ne pas rater le spectacle qui les attendait, dépassaient les zouaves avec des
lazzi : « C'est vous ce travail ? Vous les avez bien assaisonnés

les Kroumirs. Nous on va chercher les mouquères... » Une odeur bizarre flottait. Pas les corps si tôt ? Des relents que les armées traînent avec elles et que la chaleur remuait : la sueur, la boustifaille, le tabac des pipes, la graisse, les croquenots, le cuir des mulets, avec de minuscules piqûres de lavande. Le temps se couvrait, des nuages s'amoncelaient sur les sommets du Djurdjura. Les Kabyles l'appelaient simplement *adrar,* la montagne, ou encore *adrar boudflel,* la montagne de la neige. A présent on la devinait seulement dans l'entassement orageux, elle paraissait plus formidable, plus haute, menaçante. Ne se trompait-on pas quand on croyait que tout finirait à Icherridène, qu'il ne faudrait pas poursuivre les enragés jusque-là ?

8

La pensée qu'il allait revoir Denef réjouit le capitaine Griès. Denef lui rappelait l'hôtel de la Régence, la popote des lieutenants d'état-major, le Marabout. « Tu te souviens d'Olga ? » oui, oui passons. Un témoin des anciennes fredaines puis du mariage à Boufarik, avec le général de Roailles en grande tenue à l'apéritif et au déjeuner des noces. Marguerite avait paru lui en imposer. Un moment il avait dû, à cause de la beauté de Marguerite et de l'amitié des Roailles, jalouser son camarade, puis la disgrâce du général avait tout arrangé. Jusqu'à la guerre, on ne l'avait pas revu. Il avait fallu la Kabylie où Denef était chargé du ravitaillement pour le retrouver, toujours célibataire, même idiot roulant des yeux furibonds, critiquant tout, prévoyant les pires catastrophes.

Déjà Griès l'imaginait à cheval, important, hoquetant des injures à ses juteux en remontant son convoi, postillonnant, riz-pain-sel, même pas intendant, vulgaire officier des détails, passant sa vie à vérifier les tonneaux de rouge, des sacs de haricots, des barils d'huile et des caisses de sucre, mais avec

quel foin ! Des escadrons de chasseurs pour escorter ses
fourgons. C'était lui qui ramenait les paniers de bouteilles
de Cahors. Il revenait d'Alger avec les nouvelles, des journaux, parfois du courrier, il se chargeait de messages, avait
des combines, jouait les pères Noël. Il avait disparu depuis
une semaine, mais on savait qu'il était de retour. Et ce tic,
à présent, de renifler sans cesse comme un porc en relevant
brusquement la tête, de couper les phrases de « hein ? »,
de glisser partout des sous-entendus égrillards. Pauvre Denef,
il était bien usé avec des rides profondes sur chaque joue à
cause de la moue qui lui tordait perpétuellement la bouche.
Olga, le capitaine Griès s'en souvenait à peine. Il y avait un
siècle de cela. Il revoyait vaguement une grande bringue
au Marabout. Et puis cette manie agaçante de crier « Hector,
Hector !... » dès qu'il apercevait Griès. Ils étaient capitaines
tous les deux, mais Griès commandait un bataillon, il y avait
des nuances à respecter. Denef posait au foudre de guerre
alors qu'il n'avait jamais été engagé au moment de la défaite,
même pas eu le temps d'approcher Paris. Sous prétexte de
ramener un bateau de mulets, il avait retraversé la mer en
sens inverse et, la défaite consommée, s'était débrouillé pour
ne pas revenir en France, ce qui ne l'empêchait pas d'inven-
ter des récits d'escarmouches avec des uhlans. Il était avec
Griès le seul rescapé de la fine équipe de la Régence :
Piquart tué, on était sans nouvelles de Roger prisonnier à
Sedan.

   Pour quelle raison lui aurait-on donné la médaille de 70 ?
Il feignait cependant de l'avoir et de ne pas la porter. Sur
sa poitrine vierge de décorations, encore qu'il eût réussi à
obtenir des nichans, le ruban du Mexique et de la Chine
où il n'était jamais allé, le Sahara, d'autres encore, il avait
fait coudre sur sa tunique des passants toujours vides. On
trouvait des naïfs pour croire chez lui à de la modestie. Fringant, botté de cuir fauve, une cravache à la main, chevau-
chant des canassons fatigués qu'il éperonnait pour les émous-
tiller, c'était quelqu'un. Griès se dit avec un peu de mélancolie qu'il n'avait que lui pour ami. Il lui tardait de le
rejoindre. Non que Denef fût de bon conseil. Il existait et

mieux valait l'avoir avec soi que contre soi. Après tout, il avait une place de choix et il fouettait pour avancer. A bien approvisionner la table du commandant en chef il passerait peut-être au grade supérieur avant Griès. On avait vu pire.

— Mon capitaine, le colonel vous demande de dégager...

Griès lut les détails de l'ordre : « Vous vous installerez dans le village en position défensive à gauche de... » puis fourra le billet dans sa poche et avança à grandes enjambées derrière ses compagnons de tête. Les mouches piquaient jusqu'au sang, se collaient sur les fesses des mulets qui tentaient en vain de les chasser, leur queue coupée trop court n'avait plus de crins. Il avait hâte de gagner Icherridène où l'on distribuerait le courrier.

Depuis Blida plus un mot de Marguerite. Il n'attendait pas des chroniques : Marguerite avait appris à lire et à écrire après son mariage. Noblesse oblige. Elle se débrouillait. Des fautes d'orthographe, des expressions malhabiles, la belle affaire ! On n'espérait pas des discours académiques. Lui, pendant un mois, chaque jour un mot : « Nous sommes à tel endroit, nous avons flanqué une pile aux Kabyles, on crève de froid la nuit et de chaud à midi, nous avons parlé de toi avec un tel... » Par moments la pensée de Marguerite le persécutait. Pourquoi n'écrivait-elle pas ? Elle connaissait pourtant son adresse : 4ᵉ zouaves en opérations. Ça suffisait. La poste aux armées savait comment acheminer les lettres. Il avait eu beau supplier, car ses lettres à lui arrivaient il en était sûr. Pendant la guerre de 70, il comprenait. On changeait de cantonnement chaque jour, tout avait été bouleversé, et cependant des officiers et même des hommes recevaient du courrier d'Algérie. Lui, jamais rien. A son retour il s'était plaint : tu m'aurais griffonné deux mots seulement, que tu allais bien, que les gosses s'amusaient, j'aurais été heureux... A son nouveau départ pour la Kabylie elle avait promis, et puis le silence, le néant. Elle s'enfermait dans une sorte d'aboulie intellectuelle qui était peut-être le signe d'une paresse profonde, congénitale : si sa mère descendait vraiment des Arabes, ces gens-là n'écrivaient que dans les grandes circonstances et d'un style enfantin, pour annoncer les naissances, les maladies, la mort. Le reste, ils ne savaient pas. Chez eux on n'était pas épistolier. Ils passaient leur temps à regarder le ciel, la mer, à faire la cuisine, à parler, à soupirer. Les tirailleurs ne recevaient jamais de courrier, Kossaïri non plus jamais rien de sa famille, ou alors il tournait et retournait la lettre comme une bombe, n'osait pas la décacheter, chargeait quelqu'un de l'ouvrir, se la faisait lire à petites phrases, interrompait le lecteur, lui demandait de recommencer au début. Que de circonlocutions ! Les nouvelles étaient toutes bonnes jusqu'à la dernière, tout le monde se portait bien jusqu'au père qui venait de trépasser. Marguerite était pareille. Avec les Aldabram et les Bouychou la poste ne servait à rien. A désespérer ceux qui comptaient dans leur patrimoine Mme de Sévigné, Balzac, Voiture, Voltaire. Marguerite aurait dû écrire au moins pour savoir ce que son frère Antoine devenait. Rien. La fatalité. Antoine non plus, jamais un mot de la ferme. Les vieux ça se comprenait. Mais de son côté Lætitia semblait frappée de paralysie. Antoine trouvait cela normal. Hector en souffrait. A son tour il s'était lassé. Depuis un mois il n'écrivait plus.

Un jour qu'il se plaignait à lui de ce silence, il revit Denef renifler et l'entendit s'esclaffer : « Les femmes, mon vieux, hein ? Mieux vaut ne rien savoir... » Il lui avait semblé qu'il en connaissait plus qu'il ne disait. Aurait-il rencontré Marguerite à Alger ? Le sagoin lui aurait-il fait la cour ? Invraisemblable. Une femme aussi romanesque pouvait rêver d'un nouveau cavalier idéal, elle ne se serait pas commise avec lui. Mais à Blida les beaux officiers de spahis en tunique rouge n'avaient guère de scrupules. Le capitaine Griès s'était-il jamais gêné lui-même ? Depuis la guerre les langues se déliaient, la morale se relâchait, Marguerite n'aurait-elle pas appris, par un racontar de popote, ses propres exploits de jadis dans la montagne ? Ne s'en vengeait-elle pas ? Elle était si jalouse qu'il veillait à tout lui cacher. Une fois elle avait respiré avec méfiance ses vêtements, il s'en souvenait, elle lui avait dit : « Tu sens de drôles d'odeurs. » Elle lui avait lancé un regard. « Toi... » C'étaient les gourbis où il avait dormi, les feux de bois, la pouillerie que les soldats trimbalaient. « Méfie-toi. Si tu me trompais, tu ne me reverrais plus... »

9

Tout à coup il éprouva une impression de solitude. Il se retourna. Krieger suivait, la tête baissée, en soufflant un peu.

— Dites-moi, Krieger...

— Mon capitaine ?

— Vous recevez souvent des lettres de votre femme ?

Quelle question au moment où l'on approchait de la première maison qui flambait, où il fallait se garder des flammèches qui montaient droit dans le ciel et qu'un coup de vent rabattait parfois dans des remous !

— Chaque fois qu'il y a du courrier. Mme Krieger...

Il ne disait pas ma femme mais, comme un bourgeois, Mme Krieger.

— ... me raconte tout ce qu'elle a fait, où elle va, ce qu'elle a vu. De mon côté je pense toujours à elle. Je lui raconte aussi. Je lui parle de vous.

Il faillit demander au lieutenant s'il n'était jamais inquiet. Il se tut. Krieger lui répondrait qu'ils avaient décidé, sa femme et lui, de renoncer à tout ce qui n'était pas eux, que l'idée même d'une infidélité ou d'un mensonge ne pouvait naître. Il se souvint aussi que, du temps où il commandait à Constantine, le maréchal de Saint-Arnaud, alors général, qui venait de se remarier, avait, en pleine expédition à travers les Aurès, conçu de l'ombrage de la visite d'un marquis ou d'un duc en son absence, et qu'il avait tout planté là un soir pour sauter à cheval et galoper jusque chez lui avec un

aide de camp. En pleine nuit, il avait bousculé la garde de
sa propre résidence, appliqué une échelle contre la fenêtre,
brisé les vitres et, les fesses arrachées, jurant et sacrant,
surgi dans la chambre de sa jeune femme. Pour un simple
soupçon ! Parce que sa femme disait du marquis qu'il était
beau. Mais aussi, à dire vrai, un marié tout neuf. Après dix
ans... Eh bien quoi, c'était hier, ces dix ans-là avaient coulé
comme un éclair. La femme de son rêve, comment jurer que
ce n'était pas Marguerite, une bergère qui se déguisait en
reine pour reconquérir ses amours ?

Il s'arrêta, laissa les zouaves le dépasser. Ce silence, ce
silence... Des rêves agitaient-ils aussi ses hommes ? Chacun
d'eux pensait à sa propre vie, à sa peau, lui à sa vie et à
sa peau en plus des leurs. Ces hommes dépendaient de lui,
il les aimait, il ne voulait pas qu'on les tue bêtement. Par
légèreté ou inconscience, ou simplement s'il ne connaissait
pas son métier, il aurait pu les mener à la boucherie. Au
pied de la falaise, à ce moment où seul le courage pouvait
sauver hors de toute raison, où il fallait tout affronter et tout
risquer pour atteindre d'autres rêves, il les avait entraînés
derrière lui ou poussés avec des injures et à coups de botte
vers les retranchements du haut, les rochers et le fer qui
pleuvaient. Le colonel ne comprenait pas cela. « Pas mal... »
Il ne se doutait pas que les rêves étaient contagieux comme
la vérole.

Derrière le village, une canonnade claqua, se répercuta
dans les ravins, repoussa les oiseaux apeurés. Tous ensemble
du même coup d'aile ils s'écartèrent, reprirent du champ,
aspirés par le soleil. Des vautours ou des gypaètes, les aigles
n'allaient jamais en troupeau.

— Quand même Krieger, si ça vous arrivait, votre femme
n'est-ce pas avec un beau sous-lieutenant ? On se croit forts,
on se croit sûrs...

Le lieutenant secoua la tête en souriant. Le capitaine
reprit sa marche.

Le feu qu'avait allumé Dupuis s'était éteint brusquement. Comme dans tous les villages kabyles il n'y avait

qu'une longue rue en enfilade entre des murs de pierres
sèches où s'appuyaient les maisons. Pour unique monument
une simple mosquée avec un minaret de pisé blanchi à la
chaux qu'un seul obus flanquerait par terre et le large toit
de la djemaâ ouverte sur la montagne, où les hommes
s'accroupissaient pour parler des affaires du clan ou pour
fumer. La djemaâ pour rêver, la mosquée pour prier.

Avec étonnement le capitaine reconnaissait qu'il était
resté amoureux de Marguerite, il s'était fait à elle comme
à un cheval, et elle à lui, comme un fleuve à son lit, un
ciel à sa montagne. Elle lui manquait. Le métier ne
la remplaçait pas, les mouquères des mechtas non plus, il
comparait. A chaque retour il se disait qu'il avait de la
chance, il devait bien présenter les officiers de cavalerie
qui s'arrêtaient quand on buvait un verre à la terrasse des
cafés de la place d'Armes sous les platanes. Le grand chic
de Blida : les officiers baisaient la main des femmes. Les
zouaves non, malgré un certain dépit au fond d'eux-mêmes.
Ils auraient bien imité les spahis mais quelqu'un avait dit
un jour : « Quand on ne sait faire que ça il faut bien s'y
exercer pour exceller en quelque chose. » Au départ pour la
guerre de 70, cette hâte à expédier Marguerite à la ferme,
à la mettre sous la protection du vieux grigou et de sa
mère, il avait commandé la calèche pour Boufarik et défendu
à Marguerite de l'accompagner à Alger. Pourquoi ? Pour
des adieux déchirants au bateau, des mouchoirs agités ?
Quel mauvais exemple pour des soldats cette compote lar-
moyante, ce ragoût de bons sentiments, ma chère épouse, mes
chers enfants, au moment où l'on devait renoncer à tout
pour la patrie ! De la dignité. Et puis les femmes éplorées,
des gaillards les guettaient, des aides de camp qui s'embêtaient. Quelle aubaine pour eux ce désordre sur le port !
Jaloux ? non, il veillait seulement sur son bien. Ou alors le
souvenir de Saint-Arnaud ? Mme de Roailles n'était-elle pas
pour quelque chose dans le silence de Marguerite ? Ne

serait-elle pas venue à Blida ? Une allusion, une attention
de trop n'auraient-elles pas éveillé des susceptibilités ou des
soupçons ? Ce silence l'irritait aussi. Homme d'ordre comme
son maître, il aurait volontiers couru bride abattue s'assurer
que tout était en règle, que des mirliflores n'assiégeaient pas
sa maison et ne lançaient pas, le soir, les graviers contre
les vitres de la chambre de sa femme. Ne rien montrer de ses
appréhensions. Aucune alarme. Surtout pas devant Denef.

CHAPITRE II

1

— Le capitaine Allaire vous envoie ça.

Des cerises dans une petite corbeille tressée. Pas des anglaises ni des guignes à chair molle ni des griottes noires. Des bigarreaux brillants, fermes, des gros cœurets dont la chair sucrée éclatait dans la bouche, des Napoléons. Les vergers en étaient pleins, les zouaves en avaient cueilli des tombereaux, on était allé en offrir au général.

Jusqu'à présent on n'avait pas été gâtés. Peu d'abricots. Les figues ne seraient mûres qu'un peu avant l'automne. Icherridène était célèbre pour ses cerises. Les arbres fleurissaient en avril seulement et donnaient tout le mois de juin. On arrivait juste pour la fin. *El hab el melouk,* disaient les Arabes : le fruit des rois. Les Kabyles, *tacherinnsîa* ou encore *zaârour*. Ils usaient d'une langue en code, leur argot. Il fallait être initié pour les comprendre.

— On n'a même pas attendu qu'ils soient dépouillés pour couper les cerisiers, dit Delfini. Pour une fois il faut se baisser pour cueillir des cerises.

— La guerre, mon vieux, dit le capitaine en crachant des noyaux. Servez-vous, Delfini. S'il fallait demander l'avis de chacun. Vous savez ce que c'est, regardez.

Les équipes de spécialistes étaient déjà à l'ouvrage, d'au-

tres arrivaient par le chemin muletier, leur hache et leur
grande scie sur l'épaule. On entendait craquer les arbres
qui s'effondraient, les cerisiers faisaient peu de bruit, les abri-
cotiers et les figuiers non plus, ils tombaient sans manières,
avec une sorte de cri étouffé, on aurait dit des arbres rési-
gnés, des moutons qu'on égorge, et ils restaient sur le flanc
ou sur le dos, leur branchage écrasé. Mais les noyers et
d'énormes frênes au tronc rugueux, qui avaient été épargnés
en 57, poussaient une plainte terrible qui durait, durait, on
aurait dit qu'ils refusaient, qu'ils prenaient les hommes et
le ciel à témoin, qu'ils appelaient leurs frères à l'aide, ce
craquement semblait tiré des entrailles de la terre, il se
produisait une sorte d'arrêt dans la respiration du monde,
et puis ils penchaient d'un côté et s'abattaient avec fracas,
certains, tranchés d'un bout à l'autre du tronc, glissaient
un peu sur les pentes puis s'empêtraient dans d'autres arbres
et s'arrêtaient. Les versants de la croupe du village en étaient
couverts. Il fallait se hâter de cueillir les cerises, comme des
fleurs, avant qu'elles se fanent, on distinguait facilement
celles qu'on avait cueillies sur un arbre encore vivant de
celles qui venaient d'un arbre à l'agonie : celles-là semblaient
fripées, touchées par un mal, atteintes dans leur profondeur.
Des bêtes encore, mais des cerises ! Celles qu'on avait por-
tées au capitaine étaient intactes, saines, luisantes d'un éclat
de joie. Elles ne savaient pas. Elles croyaient que leur cerisier bougeait toujours sous la caresse du vent qui agitait les
lambeaux d'étoffe que les Kabyles y suspendaient pour éloigner les oiseaux pillards. Le génie avait du travail : des milliers d'arbres. Après ça, si les rebelles n'avaient pas compris...

— Profitez-en, Krieger. Des cerises comme celles-là vous
n'êtes pas près d'en manger. Celles de la Mitidja ne les valent
pas et la saison est passée. Vous devriez en envoyer...

Il prit deux noyaux dans ses doigts, les pressa, les fit
jaillir devant lui.

— ... un panier à Mme Krieger. Facile, par le capitaine
Denef.

Mme Krieger habitait Alger sur l'ancien boulevard de
l'Impératrice qu'on appelait à présent boulevard de la Répu-

blique. Il se demanda s'il en ferait autant pour Marguerite. Non. Blida était plus difficile à atteindre. Et puis ne pas mêler Denef à ça. S'il se mettait en tête d'aller porter lui-même la corbeille ?

D'Icherridène, cette fois, on n'allait pas laisser pierre sur pierre, pour que les Kroumirs se souviennent. Une routine. Pour les vergers, les équipes de bûcherons déjà au travail. Pour le village, d'abord la razzia de tout ce qui pouvait servir, le rassemblement des chèvres et des ânes que les habitants n'avaient pu entraîner dans leur fuite, l'entassement du misérable butin, puis d'autres équipes se répartissaient la besogne : on dépouillait les toits de leurs tuiles, on attaquait les charpentes, on les entassait, on vidait les silos et les jarres, on démolissait les murs à la pioche. Les toits s'aplatissaient en soulevant des nuages de poussière, les ruelles se bouchaient, le village devenait un amas de ruines, de poutres, de tuiles ; enfin, au signal, et là on attendait, on se préparait seulement à exécuter, on incendiait, ce n'était pas facile avec toutes ces pierres, il fallait aider le feu à prendre en déversant des barils d'huile et de pétrole. D'habitude ça puait, surtout quand des bêtes mortes étaient restées dessous. Après quoi, à l'écart, sur le terrain où l'armée campait, on préparait le repas.

Ici, chaque section grillait son mouton. Les cuisines regorgeaient de légumes et de viandes en sauce. Les turcos, les plus acharnés, chantaient des chansons arabes en tapant des mains.

Le commandant en chef avait ordonné aux escadrons égaillés sur la longue croupe qui séparait Icherridène d'Aguemoun Izem, de revenir. Il voulait garder Aguemoun Izem pour le lendemain, donner à ses habitants un avant-goût de ce qui les attendait. Aguemoun Izem : la colline du lion. Autrefois, on avait dû apercevoir dans les parages un lion venu des solitudes du Djurdjura ou de l'oued Sahel.

— Merci pour les cerises. Donnez le reste à la section de commandement.

C'était bizarre, le capitaine n'avait plus tellement de haine
pour l'ennemi. Les Prussiens, oui, s'il avait pu tenir les Prussiens comme on tenait les Kabyles ! Les Kabyles avaient
beau être les alliés des Prussiens, s'être révoltés contre la
France défaite, défendre leur pays pied à pied, on se battait
contre eux, on employait les moyens qu'il fallait, une fois
vaincus on devait les châtier, mais, à part les tirailleurs algériens, personne ne manifestait un tel bonheur devant leur
écrasement. Les hommes du génie, ça leur faisait mal au
cœur de scier des arbres fruitiers en pleine force, il y avait
parmi eux d'anciens bûcherons qui disaient à voix basse
que c'était un crime, qu'il fallait vingt ans pour faire un
cerisier ou un abricotier. Un zouave prétendait que les arbres
valaient mieux que les hommes, que ça demandait plus de
temps et qu'ils avaient une supériorité sur eux : même très
vieux, ils fleurissaient chaque année. La première fois, le
capitaine avait expliqué qu'on y était contraints, que c'était
pour les Kabyles une loi de ne reconnaître pour maîtres
que ceux qui coupaient les arbres, qu'à partir de ce moment
on vous respectait.

Aussi qui les avait poussés à s'insurger ? Des sentiments
nobles ? La haine, l'intention d'accabler la France vaincue. Les mêmes hommes qui avaient écrit à l'empereur
Guillaume de venir les délivrer n'avaient-ils pas offert quelques mois plus tôt leurs services et leur dévouement à
Napoléon III ? Alors pas plus de merci pour eux qu'ils n'en
auraient eu pour les Français si la chance leur avait
souri.

Des arguments que personne ne discutait. N'empêche que
cette nécessité du châtiment semblait par moments plus dure
à appliquer qu'à subir. Ce n'était pas de gaieté de cœur
qu'on frappait. Dans le feu du combat, quand il s'agissait
de choisir entre tuer et être tué, aucune question ne se
posait. Après, il existait une telle disproportion entre les
moyens et les forces qu'on devait parfois refouler l'envie

d'épargner et se contraindre à la dureté. Aucune hésitation n'était possible devant les ordres du haut commandement et de l'autorité civile : dans les villages qui résistaient pas de prisonniers ni chez les hommes ni chez les femmes ou les enfants. Aucune pitié. On ne pardonnait qu'aux tribus qui se séparaient de la dissidence et venaient demander l'aman.

Depuis quelques jours, un mot de Saint-Arnaud obsédait le capitaine Griès. Il le retournait en tous sens. Saint-Arnaud, alors colonel, l'avait écrit en pleine bagarre, quand il enfumait les rebelles dans les grottes du Dahra. Quelques Arabes étaient sortis et avaient engagé leurs compatriotes à les suivre. En réponse ils n'avaient reçu que des coups de fusil. Saint-Arnaud avait fait boucher toutes les issues, flanqué le feu et transformé les cavernes en un vaste cimetière. « Frère, personne n'est aussi bon que moi par goût et par nature. J'ai fait mon devoir de chef, ma conscience ne me reproche rien mais cette histoire m'a rendu malade et j'ai pris l'Afrique en dégoût... » Pourquoi en dégoût ? A cause de la campagne de presse que l'affaire avait provoquée en France ? A la Chambre des pairs, le propre fils de Ney l'avait qualifiée de « meurtre consommé avec préméditation sur un ennemi sans défense ». En riposte Saint-Arnaud n'y était pas allé de main morte, le capitaine Griès s'en souvenait, cela faisait partie des expressions qu'on citait souvent dans les cercles militaires. Saint-Arnaud s'était écrié : « Arrière, insulteurs publics ! Venez, si vous l'osez, voir de près ceux que vous calomniez. Le jour du combat, vous resteriez cent pas derrière eux... »

A présent encore l'armée était outragée. Victorieuse, on lui reprochait des facilités. Vaincue, on l'accablait. A Alger on insultait les officiers dans les cafés. Les journaux traînaient impunément les généraux dans la boue, les colons faisaient la loi. Bien qu'on eût accusé les militaires d'avoir fomenté l'insurrection, le ton avait baissé quand la Kabylie s'était révoltée. On reprochait à l'armée de réprimer avec trop de mansuétude pour acquérir, dans quelle intention tortueuse ? des titres à la reconnaissance des Kabyles. Non, c'était autre chose, le dégoût de Saint-Arnaud. Un certain regret peut-être ? La mélancolie de n'avoir pas des adversaires aussi valeureux que soi ? Quel destin injuste ! Quand il avait eu en Crimée les Russes, des ennemis enfin dignes de lui, mourir du choléra !

Avec les Kabyles il fallait agir sans haine. On ne pouvait haïr que les Prussiens avec qui restait un compte à régler. Le capitaine siffla dans ses dents. Cette blessure-là ne se fermerait pas de si tôt. En même temps il se rassura : son inquiétude à propos de Marguerite, la fatigue qu'il ressentait par moments dans ses moelles, ces « à quoi bon ? » qu'il refoulait, tout venait de cela.

2

Les bataillons devaient bivouaquer en bordure des maisons, devant la dépression du nord qui se relevait sur les collines où la brigade Cérez, pour assurer la sécurité des arrières, faisait flamber les villages d'en face. Le capitaine en chercha les noms sur la carte : Ighil Tigmounine, Agouni bou Slane, Aït Meraou, d'autres derrière, plus haut, Tasseft Guezza, el Misser Oufella, des huttes de chèvres, des luisances de toits à perte de vue. Les fumées montaient droit comme des colonnes, puis le vent les couchait et elles formaient une voûte de cathédrale qui s'étirait vers le nord-ouest, la grande tranchée de l'oued Sebaou, et, en arrière-plan, vers les autres montagnes avant la mer. Après Fort-National, en direction de Tizi-Ouzou, toutes les vallées fumaient. Du brouillard encore, des brumes qui n'avaient pas fini de se dissiper ?

L'état-major avait décidé de remettre à plus tard la destruction du village et d'utiliser le cantonnement. Le capitaine partit reconnaître son P. C. qui donnait sur un semblant de carrefour, d'après les fiches de l'officier de renseignements,

la maison d'un notable, un certain Bel Abbas. Une petite
cour, le toit familial, une ouverture pour l'étable, une autre
pour la famille, une sorte de petit hangar, tout sous un seul
pignon.

— Du crésyl, Delfini. Flanquez-moi du crésyl partout.
Enlevez-moi cette odeur de crotte.

Il poussa une porte du pied, entra. La pièce commune était
sombre. Pas de fenêtres. Sous un renfoncement, de l'autre
côté d'une séparation qui marquait le séjour des animaux,
la puanteur prenait à la gorge : les moutons, les chèvres,
les ânes, les bœufs quand il y en avait couchaient là, près
des Kabyles, pour leur tenir chaud l'hiver. Et puis ils étaient
mieux gardés. Le coin des hommes, surélevé, en terre battue, avec des niches et des étagères au mur, une jarre à
l'odeur rance, un silo à grains, des couffins, du fourrage
entassé, quelques ustensiles de cuisine, des kanouns, un
lumignon à huile, des nattes qui sentaient la fumée. Sur
tous les toits, des pierres pour empêcher le vent d'emporter les tuiles seulement séparées de la charpente par des
claies de roseau. « Les plus pauvres des paysans de France
sont des nababs à côté de ça », c'était ce qu'on disait. Une
maison de notable, quelle misère ! La crèche de Bethléem.
Un moment, le capitaine imagina la famille de ces Bel Abbas,
mêlée aux brebis songeuses qui ruminaient avec leur coup
de dent de côté. On se retournait et dans l'encadrement
de la porte, le ciel et les montagnes vous sautaient au cœur.
On était riche avec ça. A vivre dans des nids d'aigle, on
devenait aussi des oiseaux de proie. Ces guenilleux qui
pouvaient s'enfuir en poussant devant eux quelques animaux et leurs femmes avec les amphores et les couvertures
sur la tête, comment les réduire ?

— Vous allez vraiment vous installer ici ? demanda Krieger. Vous étoufferez. Et la vermine ? Le crésyl ne détruira
pas tout.

Le capitaine se tut, regarda autour de lui.

Il regagna la rue dallée de schistes et de marbres épars,
grimpa tout en haut du village. Près de la mosquée qu'on
avait pu empêcher de flamber, le toit de la djemaâ reposait

sur des piliers de pierres sèches. Quand le vent soufflait, on s'en protégeait par des nattes tendues. D'habitude, les hommes s'accroupissaient sur de larges plaques d'ardoise, le dos au petit mur qui s'ouvrait sur les crêtes. De là on pouvait surveiller toutes les approches.

— Personne ne veut de ça ? Je le réquisitionne.

Les escadrons se rabattaient en poussant devant eux un troupeau de femmes, celles qui avaient dû lancer les you-you de guerre et s'étaient enfuies trop tard. La troupe s'amassait pour les accueillir.

— On va voir ça, mon capitaine ?

Ils dégringolèrent dans le passage, débouchèrent sur la croupe où les bivouacs se formaient, un peu à l'écart d'un cimetière marqué de pierres dressées où les mulets de l'intendance paissaient, débâtés. Les chasseurs encerclèrent les femmes et s'arrêtèrent. Le commandant de la cavalerie se dirigea au petit galop vers l'état-major où les musiques jouaient.

— Il va se faire engueuler, dit Krieger.

— Vous les auriez tuées, vous ?

— Je ne sais pas. Comme ça, quand on n'est plus dans l'action...

— Il n'avait qu'à les laisser se débiner. Vous feriez quoi à sa place, à présent ?

— Les femmes ça sert toujours. Avec vous, maintenant, mon capitaine, je ne sais plus.

Tout au début, quand on rasait la région de Tizi-Ouzou, Krieger lui avait offert une fille, à peine nubile, avec des nattes dans le cou. Il s'était indigné, avait donné l'ordre de raccompagner l'enfant au-delà des gardes, à l'opposé des convois, et de la relâcher. A l'escorte, il avait dit : « Celui qui y touchera, je le fais passer par les armes... » Denef s'était assez moqué de lui. « Tu t'es refait une vertu... » Une idée, comme ça. Une réaction imprévisible. Il avait cru découvrir dans les yeux de Krieger une lueur bizarre : de l'étonnement, un blâme, un certain regret ? Krieger, un doux, qui écrivait chaque jour à sa femme, molletonnait le lit de camp de son capitaine, s'attendrissait sur un agneau égaré, le capitaine s'était demandé si, quand Krieger avançait en déchargeant son revolver dans le crâne des agonisants pour protéger son chef...

— C'est clair pourtant, dit le capitaine. Quand la guerre est finie, on en revient aux règlements du temps de paix. Vous vous taperiez une fille, vous, à froid ? Et Mme Krieger alors ? Elle vous y autorise ?

— Mme Krieger, Mme Krieger...

« Ce salaud, pensa Griès, j'en étais sûr. La fille de Tizi-Ouzou, il la voulait, il espérait que je la prendrais d'abord. Moi qui l'invite à envoyer des cerises à sa chère épouse... » En même temps il se demanda si des vapeurs d'innocence, comme disait Denef, ne lui montaient pas au cerveau, s'il ne devenait pas un Lancelot. Encore ignorait-on comment il avait séduit Marguerite. Denef avait beau essayer de lui arracher des confidences, votre femme, quand on était marié, appartenait au sacré, on ne plaisantait plus sur certaines choses, on ne touchait plus à un certain domaine.

Des coups de feu claquaient encore dans les ravins. Sur les pentes des vergers, on entendait craquer les arbres, un cri plus fort que le croassement des vautours, une plainte qui recouvrait la terre et gagnait le ciel. Dans la rumeur des ténèbres comme dans le bruit des bataillons qui s'installaient, l'amour le tourmentait lui, Hector Griès, commandant, bien qu'il ne fût que capitaine, le 2ᵉ bataillon du 4ᵉ zouaves ! A présent, il était convaincu, mais en avait-il jamais douté ? que la femme de son rêve de la veille n'était pas Marguerite. Dans les rêves, tout se déroule sur une scène de théâtre magique, chaque personnage confie ses pensées au spectateur en aparté. Il se souvenait que cette femme lui avait dit qu'il n'était pas comme les autres. C'est pourquoi elle s'était glissée à ses côtés, contre lui enlacée, douce, tiède, nuit pleine d'étoiles au-dessus de la mer, envahie par les mondes d'un au-delà sans fin. C'est vrai qu'il avait changé ! Pas seulement à cause de la guerre...

3

Il se souvenait de la date exacte de l'événement. D'abord le bruit en avait couru. Personne n'avait voulu y croire et puis, à la mairie d'un patelin, une affiche l'annonçait « Citoyens, la République est proclamée. Un gouvernement a été nommé d'acclamation. » Il avait fallu se rendre à l'évidence : tout devenait possible parce que le pays sombrait. Le moment approchait où, en s'engloutissant, le navire risquait d'aspirer ceux qui n'avaient pas eu l'esprit de s'écarter.

Pour Hector, c'était fait. Depuis Sedan. Avant même. Depuis que, sur le plateau de Spicheren où l'état-major suivait les opérations, l'Empereur mal en point avait dû, alors qu'on le disait caracolant au milieu de ses troupes, descendre de cheval, se hisser dans sa voiture au bras d'un aide de camp, gagner Forbach où un train le ramenait à Metz avec le prince impérial. On l'avait su plus tard. Hector, avec toute l'armée Mac-Mahon, se crochetait dans la région de Wissenbourg. Le 4 août, fondu dans l'attaque lancée par deux corps allemands, son bataillon n'existait plus. Echappé avec dix zouaves et deux officiers blessés, le capitaine avait ramené quelques turcos d'une ville, laquelle ? où l'on s'embrochait. Ça n'avait pas duré longtemps, l'offensive en territoire ennemi : un éclair. On s'était fait raccompagner en Alsace l'épée dans les reins en laissant derrière soi des entassements de morts et des encombrements de prisonniers. On assistait à la fin des rêves d'Afrique. Un empereur débile, une impératrice régente, des maréchaux effondrés, une armée qui cherchait ses débris, les Prussiens défilant à Nancy sur la place Stanilas. Hector se cramponnait à l'état-major de Mac-Mahon et réclamait un commandement. Que lui donner ? Les bataillons qui existaient encore avaient leurs chefs. Les autres étaient réduits à rien. On n'avait pas le temps de s'oc-

cuper de détails aussi ridicules : un officier qui, tous ses
moyens perdus, voulait encore se battre. Quels hommes restait-il pour se mettre à leur tête ? Où aller ? Personne ne songeait plus qu'à une sûreté. Bazaine, intact devant Metz avec
deux cent mille hommes, devenait commandant de l'armée du
Rhin et, pour couvrir Paris, Mac-Mahon rassemblait des
régiments de zouaves autour de lui. Les turcos, on commençait à s'en méfier. Leur belle ardeur du début fléchissait.
On les avait presque tous fait massacrer à Frœschwiller.
Pour le principe et pour la gloire.

Comment bivouaquait-on sous les murs de Sedan, après
cette course depuis la Sarre, le long de la frontière ? Hector
avait rejoint les rangs du 1er zouaves, à demi détruit par
l'artillerie prussienne. Le colonel l'avait affecté en surplus à
l'état-major du régiment. Est-ce qu'on était préparé à une
guerre pareille ? Les Arabes n'avaient pas de canons, pas
de cavalerie, pas de génie pour faire sauter les ponts. A voix
basse, malgré une armée du Rhin intacte sous les ordres de
Bazaine qui avait commandé en chef l'expédition du Mexique et failli devenir empereur lui aussi, on parlait déjà de
capitulation. On avait encore des chevaux, tout ce qui restait
de la splendeur et des prérogatives suprêmes, les seuls biens
qu'on respectait, du moins tant qu'on les possédait. Ne jamais
descendre de son cheval si on voulait le garder ou alors un
officier supérieur en grade vous l'empruntait. Quoi dire ? On
revoyait parfois l'officier. Pas la monture.

Ce jour-là, le mercredi 31 août, les jours de la semaine
n'avaient plus de sens, mais le moyen d'oublier ça ? Hector
était tombé à l'état-major de Mac-Mahon, dans une école de
village sens dessus dessous dont la cloche servait à
appeler les estafettes. Le maréchal voulait qu'on porte d'ur-
gence à Alger une directive à son intérim, car il était toujours gouverneur. Hector eut l'impression qu'on cherchait à
se débarrasser de lui, un gueulard qui semait le trouble et ne
se consolait pas d'avoir perdu son bataillon, disparu dans
les vignobles de la vallée de la Lauter avec son brave commandant breveté qui n'avait pas eu le temps de dire ouf.
« Vous êtes désigné. Voici votre ordre de mission et la

lettre du maréchal. Quelle que soit votre déception à vous éloigner de la bataille, soyez digne de la confiance qui vous est faite. Le trésorier vous versera des frais de déplacement. Revenez dès que vous pourrez. Tout sera plus clair alors. Bonne chance. » Même pas la main tendue. Hector salua, éberlué. Ce qu'on éprouve quand une catastrophe vous tombe dessus. On se dit : c'est moi ici ? On rêve. On avance comme un automate, sur un sol en train de verser. On a envie de s'épauler à un arbre. On a du mal à avaler sa salive. Tout chancelle.

4

A présent, un autre jour mémorable, le 10 septembre, car il était minuit passé, il marchait, à pied, son dernier cheval laissé depuis belle lurette devant la gare de Nevers pour sauter dans un train qui descendait vers Toulouse, une occasion pareille, les chemins de fer ne marchaient plus, il n'y avait pas d'horaire, on attendait des blessés, des convois militaires amenaient des parcs d'artillerie entiers vers le sud pour les enlever aux Prussiens. Une rame de wagons de voyageurs avec une locomotive sous pression. L'ordre de mission signé par Mac-Mahon abattait tous les obstacles. Hector découvrit même un compartiment de première, foudroya du regard les civils qui s'y entassaient, s'y logea. Il avait encore son sabre. Enfin un sabre, car le sien était resté aussi dans un cantonnement, il ne savait plus où. On changeait de sabre comme de cheval.

C'était là, à la gare de Nevers, qu'il avait appris Sedan, par une affiche encore, de la préfecture de l'Allier, sous un énorme titre en capitales : RÉPUBLIQUE FRANÇAISE : « Voici le texte de la capitulation de Sedan tel qu'il est publié par les journaux allemands. » Pouvait-on croire une horreur pareille ? Les journaux allemands diffusés en France ! La République appartenait peut-être aux mêmes mensonges. Les gens lisaient en silence et s'éloignaient. Le texte semblait authentique : l'armée française placée sous les ordres du général de Wimpfen, cernée par des troupes supérieures, était prisonnière de guerre ; les officiers qui s'engageaient par écrit à ne pas porter les armes contre l'Allemagne conservaient leurs armes ; les canons, les aigles et les drapeaux livrés, la place rendue dans son état actuel à la disposition de S. M. le roi Guillaume ; les officiers qui refusaient de ne plus combattre conduits, avec les troupes désarmées, en ordre militaire, sur le terrain bordé par la Meuse, près Igès, pour être remis aux commissaires allemands. C'était signé : Moltke et Wimpfen.

Dans le train, l'idée l'avait travaillé. Les gens sortaient les provisions des paniers. Il n'avait pas mangé depuis la veille et personne ne lui avait même offert un bout de fromage. On disait que Marseille était en révolution. Passé Limoges, subitement, il avait décidé de s'arrêter n'importe où, de f... le camp. On évitait de le frôler, on ne le voyait pas, il était absent, on lui soufflait du tabac au visage, en passant devant lui on cognait dans le sabre qu'il ne lâchait pas : sa bouée. Dans son coin, le képi sur la tête, comme un mort, pas rasé depuis deux jours, lui qui ne pouvait pas supporter ça, il était resté assis sans broncher devant les allusions qui devenaient plus nettes et plus provocantes : ces foudres de guerre qui pliaient les genoux et se rendaient avec armes et bagages, ces maréchaux qui disparaissaient. Où était Mac-Mahon ? Blessé ? S'effacer, pas son style. Il crispait les mains sur la garde du sabre et avait passé la dragonne à son poignet. Des odeurs de saucisson à l'ail, le vin qui coulait dans des gobelets. Ces gens-là partaient visiter des parents. Avec tant de valises fermées par des lacets, des poches bourrées ?

Le nom du général de Roailles qui habitait près de Cahors avait surgi dans son esprit comme une illumination. Il se souvenait de ses formules pour douter de ce que l'Afrique représentait pour l'armée : on nous endort avec des expéditions ridicules contre des pouilleux, on nous habitue à la facilité, nous nous prenons pour des héros parce que nous n'avons pas d'artillerie devant nous, nous n'en sommes plus au siècle de la cavalerie et nous avons mis plus de quinze ans pour réduire Abdelkader. Pour lui, l'Algérie devait se conquérir par le cœur, une rengaine qui faisait sourire. A l'en croire, si on voulait assimiler les Arabes, on devait leur donner les mêmes droits qu'aux Français, leur ouvrir toutes les portes, les marier aux filles de colons et marier les colons avec les mauresques, partager équitablement les terres, se faire musulman, alors ? Ce jour-là, il avait répondu : « Pourquoi pas ? L'Islam a sa noblesse, ses interdits aussi. Nous ne le pénétrerons pas sans embrasser sa foi. Ne demandez pas cela à un vieux chrétien comme moi, mais vos fils, si vous voulez qu'ils règnent, enseignez-leur le Coran, ou le Coran les rejettera. » Il y avait une douce démence en lui. On ne voyait pas Marie épousant un bic ni Jean-Pierre Paris se mariant à une mouquère. Les événements lui donnaient raison sur un point. Pourquoi pas sur les autres ?

En tout cas, un Roailles ne se serait pas conduit comme les généraux de Mac-Mahon. Quelques-uns étaient morts, il est vrai, tués par des obus derrière leurs troupes. On disait que, blessé et remis en selle, le maréchal avait fait mine de s'élancer sur l'ennemi, on l'en avait empêché, et que, le soir de sa défaite, il pleurait comme un enfant. De la sénilité. Les généraux n'étaient-ils pas des ganaches ? Les grosses épaulettes n'étaient-elles pas toujours prêtes à caponner dans la crainte de déplaire ?

Depuis les premiers revers, il se posait la question. C'est là qu'il avait commencé à parler aux officiers du général de Roailles, que personne ne connaissait plus, comme de quelqu'un d'où pouvait venir le salut. Saint-Arnaud était mort mais le général de Roailles vivait, il ne devait pas avoir guère plus de soixante ans. Il allait réapparaître avec des pouvoirs spéciaux, le fouet en main, flanquer une bonne partie de l'état-major au rancart, soulever la patrie en danger, réorganiser toutes ces divisions qu'une seule ren-

contre avec l'ennemi culbutait, changer les méthodes et
les chefs. Il en était capable. Il y avait en lui, dans ses
propos, une subtilité qui le prédisposait aux situations moins
simples. Les Allemands étaient partout, les armées se cherchaient, le chef du gouvernement, un général aussi, Cousin-
Montauban, comte de Palikao, vingt ans de campagne en
Algérie et un titre conquis en Chine, avait perdu la tête,
il n'avait pas perdu grand-chose. L'empereur, n'en parlons
plus. Bazaine, Lebœuf, Trochu, des traîtres ? Plutôt des incapables. Fin août, la nouvelle avait couru que six cent mille
Américains débarquaient à Bordeaux pour débloquer Paris.

Le général de Roailles n'était sûrement pas chez lui, mais
le capitaine avait besoin de savoir pourquoi il s'était battu,
quel espoir restait, ce que l'armée devait encore à une nation
qui la vomissait. Mon Dieu, descendre de ce train, d'abord.
Se boucher les oreilles, faire semblant d'être sourd. A la longue, les gens s'enhardissaient. Aux allusions perfides succédaient les réflexions ironiques. Dans le couloir, un gros
homme presque obèse qui lui marchait sur les pieds sans
s'excuser : « Ne prendrait-on pas par hasard la direction de
la frontière ? » Un autre, un peu chauve, en redingote,
demandait d'une voix visqueuse à un garde national sur le
quai d'une gare : « Vous n'auriez pas vu des Prussiens par
là ? »

Quelle tenue aussi ! Plus d'épaulettes. Depuis la première
bataille on les avait remisées. Un ordre avait commandé aux
officiers de n'en plus porter. Des lieutenants avaient renâclé.
Pour bagage, une seule sacoche où il serrait son nécessaire
de toilette. Ses cantines restées en Alsace. Plus de gants.
Ces galons qui lui montaient en torsade jusque sur l'avant-
bras avec les crevés en satin rouge des zouaves. Dans les
secousses des roues, il avait dormi un long moment, senti sur
lui des regards féroces : qu'est-ce que c'est que celui-là ?
Où va-t-il ?

5

A Cahors, il s'était levé en silence, il n'allait pas dire à ces gens : je m'en vais pour ne pas vous casser la gueule, il était descendu lentement et sorti de la gare. Le jour tombait. Il se renseigna dans un café. Là on ne s'étonnait pas d'un officier qui cherchait un général. Et puis une femme avait dit : « Ah ! oui, le marquis... » Dans un patelin à une dizaine de lieues. Il n'était pas question pour lui d'aller demander de l'aide aux militaires de la place : on l'interrogerait, on se méfierait, l'ordre de mission même paraîtrait suspect. On pourrait penser qu'il courait se cacher. Louer une voiture ? Il tombait le seul jour de la semaine où, en raison des événements, la patache qui conduisait les gens au marché regagnait Limogne. Le propriétaire de la carriole n'était pas chaud pour repartir ; les gens qu'il avait amenés le matin avaient sauté sur une occasion. Ses chevaux étaient à la remise. On n'arriverait pas à Limogne avant minuit. De là le château du général était à deux heures de marche. « Combien ? » demanda Hector. Le bougre comptait sa guimbarde pleine. « Vous vous moquez de moi ? » Et puis Hector avait réfléchi. A quoi servait de marchander ? Avec le train et le bateau gratuits, le déplacement ne coûtait pas cher. On lui avait versé d'avance quinze indemnités journalières d'un officier subalterne isolé. « Bon. En route tout de suite. » L'homme avait cherché son postillon, attelé. Une capote mangée par les rats et sous laquelle il devait pleuvoir, des roues à l'essieu fendu. Mal installé sur une banquette suspendue par des lanières de cuir, Hector engloutissait le pain et le pâté achetés au café. Au café encore, dans un réduit, il s'était rasé.

Dire qu'il avait voulu devenir capitaine pour avoir droit à un cheval, mais la défaite, comment la prévoir ? On se lançait dans le métier militaire, on se regardait dans la glace

avec une tenue qui sortait de chez le tailleur, on récitait les
règlements, on s'exerçait au commandement, on vous apprenait à présenter les sections et les compagnies aux instruc-
teurs, on choisissait une garnison, des saluts, des multitudes
de saluts à rendre et à donner, des inspections, des terrains
de manœuvre, des revues, les soldats à éduquer, les marches,
on se croyait immortels, coulés dans le bronze d'un système
qui durait depuis l'éternité avec ses musiques, ses canons et
ses drapeaux, on allait en Afrique parce qu'elle était l'avenir, quelle illusion ! On devenait aide de camp d'un général
puis capitaine, on écumait la campagne. Le matin, dans Blida
qui s'éveillait avec la diane des trompettes de cavalerie domi-
nant les clairons des zouaves et des turcos, allez ma belle,
on se taille ! Marguerite dormait nue à ses côtés, c'était bon
de sentir ses flancs nacrés contre soi, son ventre contre ses
reins, Marguerite se levait en même temps que lui, faisait le
café tandis qu'après sa toilette il passait ses bottes, l'odeur
du café et l'odeur des bottes cirées, à la porte l'ordonnance
tenait déjà par la bride le cheval luisant, pansé de frais,
qu'il enfourchait. Il trônait sur la selle comme sur le monde,
s'assurait par habitude de la juste longueur des étrivières,
rassemblait les rênes dans la main gauche, avançait d'abord
au pas sur les pavés où les sabots claquaient et, dans l'allée
cavalière bordée d'orangers en fleur, prenait le petit trot
vers la caserne.

Dire encore qu'on avait embarqué à Alger avec les chevaux ! Les mulets et les arabas du ravitaillement oui, on
en avait besoin, mais jusqu'en Alsace traîner des wagons
entiers de montures d'officiers ! Quand on avait vu revenir
les premiers régiments hagards avec les chefs de bataillon à
pied et de vieux colonels effondrés sur des bourriques d'artillerie, Hector avait commencé à penser que le temps des
chevaux était révolu, en tout cas pour les combats d'infanterie. Les chevaux éventrés par la mitraille agonisaient les
quatre fers en l'air ou s'étaient enfuis, bride abattue. Hector
avait dit à un autre capitaine : « Vous ne croyez pas qu'on
aurait commis une légère erreur, par hasard ?... » L'autre
n'avait pas répondu.

Ce déluge de feu et de mort des obus prussiens dont il était par miracle sorti sans une égratignure. Son premier moment de stupeur encaissé, le sentiment qu'on s'était tous trompés, qu'on allait y passer tôt ou tard, payer la présomption des chefs, lui avait versé une sorte de joie barbare. Que devenait-on quand l'armée disparaissait ? Sur les civières des infirmeries de campagne, on comptait autant d'officiers que de zouaves, autant d'aiguillettes que de simples boléros de troupe, peut-être même davantage, les officiers payaient leurs dorures.

Enfin, la patache s'était ébranlée, le patron affalé en face de lui. Les tours d'une cathédrale, des allées, un beau pont, la ville était bâtie sur une boucle du Lot, puis la route s'élevait sur des collines qu'on avait escaladées au pas. Après, sur le causse, le petit trot. On sentait que l'homme brûlait de savoir ce que le capitaine faisait là, et le capitaine se taisait. Le jour s'étirait. L'automne approchait. Avant sept heures il ferait nuit. « On a de la chance, c'est encore la pleine lune. Vous y verrez. On vous attend ? » Il n'allait pas raconter sa vie à un inconnu. « Vous me conduirez au château, dit Hector en soulevant un peu son sabre et en le laissant retomber. Je vous donne dix francs de plus. » Un silence. « Tout de même, dit l'homme, nous voilà en République. Il y a six mois encore, qui aurait pu imaginer ? Le général Trochu, vous le connaissez, vous ? Il a du génie ? Ici, les gens ne jurent que par lui : dans leur esprit, parce qu'il est président du gouvernement, qu'il a la Défense nationale avec les pleins pouvoirs, il va tout arranger. Ça m'étonnerait. Vous ne m'en voulez pas de vous dire ça ? Vous êtes d'ici, avec votre accent. Trochu, n'est-ce pas, le général Trochu, l'Impératrice l'avait appelé pour veiller sur elle et sur l'empire. Quinze jours plus tard, l'Impératrice file à Londres, ce général tourne à la République. Demain à quoi ? Pour moi, la République, une ruse de guerre pour apitoyer

Guillaume sur le sort de son cousin Napoléon III. Dans six semaines, nous verrons l'empire restauré, Mac-Mahon et Bazaine rejoindre Trochu. Ils n'ont pas soufflé mot, ceux-là. On n'est pas républicains dans l'armée. Vous peut-être ? Vous ne dites rien ? »

Hector devinait les yeux de l'homme posés sur lui, la curiosité dévorait ce visage lourd que la nuit effaçait, il sentait son haleine. « Vous faites du bon vin ici. J'en connais un, de Prayssac, avec un goût de framboise. Ce n'est pas par là ?... » Non. On tournait même le dos à la direction. Prayssac, à l'autre bout, sur la route de Villeneuve-sur-Lot. Sur le causse de Limogne, il ne poussait que des cailloux, on élevait des moutons. « Votre général vit de ses rentes ? Vous venez peut-être le chercher pour le conduire à Trochu ? On l'appelle à Paris ? Roailles, Roailles, on n'aurait pas cru. Il ne fait pas beaucoup parler de lui. J'ai dû l'apercevoir une fois... » L'homme se pencha à la portière. « Plus vite, Firmin, si vous pouvez. Le capitaine est pressé. » « Si on vous attend pour dîner, ça... » Hector s'accota sur la banquette et s'endormit.

Il se réveilla quand l'homme le secoua. On y était. Même pas un kilomètre. « Arrêtez ! » Non, il ne voulait pas qu'on le mène jusqu'au château. A cette heure-là, avec cet équipage de fortune, ce cocher qui jurait, quel sans-gêne cela eût prouvé ! Il sorti sa bourse, compta les écus, tira de la monnaie de sa poche. On y voyait comme en plein jour. A dix minutes de marche, sur la gauche, il y avait un chemin bien indiqué dans une forêt de chênes verts. Avec cette lune, il verrait la maison tout de suite. L'homme aida le postillon à tourner les chevaux, la voiture s'éloigna. Hector attendit que la nuit l'eût prise avec le petit crissement des roues sur le revêtement de silex, le hoquet des ressorts et le gémissement des essieux dans les fondrières. Au loin, dans le silence, cela devenait une plainte chantante qui peu à peu s'évanouit.

6

De chaque côté de la chaussée des arbres rabougris au tronc tordu, au feuillage luisant peu fourni. A cause de la sécheresse du sol, de la pierre qui affleurait partout et du grand ciel fauve, on se serait cru sur une route de plaine en Algérie. Il ne manquait que des montagnes à l'horizon et les cris des chacals. A cause de la douceur de l'air aussi. Mais les étoiles semblaient étouffées par la lumière de la lune énorme, ridée, un peu rousse, une lune de guerre qui charriait des malheurs, une lune républicaine. Et si le type l'avait trompé ? S'il l'avait débarqué là pour se débarrasser de lui ? Aussi pourquoi l'avoir arrêté avant le château ? Quand on n'était pas attendu, on ne pouvait pas arriver à une heure pareille, réveiller en sursaut toute une maison, indisposer.

Il avança. Lentement d'abord, tout étonné d'être à pied, seul. Très loin, un miaulement de chats-huants qui s'appelaient. Le choc des talons où tintaient des éperons. Très joli, des bottes quand on avait un cheval. Encore si elles avaient été souples et lacées sur le cou-de-pied. Pour marcher, il aurait mieux valu des brodequins. Avec son sabre dans la main gauche et sa sacoche dans la main droite, il se trouva un peu ridicule. Pour garder une main libre, il accrocha la sacoche au baudrier, mais à chaque pas, mal fixée, elle lui battait la hanche. Il enleva son képi. Non, le type n'avait pu tromper un officier qui pouvait le retrouver. Le chemin n'allait pas tarder à apparaître et même il était là, plus tôt que prévu, il y avait un créneau dans la lisière de la forêt, un mur de pierres sèches qui commençait, des piliers de grands arbres, des frênes. Le capitaine ralentit, s'arrêta.

Qu'allait-il dire ? Comment le général allait-il juger la visite de son ancien aide de camp tandis qu'on se battait

encore à l'autre bout du pays ? Il tâta la lettre qui gonflait
son portefeuille, sur le cœur. Et si le message à remettre au
général Durrieu, gouverneur général de l'Algérie par intérim, était urgent, pourquoi tarder à le porter ? « Le maréchal est inquiet de l'Algérie... » Il aurait dû descendre sur
Toulouse, se faire conduire à Port-Vendres si Marseille était
en révolution et attendre là un bateau pour Alger. Pourquoi ne pas aussi se montrer à ses parents dans le Gers ?
Non. Ses parents n'avaient rien compris. Ils ne lui avaient
pas pardonné d'avoir choisi l'armée, de s'être marié petite-
ment hors de leur gré, d'avoir des enfants qu'ils ne connaissaient pas. Bien qu'il eût une photographie d'eux ils n'existaient plus pour lui, détachés de lui, retranchés dans leur
grande maison bourgeoise. Des gens dignes. Une lettre de
temps en temps. Qui sait si, avec la guerre, le père qui
s'obstinait à gérer son étude n'espérait pas que son fils reviendrait lui succéder ? Son vrai père, c'était le général de Roailles. Dans quelques années, chef de bataillon, il reviendrait
dans le Gers avec Marguerite et les enfants. Ça s'arrangerait.

Les garrigues. Sur les étendues immenses des causses,
une terre inculte, des broussailles, des landes et des cailloux. Pas d'eau, comme en Algérie, mais pas de ces senteurs
étranges un peu sauvages, pas de ces fumées qu'on respirait
avec délices. Il n'allait pas se présenter à son ancien général avec toute la poussière de la route ? Il souffla sur son
képi, se recoiffa et, de la main, battit les pans de sa tunique,
les revers de sa culotte. Les bottes, rien pour les essuyer.
Il s'engagea plus lentement dans le chemin, presque blanc,
entre deux murs inégaux, effondrés par endroits, élevés avec
les pierres dont le terrain était semé. Un château, ça ? Une
tourelle carrée, trapue, à l'angle d'une bâtisse à un étage,
couverte d'ardoises brillantes, minuscules. Des communs,
semblait-il. Derrière, un grand toit de tuiles plates qui devait
être une grange et l'écurie. Un manoir. Une gentilhommière
de petit seigneur gascon. Un Roailles à sécher là-dedans
avec les chapelets d'ails et d'oignons ? A qui étaient les
grands palais de ses ancêtres peuplés d'armures, tendus de
tapisseries, donnant sur des jardins à la française et des parcs

à tilleuls centenaires ? Juste de quoi loger une rapière, de quoi déclamer *Lorenzaccio*. Un décor étriqué pour mousquetaire à la retraite.

Il approcha. Pas de chiens. Pas de voitures. A une fenêtre du rez-de-chaussée et de l'étage, derrière des volets, de la lumière, si pâle que cela ressemblait à une veilleuse. On ne dormait pas encore ? Les hulottes hôlaient plus fort. La lune les travaillait. Sinistre. Le capitaine avança en faisant sonner ses bottes. L'entrée s'ouvrait derrière, face au sud. Une grille entrouverte, un jardin au gazon râpé, grillé, les restes de ce qui avait été une fontaine, une vasque de pierre vide, à demi brisée, encadrée d'ifs maigrichons dépeignés, un pin noir qui semblait souffrir de la sécheresse. Il n'allait pas cogner à la porte d'entrée sous un petit fronton sculpté. Il revint sur ses pas, frappa doucement à la fenêtre à peine éclairée du rez-de-chaussée, ne bougea plus. Rien. Il frappa encore, un peu plus fort, en détachant les coups, revint devant la grille. La porte s'entrebâilla. Dans l'ombre, à l'abri de la lune, il devina une femme, petite, une servante probablement, vêtue de noir jusqu'aux talons.

— Je suis chez le général de Roailles ?

Pas de réponse.

— Le général est là ?

Silence. Si on ne disait rien...

— Je suis son ancien aide de camp à Alger, le capitaine Griès. Je passais. Ne le dérangez surtout pas. S'il est là, je vais attendre jusqu'au matin, si vous permettez, je peux me reposer dans un fauteuil.

La porte s'ouvrit mieux. On le regardait. Son accent peut-être devait rassurer ou ses galons. Puis la femme se renfonça, se noya dans l'ombre. Un pas, puis un autre, prudemment, en évitant de cogner son sabre, cette lame de lumière. Sous ses semelles, une pierre usée, vallonnée. Il était seul de nouveau. Il se retourna, chercha la lune, sortit presque. La femme revenait avec un bougeoir qu'elle tendait

devant elle. Minuscule, sans âge, un foulard sur les cheveux.
Il avança derrière elle à grandes enjambées maladroites, dans
un couloir. Tout au bout la femme poussa une autre porte,
alluma une autre bougie sur une console et repartit. Un
salon avec d'incommodes fauteuils Louis XV sur leurs pointes. De petites tables, des tableaux, des rideaux qui semblaient gris, des fenêtres qui devaient donner sur un jardin
à terrasse. Peu de tapis, mais un beau plancher de chêne
aux lames entrecroisées. Une bibliothèque grillagée. Les
persiennes n'étaient pas tirées. La lune révélait des massifs
de géraniums, des troènes, une tonnelle à rosier grimpant.
Cette odeur de pièce close qui lui rappelait sa maison
familiale : ici le bois des meubles ne sentait pas comme dans
le Nord ; il semblait imprégné d'huile d'olive, d'aiguilles
de pin, de feuilles piquantes de chênes verts, de l'ail des
cuisines, à moins que ce ne fût l'odeur de la servante. Tout
ce mystère... Elle était muette ? « Je ne voudrais pas déranger... » Il n'avait pas fini de répéter cela qu'elle avait disparu
avec son bougeoir de cuivre, entraînant avec elle sa petite
flamme, une larme d'or qu'elle protégeait d'une main osseuse.

Le plafond craquait à peine, sous les poutres. Des pas de
femme, plus rapides que ceux de la servante qui marchait
sans bruit, comme une chatte. Il y avait un canapé. Il
pourrait dormir là, ou par terre en enlevant ses bottes. Il
décrocha sa sacoche, l'essuya du revers de sa manche, s'épousseta encore, à peine. S'il comprenait les silences, le général
était là, veillait peut-être. A moins qu'il ne fût malade.
Toujours fatigué, d'après les lettres. Jamais un mot. Ces
cris désespérés qui cernaient la campagne, était-ce une vie ?
Le général avait eu tort de quitter l'Afrique pour les garrigues qui brûlaient à propos de rien. Serait-il seulement heureux de le revoir ? Hector ne s'était-il pas trompé en venant
consulter un directeur de conscience ? Qu'avaient-ils à se
dire après dix ans et les malheurs qui s'abattaient ?

Le capitaine essaya de revoir son grand front altier, sa crinière grise, son regard aigu, sa petit personne toujours
à quatre épingles, sans dorures, juste à peine de quoi rappeler son grade sans toutes ces décorations dont les autres

généraux se bardaient, ses pantalons étroits à sous-pieds, toujours tirés, cette manie de fixer ironiquement ses interlocuteurs en tournant brusquement la tête vers eux, les yeux un peu de côté... Il chercha sur les murs : pas de tableau de lui. Quelle histoire pour une pauvre expédition punitive, comme si son départ avait pu changer en quoi que ce fût la politique des gouvernements militaires ou le comportement des Arabes ! Etait-il là seulement ? Ou alors, seul ? La générale, Hector pensait seulement à elle, avait-elle pu résister à ce désœuvrement dans un désert ?

Une lueur s'encadra dans la porte. Quelqu'un approchait. Il fit face. Un double chandelier d'argent apparut, puis un visage de femme, tout blanc, triangulaire, au-dessus d'une robe sombre : des paupières presque closes qui découvrirent soudain de grands yeux noirs, immenses, d'oiseau de nuit. Il fit un pas. C'était elle ? Il ne se souvenait plus. Etait-elle si grande ? La minceur de la taille s'épanouissait sur la gorge à demi découverte par un décolleté qui partait du milieu des épaules et que soulignait un large collier de platine. Tout à coup ce visage s'éclaira. Pourtant, le chandelier ne bougeait pas.

— Vous ?...

Il s'inclina. Elle avança vite, dans un froissement de robe, posa le chandelier sur une table, joignit ses mains sur sa poitrine, le regarda.

— On m'avait dit : un militaire. Je croyais que c'était quelqu'un de la garde nationale de Villefranche.

La même voix veloutée aux sonorités d'or.

— Nicolas en faisait partie. Vous saviez donc ?

— Quoi ?

— D'où venez-vous ? Vous avez trouvé en pleine nuit ? Pas à pied tout de même ?

— Je vous dérange. A cette heure... J'arrive de Sedan.

— Mon Dieu... Tout est perdu n'est-ce pas ? Avez-vous seulement dîné ? Venez.

Elle s'empara du flambeau, le précéda d'un mouvement vif dans le couloir, ouvrit la porte d'une salle à manger aux lambris de châtaignier clair, posa la lumière sur la longue table cirée, alluma d'autres bougies.

— Asseyez-vous. Je reviens.

Elle disparut. Il l'entendit donner des ordres d'un ton heureux. Elle revint, posa devant lui une carafe de vin rouge et un haut verre en cristal.

— Buvez. Je me souviens. Vous aimiez ça. Vous avez changé.

Comme il hésitait, elle en prit un autre dans le bufffet.

— J'en boirai une goutte avec vous.

Il versa le vin religieusement, n'osa pas en regarder la lueur en transparence. Elle tint le calice un instant près de ses lèvres, les yeux sur lui.

— Buvez.

Le vin rappelait le prayssac, en moins vigoureux, avec un très léger goût de futaille et, tout à fait derrière, une odeur de pinède.

— Vous n'étiez qu'à peine éclairé. J'ai failli confondre.

— C'est vrai. J'ai coupé mes moustaches quand l'empereur s'est constitué prisonnier.

— Une honte pareille ! Vous vous y attendiez ?

Il ne répondit pas. Il souleva les épaules. Parler de cela à une femme ? Il souffrait trop.

— Pas seulement votre physique, reprit-elle. Le mariage, ou la guerre. Ou les deux. Vous avez des nouvelles de... Blida ?

Pourquoi hésitait-elle à prononcer le nom de Marguerite ? Il fit signe que non. Marguerite avait peut-être écrit. Comment recevoir du courrier ? On n'arrêtait pas de bouger. Personne ne savait plus où se trouvaient les divisions, encore moins les régiments.

— J'y retourne. S'il y a encore des bateaux. On m'a chargé d'une mission à Alger. C'est pour cela que je passais.

— Pourquoi n'y aurait-il pas de bateaux ?

Il fit un geste vague. S'il n'y avait plus d'armée pourquoi y aurait-il encore des navires ? Si tout s'en allait ?

— Vous me direz. Moi aussi je ne puis plus me supporter ici, je partirai. J'irai embrasser ma filleule qu'il me tarde de connaître et sa mère.

— Le général vous le permettra ?

— Vous ne savez donc pas ?

Elle eut un étrange regard sur lui. Ses yeux s'agrandirent comme lorsqu'elle l'avait reconnu, s'emplirent d'éclat puis se baissèrent.

— Nicolas m'a quittée... Ce n'est pas ce que vous pensez. Il n'était pas homme à trahir. Il nous a tous quittés. Il est mort ce matin. Hier matin plutôt, puisque nous avons changé de jour. Vous arrivez pour...

Elle n'acheva pas. Sa voix était devenue grave, un glas. Pas une larme cependant.

— Vous devez me juger insensible.

La servante entra, posa sur la table un couvert, un plat de porc froid, des cornichons, un saladier, du gros pain de campagne, un pot de confiture. Par-dessus les petits bruits de service, les ululements lointains mais perçants.

— Vous avez besoin de forces. Mangez. Philomèle, préparez du café. Je vous appellerai quand j'aurai besoin de vous.

Il entama sa tranche de rôti, mastiqua en silence le nez sur son assiette pour échapper aux épaules presques nues, au collier, non ce n'était pas une chaînette de plaquettes de platine mais un triple rang de perles.

— Vous connaissiez ses manies. Je n'ai pas encore eu le courage de me changer. Le soir, il exigeait toujours de me voir parée, comme si nous recevions, avec les bijoux qui lui venaient de sa mère. « Enroaillée », comme il répétait. Vous avez de la chance : il est encore là. Il vous aimait. Il me disait toujours : « Le petit Griès, vous verrez... » Vous étiez...

Cherchait-elle le mot ou cachait-elle son émotion ? Il lui sembla que sa voix se fêlait.

— Vous étiez de sa famille. Plus que la sienne, qui lui
en a voulu. Oublié comme il l'était, il ne pouvait plus rien
pour vous. La guerre l'a achevé. Sedan, justement. Qu'une
armée s'engloutisse ainsi... Si on l'avait écouté.

Elle s'animait, tournait un peu son verre dans lequel elle
avait seulement trempé les lèvres.

— Je connais bien votre métier à présent : ne démis-
sionnez jamais. A l'époque je n'ai pas su. Je n'aurais pas dû
le laisser faire. Il ne s'en est pas remis. Dans l'armée on
peut tout à une seule condition : ne pas s'en aller.
Durer.

Elle se tut. Il la regarda. Des larmes coulaient sur ses
joues, tombaient sur les perles, s'y mêlaient, laissaient des
traces brillantes sur sa gorge un peu empâtée. A peine. Il
se souvenait mieux. A l'époque, la belle Sabine de Roailles
lui avait semblé plutôt sèche. On se trompe tellement sur
les femmes. Ce collier de Vénus qui avait tant frappé son
imagination de célibataire, elle l'avait déjà : le général lui
adressait des sourires entendus. On sentait que sa femme
tenait lieu de tout pour lui, qu'il l'admirait, qu'il compatis-
sait aux petites ambitions de ses pairs qui s'ennuyaient chez
eux. Peut-être avait-il voulu prouver qu'il était capable de
tout quitter pour elle. C'est là qu'il s'était trompé. Tout quitter, mais que lui donnait-il en échange du palais de l'Agha
et de l'ennui distingué d'Alger ? Un cas de conscience résolu
et, une fois évanouies les illusions d'un poste d'ambassa-
deur ou de ministre, une province de rocaille.

— Où ai-je la tête ? J'aurais dû vous ouvrir un bocal de
foie d'oie aux truffes. Philomèle n'y a pas pensé.

— Laissez, je n'ai plus faim. Qu'allez-vous faire à présent ?

— Je vous l'ai dit : partir pour Blida, y passer l'hiver
peut-être si Marguerite me supporte. Je trouverai bien une
maison à louer. Je verrai les enfants. Ici, que devenir ? Où
cette guerre nous mène-t-elle ? Que nous restera-t-il quand
elle s'achèvera ?

Quel âge avait-elle ? Quarante ans ? Sa vie était loin d'être
finie. On l'assiégerait là-bas. Si la guerre mutilait la France,

l'Algérie deviendrait une nouvelle patrie, la seule peut-être, l'inviolée, la glorieuse. On y préparerait la revanche.

— Prenez de la confiture. Nous l'avons faite avec les oranges que vous nous avez envoyées, l'an dernier.

Dans sa bouche, il retrouvait les parfums presque oubliés des fruits de là-bas, des roses qui fleurissaient toute l'année, des eucalyptus aux longues feuilles étroites et aux troncs qui s'écaillaient, de la montagne couverte de lentisque et d'arbousiers.

— Les nuits sont longues déjà. Vous le veillerez avec moi ? A moins que vous ne préfériez vous reposer ?

Il repoussa son assiette.

— Je vous suis.

Elle se leva. En un éclair, ils se regardèrent. Il y avait sur son visage une douceur qu'elle n'avait pas autrefois, qui lui venait peut-être d'une blessure. Une tendresse nouvelle.

— Quand je vous assure que vous avez changé, c'est peu dire. Vous n'êtes plus le même homme.

Il faillit répondre que, pour elle... Il se tut. Un instant, il eut envie de retourner dans le salon chercher son sabre et son képi, pour se présenter à son général en officier. Il y renonça. Sabine de Roailles prit le flambeau, s'arrêta devant la cuisine.

— Laissez le café au chaud. Nous descendrons le prendre tout à l'heure.

7

Les femmes, les cavaliers avaient fini par les pousser dans les premières maisons d'Icherridène sous les acclamations. On les livrait à la troupe. Dans chaque compagnie on tirait au sort parmi les volontaires. Tous, ce n'était pas possible. Une file se formait. Des turcos se battaient déjà. Des officiers intervenaient. Les vieilles avaient été écartées et conduites près du cimetière où elles pleuraient avec de longs gémissements qui, par moments, couvraient les musiques.

Le capitaine tourna le dos à Krieger et remonta vers la djemaâ en serrant son sabre, face aux fumées que le vent rabattait au-dessus de lui. De la rancœur pour le silence de Marguerite ? Il ne savait plus. Marguerite aurait pu au moins faire écrire les enfants. Toutes les portes étaient enfoncées. Des jarres brisées, des peaux de mouton, des couvertures en loque et des guenilles s'entassaient dans les cours. Eh bien quoi ? Il n'allait pas s'attendrir ? Les Kabyles avaient cherché la guerre, elle était là. Ils ajoutaient aux malheurs de la France et la France se relevait. Les Prussiens avaient cru l'écraser en signant la paix au château de Versailles, dans la galerie des Glaces, et en imposant une contribution de cinq milliards couverte en quelques jours. Les prisonniers revenaient. L'armée se redressait. Est-ce que les Arabes montraient de la pitié pour les Kabyles ? Le lieutenant Kossaïri qui commandait une des compagnies de turcos, que disait-il ? Que les Kabyles n'avaient pas changé, qu'ils étaient toujours les ennemis des Arabes, qu'il fallait exterminer cette race rebelle de sauvages, que les Français étaient encore trop bons et que si on les laissait faire... Ce n'était pas pour cela qu'on pouvait avoir envie de vomir quand on s'était distingué, il y avait un an à peine, dans les montagnes de Blida. Et Marguerite... Subitement, elle était loin, Marguerite. Il se trouvait en pleine nuit, dans le concert des chats-huants, montant derrière Sabine de Roailles et son pauvre flambeau, deux bougies seulement à côté des can délabres d'autrefois, l'escalier de pierre qui menait à l'étage et aux chambres, et pensant encore au sabre et au képi qui lui manquaient... Ce n'était pas le nom de Marguerite que Krieger avait entendu. A présent, il savait.

« Je deviens fou, se dit-il. Voyons, je n'ai pensé qu'au général, j'ai encore profité de l'ombre pour épousseter ma tunique... »

Les fenêtres du corridor qui donnaient sur la forêt n'avaient pas leurs volets tirés. La lune entrait. Un moment la générale s'est arrêtée et a regardé la campagne. Elle a dit : « Par ces nuits-là, on se croirait à Alger. On n'a presque pas besoin de lumière dans les maisons... » J'ai dit : oui. J'ai pensé au majordome qui allumait les lampes et distribuait les flambeaux à six ou sept bougies dans toutes les pièces ou dans l'entrée. Où était-elle la splendeur d'autrefois ?

Devant la porte du général, Sabine de Roailles a posé la main sur la poignée et a marqué un temps. « Vous allez le trouver vieilli. Il avait beaucoup maigri. Nous avons eu du mal à l'habiller. Il flotte dans sa tenue... » Elle m'a précédé. Dans la chambre pleine de lumières, la seule où l'on n'avait pas songé à la dépense, on étouffait. Je l'ai vu d'abord, lui. Le lit ployait à peine sous son poids. L'onde de ses cheveux gris rejaillissait sur des épaules brodées. Son front très large, bombé, se gonflait des astres qui naviguaient en lui. Sur la table de chevet, un bouquet de roses pâles veinées de rouge, épanouies par la chaleur. Dans ses mains un chapelet. Sa belle tenue de brigadier, c'est vrai qu'il en paraissait affublé, qu'elle ne semblait pas à sa taille, trop large pour lui. Le ceinturon de soie le ficelait avec des plis. Au bout du pantalon rouge à double bande noire, les bottines vernies brillaient. A côté de lui, sur le lit, son képi, terni. Un képi de retraité qu'il ne sortait plus que pour les anniversaires nationaux, les réunions d'anciens combattants.

Sabine s'est mise à genoux sur le plancher à ma hauteur. Ses cheveux juste contre ma hanche. Un moment je n'ai pas su quoi faire. Claquer des talons ? Il n'aimait pas ça. Avec un képi et mon sabre, j'aurais salué militairement. Je suis resté debout, les mains pendantes, un arrière-goût de confiture d'oranges dans la bouche. La chambre aux rideaux tirés, des rideaux jaunes à motif blanc, devait ouvrir sur le jardin. Pour la première fois de ma vie j'étais désem-

paré. Je me suis mis à lui parler en moi-même. Je lui ai
dit : « Mon général, nous nous sommes fait flanquer une
volée. Je me souviens de tout ce que vous nous disiez :
" On se trompe et on nous trompe en tirant des ensei-
gnements de ce qui s'est passé au Mexique, en Chine et
même en Crimée. C'est l'ennemi qui donne un sens à la
guerre. Nous avons vaincu parce que ces guerres-là n'ont
pas duré et, pour l'Algérie, parce que les rebelles ne possè-
dent pas d'artillerie. Espérons n'avoir jamais à nous mesurer en Europe à un adversaire plus fort que nous... " Ça
faisait sourire. Où pouvait-il jamais se former, cet adversaire ? Un demi-siècle après le premier Empire, nous vivions
dans l'euphorie d'un abonnement à la victoire. Il nous suffisait de paraître, tout s'effondrait. Notre état-major se croyait
inspiré. Nous avions un autre Napoléon à sa tête, mais le
maréchal de Saint-Arnaud, pardonnez-moi, était mort. Rien
n'avait commencé, et tout sentait le désastre. Ma division
se flattait d'avoir devancé l'ennemi : elle était écrasée sous
les obus d'un corps bavarois glissé à travers bois sans qu'on
l'eût vu. On ne redresse pas une troupe qui ne croit plus à
rien. Notre haut commandement perdu ne put qu'ordonner
la retraite. L'Empereur partait en calèche se constituer prisonnier en se frisant la moustache. De trois armées indépen-
dantes, on passait à deux, puis à une seule. A présent, on
ne sait pas. Mac-Mahon n'existe plus, Bazaine est enfermé
dans Metz, on dit que l'Impératrice négocie en secret avec
les Allemands pour assurer le salut de l'Empire, il y a encore
un ramassis de divisions à Châlons, une autre armée dans
le Nord, Paris manque déjà de pain et les quatre cent mille
gardes nationaux qui le défendent ne savent même pas
charger un chassepot. Dans l'armée Mac-Mahon, à la première blessure du maréchal, trois commandants en chef se
sont succédé en quatre heures, chacun d'eux avec un plan
différent : Ducrot d'abord, que Wimpfen laissa se débrouil-
ler parce qu'il craignait un échec bien qu'il eût en poche
une lettre de commandement. Il la montra quand il crut au
succès. Ce fut une débâcle. Wimpfen démissionna. Au
moment de payer, plus personne. Une tempête de gémis-

sements et de malédictions. Déjà à tout bout de champ le
mot de trahison. Mac-Mahon, disait-on, aurait été vainqueur
si le général de Failly était arrivé quand on l'appelait. Mais
aussi un nom pareil ! Il fallait toujours un Grouchy ou un
Failly pour justifier une défaite. Les soldats n'écoutaient
plus leurs officiers. Les officiers ne recevaient plus d'ordres.
On se massacrait aux portes de Sedan pour se réfugier plus
vite dans la forteresse. Fantassins, cavaliers, artilleurs, tringlots, ambulances, tout fuyait vers la ville. La cohue bloquait les ponts-levis. Des femmes criaient : " C'est la fin
du monde." J'ai vu cela en m'en allant. Car je m'en allais,
je ne sais pourquoi, porteur d'une lettre qui contient je ne
sais quoi. Est-ce qu'on charge un officier d'un papier pour
le gouverneur de l'Algérie par intérim ? Est-ce qu'on l'enlève
à son unité, il est vrai que je n'ai plus de bataillon depuis
le début de la campagne, pour le jeter sur les routes alors qu'il
existe un télégraphe et des codes ? C'est que plus rien
n'existe, justement, que le hasard. Il n'y a plus de commandement, plus d'officiers, plus de soldats, plus de chevaux,
plus de poste, plus de ravitaillement, plus de munitions,
plus de service de santé, plus rien que la honte, le drapeau
blanc sur Sedan, des centaines de milliers d'hommes et un
empereur prisonniers. Les généraux en fuite. La cavalerie
à deux ou trois étapes en arrière, au lieu d'éclairer, parce
qu'elle n'a plus de fourrage. L'intendance ? Sous terre. Pour
manger, il faut piller des fermes... »

Par moments, il semblait approuver de la tête ou des
doigts. Je croyais voir son chapelet bouger. Je crus l'entendre pousser un soupir.

« Vous citiez souvent le mot d'un général russe, je ne
sais plus lequel, Todtleben peut-être, qui s'était écrié après
l'attaque du Mamelon vert devant Sébastopol : " Les soldats
français sont des lions commandés par des ânes. " Comparaison flatteuse, nous ne sommes plus rien. Pour couronner le tout, la République. Des marcheurs infatigables, des
combattants accomplis ? Je me suis aperçu que tout ce qu'on
nous avait enseigné ne servait à rien. Que nous ne savions
rien que défiler au pas cadencé, astiquer nos cuirs et mettre

le feu à des mechtas. Des officiers m'ont dit que leurs troupes avaient touché des chaussures dont la semelle était en carton. Pour campement, la paille des étables. Pour armement, une fois les divisions du début détruites, des fusils de tous calibres. Pour équipement, un sac sur le dos. Et je m'en vais, n'osant presque plus regarder les gens en face, sans ordonnance, tel que me voici devant vous, fatigué, humilié, avec trois sous dans ma poche et sans bagage, porter un pli à Alger où vous n'êtes plus... »

Là je ne sus plus quoi dire. J'aurais pu me taire. Il savait tout mieux que moi. Ça l'avait tué alors que je vivais. Est-il nécessaire de tenir des discours à Dieu quand on est malheureux et qu'on va dans une église ? Parler, c'est s'apitoyer sur soi, faire de la littérature, tout n'est pas encore perdu. Je souffrais, j'aurais voulu qu'il m'éclairât sur la cause de ma souffrance. Y avait-il eu déloyauté, crime, tricherie ? Fallait-il être grand clerc pour savoir que l'honneur militaire ne consistait pas dans des bagages et des ordonnances ni, pour un général, à garder son épée, ses épaulettes et ses chevaux ? Il n'y en avait pas trente-six, d'honneur militaire ! Devant cette apparence d'homme enveloppée d'une défroque à broderies et à étoiles, je priais, le cœur sec. J'avais trop mangé et trop bu. La nouvelle de sa mort aurait dû me couper l'appétit. Pas du tout. Je ne sais pas : la nuit, le mystère de ce petit château sous la lune, les chandelles, la nappe blanche que Philomèle avait glissée sur la table, la surprise de retrouver la générale, le vin avec ce goût de vendanges, le rôti de porc parfumé d'ail, le pain savoureux, les confitures, un vrai festin. La République qui paraissait tant scandaliser la générale et dont moi-même je prononçais le nom avec le sentiment d'une profanation, je m'apercevais au fond de moi qu'elle était la juste conséquence de notre bel Empire englouti dans l'opprobre. Les larmes sur cette gorge endiamantée, ces larmes-là, loin de me chagriner ou de m'émouvoir, me creusaient l'estomac ! Que c'était bon.

A présent, le ventre plein, je m'efforçais de m'attendrir, de secouer un cadavre. Allons. Si le pouvoir m'avait été donné de commander à la mort, de dire aussi au général que j'avais servi : Lève-toi et marche ! aurais-je prononcé la formule ?

Je crus entendre sa réponse. Il me sembla que ses lèvres bougeaient, qu'il souriait. « Mon cher, mon cher, vous n'êtes pas un faible, vous. Vous saurez ne pas vous laisser abattre comme moi... »

Je ne sais ce qui m'a pris. Il fallait du courage pour oser cela dans ce scintillement de lumières. La foudre pouvait éclater, le mort se dresser sur son lit. Sans réfléchir, j'ai posé la main sur l'épaule de Sabine de Roailles. Il y a eu un instant terrible. Au moment où j'allais retirer ma main, sa tête s'est inclinée. J'ai senti sa joue brûlante et humide.

Elle s'est levée. Ensemble nous avons quitté la chambre. J'ai vu la clef dans la serrure, à l'intérieur. J'ai failli la prendre, la mettre à l'extérieur pour verrouiller la porte, que je me suis contenté de fermer. Dans le corridor, la lune qui descendait dans la seconde moitié du ciel nous a cueillis. Nous nous sommes arrêtés devant une fenêtre. Comme le visage de Sabine était beau ! D'une beauté grave, surnaturelle, pathétique. Je ne l'avais jamais vue ainsi, même le soir du bal des adieux, quand la fête la transfigurait et qu'elle dansait avec moi une polka sous les yeux de Marguerite, dans toute la gloire des toilettes et des uniformes. Cette fois, je n'étais plus ivre de champagne. De quoi alors ? De douleur ? Je ne sais pas. Des choses se font, des audaces vous viennent des situations : la guerre, le désastre, la nuit, les chats-huants fatigués se taisaient ou je ne les entendais plus, cette femme que j'avais tant désirée quand j'étais célibataire parce qu'elle était inaccessible et à laquelle je ne pensais plus depuis dix ans, j'avais sans m'en douter fait tout ce chemin pour la découvrir et son cher époux refroidi nous bénissait. Je me dis cela à présent en grinçant un peu des dents. Je ne suis pas fier de moi.

Sa bouche attendait la mienne.

Après quoi, elle m'a guidé dans sa chambre à quelques pas de là dans la tourelle. Je me suis mis à ses genoux. Je l'ai déshabillée. Quand elle a été nue, je l'ai étendue sur le lit, j'ai tiré mes bottes et jeté mes vêtements. Je n'ai jamais connu en moi une telle furie. La tempête ne nous lâchait pas, Sabine et moi. Est-ce parce que la fatalité ou le désespoir m'avaient manqué jusqu'à présent ? Je ne savais pas ce que c'était que la passion.

Ça a duré une heure, deux ou davantage ? L'éternité. Par moments, je croyais entendre bouger à côté. Philomèle qui nous portait du café, ou lui qui se levait, nous cherchait, allait nous découvrir ? Je n'ai pas bronché. C'est l'aube qui m'a fait me dresser. L'aube ou la honte ? Je me suis rhabillé, j'ai plongé mon visage dans l'eau d'une cuvette. Sabine dormait. En étouffant mes pas, je me suis approché d'elle. Je me suis mis encore à genoux. J'ai pris sa tête dans mes mains. Ses cheveux étaient sur ses épaules. J'ai baisé doucement sa bouche. Je lui ai dit : « Les décorations du général, sa croix de commandeur et son épée, il faut les mettre sur un coussin, au pied de son lit... » et je suis descendu. J'ai repris mon sabre, ma sacoche et mon képi dans le salon. Comme je passais devant la cuisine, la porte s'est ouverte. Philomèle m'a dit : « Le café est prêt. » J'ai hésité. Deux couverts étaient dressés dans la salle à manger. Il y avait une autre nappe, toute fraîche. Je me suis attablé. Philomèle m'a servi. Contrairement à ce que je croyais, mais je ne l'avais pas vue vraiment, elle n'était pas vieille, la trentaine peut-être, avec un visage de nonne. Elle m'a porté du pain grillé, du beurre, la confiture d'oranges de la veille. J'ai dévoré et je suis parti. Au bout du chemin de terre, je me suis retourné. Dans la nuit, le château m'avait semblé étriqué, mais enfin avec une certaine allure. Avec le jour qui se levait, plus moyen de tricher. Ce n'était rien : du carton. Mais ce que j'emportais me faisait éclater le cœur. Icherridène, où le commandant en chef allait déjeuner en musique et croquer des cerises sous un dais d'apparat que le génie avait dressé tandis que les brigades bivouaquaient sur les pentes, au milieu des vergers dévastés, semblait moins pauvre.

8

— Mon capitaine !

Krieger approchait, les joues noires de barbe, illuminé.

— Je me doutais que vous étiez là. Il y a des femmes pour les officiers, des filles formidables, venez.

Griès rêvait, accoudé au petit mur de la djemaâ, devant le chaos des montagnes.

— Merci, mon vieux. Allez-y, vous. Ne vous gênez pas. Je ne bouge pas.

Il décrocha son sabre de la bélière, le plaça sur les plaques d'ardoise et s'appuya dessus. Le même sabre, la seule chose qu'il eût rapportée de la guerre, bien que ce ne fût plus le sien. Qui sait ? Celui d'un mort peut-être. En quittant le château du général de Roailles, il avait remercié le ciel de lui avoir épargné d'autres hontes : devant les châteaux où les généraux vainqueurs festoyaient entre des haies de drapeaux français, les Prussiens avaient fait arrêter les trains d'officiers prisonniers. La hâte de regagner Alger lui avait donné des ailes pour fuir. Sa vraie patrie se trouvait de l'autre côté de la mer, sous le soleil. Jusque-là, le silence. On le regardait de travers, on examinait son ordre de mission, mais on se taisait. En débarquant à Alger, les injures avaient commencé. On s'arrêtait pour le voir passer. On se retournait sur lui. « Celui-là, vous ne m'enlèverez pas de l'esprit qu'il a aussi f... le camp... » Des réflexions à haute voix, dans la bouche de bourgeois qui se baladaient la canne à la main, sur l'ancien boulevard de l'Impératrice. La presse injurieuse, les cafés où les garçons feignaient de ne pas voir les officiers pour ne pas les servir, le gouverneur qu'on appelait « le baron de Mustapha » pour ne pas lui donner du général, on ne retrouvait plus nulle part l'atmosphère d'autrefois. On était au demi-deuil : le vrai titre de gouverneur appartenait toujours au maréchal de Mac-Mahon et le bruit de sa mort courait. Par cette chaleur, sous le ciel éclatant, avec des spahis en burnous rouge, sabre au clair à l'entrée du palais, et toutes ces fleurs devant la mer lisse et bleue, croire à la mort !

On avait eu des attentions pour le capitaine Griès, reconduit en voiture à l'état-major de la division où on lui fit expliquer la bataille de Spicheren. « Vous avez connu des épreuves, lui dit un lieutenant-colonel. Au moins avez-vous la consolation de vous être battu. Nous, ici... » Sur son voyage de retour on ne lui demanda rien. Il allait rejoindre la caserne de son bataillon à Blida après huit jours de repos dans sa famille. En France, les événements se précipitaient. Les Prussiens étaient devant Paris. Les journaux réclamaient la levée d'une armée composée d'Arabes, de Kabyles et de Français, dont le gouverneur eût pris la tête. En raclant les dépôts des régiments, on aurait peut-être pu former une brigade. Les recrues indigènes, il fallait les instruire dans des camps, à quoi eût servi de les envoyer se faire hacher par les obus allemands ? Quant aux Européens qui s'étaient engagés pour voler au secours de la mère patrie, il y en avait, dans toute l'Agérie, à tout casser un millier. En revanche, les rues étaient pleines de gardes nationaux en uniforme, qu'on appelait à présent des francs-tireurs, des hommes qui avaient passé l'âge de guerroyer, jouaient aux soldats avec des tenues de chasse de gros drap à col ouvert, culotte bouffante, guêtres blanches, ceinturon et chapeau à plumes. Occasion pour eux de traîner un sabre, d'arborer des décorations, de se conférer les uns aux autres du galon, de parader sur la place du Gouvernement, au milieu des Arabes, de donner des dîners à l'hôtel de la Régence. Qui pouvait dans les odeurs qui montaient de la Pêcherie croire à une défaite ? On vendait même des sorbets au citron dont la glace pilée fondait sous la dent : un délice.

Hector avait pris le train pour Boufarik. Là, une calèche pour la ferme.

Tout semblait rapetissé. La plaine fauve commençait à reverdir, les Arabes grouillaient. Des colons avec des armes de chasse en bandoulière. Des gendarmes en patrouille. La ferme somnolait dans sa vie mesquine. Les platanes avaient grandi.

Ce fut Marie Aldabram toujours sur le pas de sa porte à guetter qui le vit la première. Elle plissa les yeux, approcha, lui tendit les bras. Dans son visage martelé, creusé de ravins, les yeux s'embuèrent.

— Hector !...

Elle le pressa sur sa poitrine, le fit entrer, lui servit du café. Au-dessus de la cheminée, il y avait un autre crucifix, plus grand. Marguerite, au village avec les enfants, allait revenir. Marjol apparut accompagné d'un inconnu, un petit Juif de Blida qui rendait des services.

— Vous voilà ! Vous avez pu leur échapper. Et Badinguet ?

Il se mit à raconter l'été, des événements qui dataient, l'installation de Pierre et de Dolorès, il croyait que son gendre allait retourner dans la montagne de Blida. Il devait avoir perdu de nouvelles dents car sa voix sifflait.

— Tu mêles tout, lui dit sa femme. Il y a à peine deux mois que ton gendre est parti.

Il se tut, s'assit, appuya son menton sur sa canne, renifla. Le deux-roues ramenait Marguerite qui manqua de tomber en se précipitant.

— Mon Dieu, mon Dieu...

Elle fondait en larmes, touchait Hector, le contemplait en s'éloignant un peu.

— Comme tu as changé !

Le même mot que la générale. A cause des moustaches.

— Ça te va bien.

Tout avait viré. On ne savait quoi. Le bonheur peut-

être qui avait fui. Sabine tenait son père à bras le corps et
ne le lâchait plus. Sa mère disait qu'elle avait commencé à
tricoter un chandail pour lui dans la crainte qu'il n'eût froid
en France, cet hiver. Presque une jeune fille déjà. Il la
cajolait avec une tendresse brouillée de bizarreries : le nom
de sa marraine... Alexandre, lui, alors, il rossait les enfants
de M'hammed, les Allemands, disait-il. Il jouait avec un
bâton taillé en forme de fusil, chevauchait La Fleur avachi
qui avait à peine soufflé aux genoux du capitaine et s'était
écarté.

    — Tu les as brisés, les Prussiens ?

On n'avait donc rien dit à ce gosse ? Il ne savait rien ?

Le capitaine aurait bien répondu, mais cet étranger qu'on
appelait « monsieur Bacri » rasé, empressé... Lui seul paraissait comprendre et compatir. Il avait refusé le café et était
parti : « Un jour pareil, non, je vous laisse... » Marjol
l'avait raccompagné et, de retour, s'était obstiné.

    — Racontez.

Il n'y avait rien à raconter, sinon qu'on l'avait chargé
d'une mission auprès du gouverneur. Sans quoi il serait
mort ou prisonnier. Les défaites se cachaient. Et puis cette
odeur étrange de pain, de cendres de foyer, d'ail, d'ombre
fraîche, d'huile d'olive, quand Marie Aldabram bougeait :
l'odeur de la cuisine des Roailles qui sentait aussi la soupe
à l'oignon, au pain de campagne et à l'œuf, le tourin bourru.

    — Je suis passé dans le Lot. Par hasard. On prend les
trains qui roulent encore.

La mort du général appartenait à l'ordre des choses. Ils
imaginaient tous le château, de grandes allées, des terrasses
et des tours.

    — Ce n'est pas ça. Il vivait de sa retraite. La générale
va venir à Blida.

    — Elle a dit cela si souvent. Tu n'es pas allé voir tes
parents ?

Il avait pensé à embrasser sa mère, mais le temps ? Il
regarda les mains de Marguerite. A l'annulaire gauche, son
alliance. Rien d'autre. Il se rappelait son ironie d'autrefois
pour le diamant offert par la générale. Au point que Mar-

guerite hésitait à le porter. Ce diamant lui manquait tout à
coup. Elle aussi touchée par une gravité avait changé. Resplendissante encore, une fleur en plein éclat, avec des yeux
plus lourds. Chez Marie Aldabram les épreuves s'inscri-
vaient dans les entailles des joues et du front.

— Et Antoine ?

Que Pierre et Dolorès ne fussent pas là, c'était normal.
Depuis le retour de Marguerite, ils vivaient chez eux, on ne
prenait plus les repas en commun, sauf dans les grands
jours.

— Il n'a pas voulu m'écouter, dit le vieux. Il s'est engagé.
Il attend de partir près d'Alger. Cette gourde. Sac au dos,
alors que tous les Paris sont là.

Antoine soldat et le capitaine qui revenait.

— La guerre, croyez-vous qu'elle va finir ?

— Elle est finie. La France n'est plus rien. Il n'y a plus
d'armée là-bas. Antoine n'ira même pas à Marseille.

M'hammed écartait le rideau, s'illuminait, tendait la main
au capitaine puis se touchait le cœur. Derrière le flot de
salutations et l'empressement, un drôle de regard. Que pensait-il, celui-là ? Hector sentit se réveiller ses méfiances d'autrefois. A Alger, on assurait que les Arabes, à qui un sénatus-
consulte de mars avait failli donner le droit de vote, son-
geaient à se révolter. Ils avaient pillé des fermes et massacré des colons à Boghari. Des journaux prétendaient ces
incidents inventés par les officiers des bureaux arabes : à
peine touchait-on au pouvoir des militaires que la menace
d'une insurrection faisait reculer les civils. M'hammed courut porter à sa famille la nouvelle du retour d'Hector.

— Vous le voyez avec le droit de vote ? s'écria Marjol.
Vous avez bien fait de revenir. Vous aurez du travail.

— Ça bouge ?

— Peuh ! fit Marjol. Il paraît, dans le sud d'Oran, près du
Maroc. Vous les connaissez. Ici, on se prépare à élire des
députés. Le maire de Sidi Moussa est candidat, et des tas
d'autres, Borély-la-Sapie, le baron de Vialar... Depuis que
nous avons un Juif comme ministre de la Justice. Moi je
veux bien des Juifs. Ils mettront les Arabes au pas.

On s'étonnait qu'il n'eût pas assisté aux obsèques du général. La lettre de Mac-Mahon ne souffrait pas de retard. Il observait Marguerite par des regards en éclair. Elle semblait intimidée, engluée dans l'émotion. « Ou bien, se dit-il tout à coup, elle m'imaginait autrement, tombant dans un assaut, couvert de sang, alors que je suis là, sans même une blessure ou une décoration, hésitant à répondre aux questions, comme si j'avais honte. Mais oui j'ai honte d'être un vaincu, et elle a honte de moi. » Mme de Roailles pourtant... Une femme de général comprenait mieux. « Je lui rappelais son temps de gloire. Elle voyait en moi l'homme qui n'aurait pas hésité à réprimer les Aurès. J'étais vivant, je revenais d'une guerre perdue, j'étais l'armée défaite. Qui sait ? Elle a peut-être eu pitié de moi... » Cette tempête qui s'était levée dans la nuit et les avait secoués jusqu'à l'aube, ce n'était pas la pitié qui l'inspirait. Quoi alors ? Un mystère. Savait-on pourquoi le vent se ruait soudain dans les grandes solitudes, lançait ses charges sur elles, les dévastait ? Ou peut-être les filles Aldabram étaient plus fières. Peut-être devinaient-elles les pensées secrètes.

Il se dressa. Il n'allait pas rester ici avec un pantalon rouge et une tunique de capitaine vaincu. N'importe quoi. Un falzar de toile et une chemise de péquenot. Le temps de souffler. « Mon cher, mon cher, vous n'êtes pas un faible, vous... » En partant, il n'avait pas osé saluer la dépouille de son général, ne fût-ce que pour s'assurer qu'il n'avait pas bougé, qu'il dormait du sommeil de l'éternité et que des cris d'amour n'avaient pas pu le réveiller. Que lui dire cette fois ? Les bougies avaient dû fondre. Ou alors Philomèle les avait remplacées. Il y en avait un paquet dans le couloir, sur le rebord d'une fenêtre que l'aube éclairait.

CHAPITRE III

1

A présent on en avait fini avec les femmes d'Icherridène. Chacun de ceux qui s'étaient présentés avait eu ce qu'il demandait, peut-être pas tous, il y avait des retardataires qui réclamaient, les musiciens par exemple qui soufflaient dans des cuivres ou tapaient sur des caisses pour le plaisir du général et des autres, les porte-drapeau, les infirmiers, les cuistots, les corvées, les sentinelles placées devant les dépôts ou devant le troupeau des vieilles, les blessés et les morts, tous ceux-là avaient bien dû se passer de femmes, ils se rattraperaient une autre fois, même les morts, pourquoi pas ? A la guerre on prend ce qu'on trouve, la plupart du temps ce qu'on ne cherche pas. De même les artilleurs et les cavaliers, les tringlots, les types qui se coltinaient le déchargement des voitures et ceux qui amenaient le ravitaillement ou préparaient le campement des officiers, les popotes, les secrétaires et les plantons, les agents de transmission, eh bien s'en plaignaient-ils ? On organiscrait quelque chose pour eux lors d'une prochaine occasion, on conduirait à Fort-National une congrégation de putains de la Casbah d'Alger ou de Bougie et ils seraient à la fête, moins pressés, mais voilà ce n'était pas le même tabac. En pleine nature ou presque, dans un village conquis, sous un toit imprégné de fumée et avec des femmes qui n'étaient pas des professionnelles, se couvraient le visage de leurs bras ou vous regardaient avec un désespoir de bête abattue, quelque chose vous emportait, vous possédait, on ne savait quoi. En temps normal, on n'aurait rien éprouvé. Là, à cause de la chaleur, de la pouillerie, de la hâte, de la rigolade, des plaisanteries, on devenait des mâles entourant des femelles en rut, prêts à tirer le couteau pour avoir ses droits comme s'il s'était agi d'amour, on avait le sentiment d'une victoire. Dieu sait pourtant si elles n'étaient pas en rut, les femelles ! Des loques. Elles avaient peut-être essayé de résister au début. Résignées, elles attendaient la fin, elles saignaient, elles gémissaient et pas d'amour, et chez les hommes pas de pitié, on aurait cru qu'ils se prenaient tous pour César se jetant sur la petite reine Cléopâtre, livrée à lui dans les splendeurs de son palais. Après quoi on les poussait dehors et ils se retrouvaient sur les ardoises et les dalles de marbre cassé qui pavaient la rue, allumaient une cigarette et rejoignaient leur unité, soulagés, on les reconnaissait, ils n'étaient plus les mêmes après : ils parlaient trop ou se taisaient, essayant en vain de se cacher d'eux-mêmes.

Il y en avait pour les envier, trop tard, il fallait être là quand on appelait des volontaires. D'autres n'osaient pas, dans la crainte d'attraper une sale maladie, ou parce que ce genre de distraction leur répugnait. Ceux-là feignaient de ne s'apercevoir de rien. Mais cette agitation, ce bruit de disputes, cette flamme qui brillait dans les yeux... Pour les officiers, on avait conduit quelques filles, les plus belles, à l'écart dans une maison éloignée de celle de la troupe, des zouaves en armes interdisaient le passage aux simples troufions, il y avait un médecin-major goguenard, des couvertures, des rires étouffés, des prévenances, presque de la distinction : ces femmes-là s'en tireraient. D'ailleurs, il n'y avait pas foule : des jeunes qui avaient participé à l'assaut, le lieutenant Kossaïri, le capitaine qui commandait les mitrailleuses, un gros type congestionné avec sur le front une énorme balafre ramenée de Chine, celui-là toujours à l'affût de ce moment, c'était peut-être lui qui avait suggéré

cette idée à l'état-major, il prétendait que c'était de jeu,
que les Kroumirs ne comprendraient pas qu'on se compor-
tât autrement, que les femmes étaient la première prise de
guerre, qu'on agissait ainsi sous tous les ciels, qu'il avait
roulé sa bosse partout et que les Kroumirs, s'ils avaient été
vainqueurs en France, auraient commencé par les femmes.
« Souvenez-vous de Palestro. Si un jour ils descendent dans
la Mitidja, vous verrez comment ils se conduiront avec les
colons... » Cette pensée avait décidé quelques officiers :
il fallait prendre les devants. Et Kossaïri, quel tempérament !
Un Arabe aussi, de la région de Tlemcen, le teint bistre,
les cheveux très noirs, pas très grand, un peu tassé, les
pattes courtes, le front bas, l'œil féroce vaguement chafouin,
pas de képi mais une chéchia droite, un fez avec deux
galons d'or tout autour, quand il se battait un turban. Il
prétendait descendre d'une grande famille qui avait choisi la
France. Avec des protections, il finirait capitaine. Ses soldats le craignaient. Il se montrait sans pitié, faisait régner
une discipline de fer, on le servait comme un sultan. Eh
bien Kossaïri, qui baragouinait un mauvais français et
n'entendait pas le kabyle, assurait que c'était normal, que
les Arabes agissaient toujours ainsi, qu'il n'y avait pas surtout ici d'autre méthode pour prouver qu'on était vainqueur. Il avait baroudé dans le Sud, participé à beaucoup
de razzias. Eh bien pas de razzias sans femmes, ses hommes,
même les Kabyles, n'auraient pas compris. C'était la loi.
On le soupçonnait d'avoir un harem chez lui. Il ne disait
pas non. En fait il n'avait qu'une femme qui l'attendait à
Cherchell, mais il en changerait quand elle serait vieille ou
qu'il aurait assez d'elle. Quand on le plaisantait à ce sujet,
il répondait : « Et vous ? Vous vous gênez ? Vous divorcez
aussi, vous trompez vos femmes sans arrêt. Pour moi, quand
je suis seul, je vais au bordel... » Alors, dans la fièvre du
combat, dans la justification de la victoire...
Seulement le commandant en chef avait dit : « Les femmes
jusqu'à l'heure de la soupe, après quoi vous les renvoyez »
et quand les clairons se mirent à sonner le rata, qu'un officier de l'état-major déclara d'un air pincé que c'était fini,

on arrêta malgré les protestations ceux qui s'apprêtaient à entrer dans le Saint des saints. On rassembla les femmes, on ne leur rendit pas leurs vêtements, qui avait encore eu cette idée-là ? Un officier, un adjudant, le gros capitaine des mitrailleuses ? On les poussa sous les quolibets du côté du cimetière où les cavaliers les attendaient.

Alors le capitaine Griès empoigna son sabre, le raccrocha à la bélière, bondit de la djemaâ ou il rêvait et se mit à dégringoler entre les maisons jusqu'au terre-plein de l'attroupement. Il poussa les gens, se fraya un passage de vive force, flanqua un coup de pied à un chien qui s'enfuit la queue basse, et déboucha sur le premier rang des spectateurs parmi des officiers. Les femmes s'éloignaient en ramassant des loques qui traînaient, des pierres plates, des bouts de carton pour en couvrir leur nudité. Certaines d'entre elles tombaient, des compagnes les aidaient à se relever, les soutenaient. Terrorisées, elles devaient se demander si on n'allait pas leur tirer dessus, les plus jeunes détalaient à toutes jambes vers Aguemoun Izem, d'autres par la droite dans un ravin, par les vergers sciés qui descendaient vers un oued, l'humiliation les transformait en furies, elles criaient des injures, certaines se retournaient avec des gestes ignobles et des crachats, les chevaux des chasseurs d'Afrique piaffaient, se dressaient en hennissant, tout le monde croyait que les escadrons allaient les sabrer, mais non, le commandant en chef s'était montré magnanime, elles s'égaillèrent dans les broussailles et il n'y eut plus, derrière elles, que la triste procession des vieilles sorcières en guenilles qui s'en allaient droit avec une agilité surprenante. Dans un creux, les vieilles partagèrent leurs vêtements avec les jeunes. Alors, un moment après, parvint le cri lointain, d'abord incertain puis terrible, des you-you qu'elles poussaient de nouveau en courant.

— Te voilà, dit Denef. Où étais-tu ? Tu as manqué un beau spectacle. Elles ont l'air contentes. Ecoute-les.

Il reniflait pour montrer qu'il était à l'aise. Son rire sonnait faux. Un ricanement.

— Je vais t'étonner, dit Griès. Je trouve ça répugnant. Il valait mieux... Les fusiller, tu vois, ça m'aurait peut-être écœuré, je n'aurais pas protesté.

— Elles nous ont donné du plaisir. Ç'aurait été injuste. Tu ne voulais tout de même pas qu'on les raccompagne avec une nouba ?

Kossaïri non plus n'était pas d'accord. Ça heurtait l'idée qu'on avait chez les Arabes de la pudeur.

— Là-bas, ils vont les tuer.

— Pourquoi ? demanda Denef.

— Votre femme, si un étranger vous la prend, c'est fini. Elle doit mourir.

— Même quand c'est par force ?

— Par force ou pas. Chez les musulmans, il n'y a que le mariage ou la tombe.

— Je ne dis pas, reprit Denef, les renvoyer comme ça, à poil, on exagère peut-être, hein ? De toute façon, d'après toi, puisqu'on les avait prises, elles étaient flambées. Ça ne change rien.

— Ça change, dit Kossaïri. Mon capitaine, si vous mourez...

Denef le tutoyait, comme la plupart des officiers français, mais Kossaïri lui disait « vous ». Il y avait une nuance.

— ... si vous mourez, ça dépend comment vous mourez. Avec les honneurs ou pas. Comme un chien ou pas. Ces femmes-là, ils vont les tuer, et puis ils...

Kossaïri cherchait ses mots.

— Ils fouleront la terre pour qu'on ne sache pas où on les a enterrées, dit Griès. C'est ça ?

— Voilà. Pas une pierre, rien. Ou ils les laisseront aux chacals.

— La belle affaire, dit Denef.

2

Griès se mit à chercher les vautours qui l'avai..nt guetté
pendant toute la bataille, ne les vit plus, puis les découvrit
qui s'éloignaient du côté d'Aguemoun Izem en tournoyant.

Il n'aimait pas Kossaïri, dans son genre un renégat. Les
simples turcos, encore même les Kabyles, s'ils avaient le
goût de la guerre, on imaginait pourquoi ils s'engageaient
dans les rangs de l'armée française, par amour du métier
des armes, pour la prime, la solde, l'uniforme et les razzias.
Les Turcs aussi, ces étrangers, avaient une milice indigène.
Mieux valait servir sous les armes que de crever de faim
dans un douar. Mais un fils de grande famille, se placer
sous les ordres des occupants, épouser leur cause, ajouter
au malheur de son propre pays... Une idée de derrière la
tête, alors ? Apprendre le métier pour mieux trahir un jour
et passer à l'insurrection ? On tenait Kossaïri à l'œil, mais
on n'avait rien à lui reprocher sinon une certaine nonchalance et, paraît-il, des exactions dans sa compagnie, c'était
son affaire. Pour la malchance des turcos il y avait eu
la guerre avec la Prusse, les protestations de fidélité de tous
les territoires soumis, la levée en masse de l'armée d'Afrique.
Une belle occasion d'éprouver le loyalisme des bics. Vous
voulez vous faire tuer pour nous ? La France est votre mère
patrie ? Allez-y, mes enfants ! L'ennui, c'est que les zouaves
avaient trinqué aussi. Le moyen de casser du turco sans
casser du zouave ? Kossaïri avait été blessé et promu lieutenant, il portait, comme Griès, la triste décoration de 70 :
un ruban vert et noir, d'où pendait une République casquée
dans sa médaille de bronze, alors que Denef n'avait droit
qu'à des trucs commémoratifs comme les territoires du
Sud, le mérite agricole forcément avec tout ce remuement
de légumes secs, la médaille pontificale on se demandait où
il l'avait dénichée celle-là, grâce aux curés peut-être, il aurait

celle de la Kabylie dès qu'on l'aurait créée, les palmes académiques aussi. Ça lui faisait une belle brochette de bimbe-
loterie quand il l'accrochait, les jours de revue. Le reste du
temps, ce héros du pâté de foie et du cassoulet en conserve
usait de mystère. Les gens qui ne le connaissaient pas se
laissaient impressionner.

— Kossaïri a raison, dit Griès. Ce n'est pas d'être tué
qui compte tellement mais la façon dont on vous tue.

Denef ne pouvait pas comprendre cela : quand on vivait
dans l'odeur des sacs de fayots et des tonneaux de vin,
quand on n'avait jamais vu un combat à moins de deux kilomètres derrière le commandant en chef, quand on n'entendait siffler que les balles perdues et encore très haut comme
des alouettes titubantes et qu'on arrivait seulement après la
bataille pour jouer les matamores... Toute une carrière
d'officier ainsi !

— Sais-tu qui tu me rappelles ? demanda Denef. Ton
ancien brigadier qui te tapait pourtant drôlement sur les
nerfs : le petit général de Roailles.

Ça se voyait donc qu'il venait de penser à lui ? Qu'il avait
tout revu pendant que Denef et Kossaïri s'en donnaient à
cœur joie ? Un secret. Personne ne le saurait jamais, et surtout
pas cette pipelette de Denef. Denef devait dire ça à tout
hasard. Il n'y avait pas tellement eu de chefs soucieux de
morale. Alors dès qu'on essayait de poser une règle de
conduite... Pauvre Nicolas, comme disait sa femme. Il aurait
eu une colère ici. Le capitaine était descendu pour protéger les femmes. Il imaginait Sabine et Marguerite s'échap-
pant devant une bande de soudards après avoir été malme-
nées. Qu'elle idée ! Elle ne serait pas venue à Denef parce qu'il
n'avait jamais fait la guerre. Pourquoi pas ? Il suffisait que
les rôles fussent renversés : les Allemands n'agissaient pas
autrement. Dès que se répandait la nouvelle de leur approche, la débandade. La population fuyait. « Ils arrivent... »
On ne prenait même pas le temps de charger un matelas

sur une carriole. On croyait voir partout des lances et des
casques de uhlans, ces violeurs de femmes, ces incendiaires
de fermes ! Les Français devenaient les Prussiens de Kabylie,
l'armée de Gengis Khan : tout à feu et à sang, plus un
arbre debout.

« Comme votre Saint-Arnaud... » Il entendait la voix
tranquille du général de Roailles. Saint-Arnaud n'aurait
pas fait ça. Allons, tu as oublié. Souviens-toi, souviens-toi.
Il était dégoûté, Saint-Arnaud ? « Si ma mauvaise étoile
m'amenait à la tête d'un régiment en temps de révolution,
on se souviendrait de moi... » Simplement avec ses compatriotes. « Ce que je désire le plus, c'est la guerre... » Alors,
avec les Arabes, Saint-Arnaud... La pitié a-t-il jamais su
ce que c'était ? Ce maître de la répression, cet homme qui
avançait en laissant derrière lui une terre brûlée et des
cimetières. Les fameux zéphyrs, ces canailles condamnées
par les conseils de guerre qui se réhabilitaient en obligeant
les bics à racheter ce qu'on leur avait volé, existaient avant
Saint-Arnaud : c'était le grave barbu Charras qui les avait
inventés. Les goums ne faisaient que les imiter. Et encore
avant Saint-Arnaud, cet excellent, ce pieux colonel de Mon-
tagnac qui récitait son chapelet en cheminant parmi ses
troupes derrière les têtes de rebelles piquées au bout des
baïonnettes et recevait à coups de plat de sabre les surbor-
donnés qui lui amenaient un Arabe vivant, quelle était sa
formule de pacification ? Tuer tous les hommes de plus de
quinze ans, charger dans des bâtiments pour les îles Mar-
quises les femmes et les enfants qu'on n'avait pas troqués
contre des chevaux ou vendus comme bêtes de somme,
anéantir tout ce qui ne rampait pas comme des chiens,
exterminer tout ce que l'Afrique comptait d'Arabes. Il
avouait qu'il s'amusait, qu'il trouvait là une véritable jouis-
sance. Pas seulement en Kabylie ou dans les Aurès. Partout.
En Oranie, dans toute la province d'Alger et dans le Sud,
dès que ça bougeait. Avec lui, jamais de procès à instruire :
tous les suspects au poteau, puis leur tête au-dessus. Pour
sa bonne conscience et pour désarmer les chefs qui blâ-
maient sa justice expéditive, il s'infligeait des jours d'arrêts.

Cela encore datait. Il n'y avait pas un mois, au col des Beni-Aïcha, le colonel Fourcault avait fait sabrer le village de Gueddara qui venait au-devant de lui : toutes les femmes zigouillées dans les ravins.

Cher général de Roailles, cher rêveur, cher philanthrope, cher humaniste ! Ça l'avait mené à rester sagement les pieds dans ses pantoufles au castel et à recevoir sur son lit de mort les hommages de son ancien aide de camp. Oui, parlons des belles âmes, des discours qu'on tient dans le brasillement des bougies funèbres près d'un bouquet de roses thé. Y avait-il un rameau de buis dans un verre ? As-tu seulement aspergé ton ancien chef ? La joue de Sabine, quand elle s'est posée sur ta main, de quoi était-elle humide ? D'eau bénite ou de larmes ? « Mon général, je suis un salaud... » voilà ce que tu aurais dû lui dire discrètement avant de partir, en entrouvrant sa porte. Alors, la morale mon petit ami... Ça vous monte à la tête comme une fumée, vous empoignez votre grand sabre, vous descendez à grandes enjambées, emporté d'une fureur sacrée, prêt à embrocher tout le monde. Eh bien quoi, ces femmes nues on les avait honorées, on les avait gavées de civilisation, renvoyées chez elles sans même les molester, sans leur tirer dessus au nom de Dieu, comme les témoins de la chrétienté !

C'était Denef qui avait dégonflé ces beaux sentiments. Impossible de truquer devant un ancien de la popote de la Régence. Ce vieux copain qu'on attendait depuis huit jours, qui revenait enfin ses fourgons pleins de vin de Cahors, de patates, de bœuf salé. Le commandant en chef avait beau dire que pour la viande c'était inutile, que le pays y suffisait, qu'on regorgeait de mouton et de bœuf frais, l'intendance envoyait quand même du bœuf salé : le règlement de l'approvisionnement des troupes de campagne. On le donnait aux chiens qui suivaient l'armée, le bœuf salé. Sabine parmi les femmes, où avait-il la tête, le capitaine ? Les Prussiens, s'ils descendaient jusqu'à Cahors, seraient tout prévenance : on ne se dévorait pas entre seigneurs de la guerre. Après le combat, on avait des attentions. Tout juste si on ne s'envoyait pas des fleurs. La veuve d'un général, vous

pensez. Elle aurait fait aux Allemands les honneurs du château de... De quoi au juste ? Comment s'appelait la
demeure ? Il avait oublié de le demander. On écrivait sur
les adresses des lettres : « Général de Roailles, dans son
château, près de Limogne (Lot). » En arrivant en pleine
nuit, dans la patache, il n'avait rien vu, il dormait. Et le
château était avant Limogne, dans les bois de Coignac.
En partant par la route qui descendait d'abord vers le sud
avant de s'en aller vers Villefranche de Rouergue, à l'est,
un village avec quel nom sur les poteaux indicateurs ? Bach...
Pour un général épris de Mozart, quelle ironie ! Bach, en
allemand, voulait dire « ruisseau ». Pas un ruisseau, encore
moins un gué ou un bac. Rien que des drailles que les
troupeaux de brebis devaient emprunter à l'automne et au
printemps et que les eaux de l'hiver transformaient en torrents. Eh bien un nom allemand attendrirait les Prussiens.
A Bach, les officiers en casque à pointe se seraient montrés
de la dernière galanterie. Pas une question indiscrète. On ne
voulait pas savoir si le général avait combattu en Lorraine.
L'Algérie ce n'était pas leur affaire aux Allemands. Et voilà
qu'il ressemblait, lui, Griès, au général de Roailles ? Voyons,
Denef, un peu de bon sens. D'abord au physique rien de
commun : la taille, des moustaches alors que le général se
rasait les lèvres, des cheveux courts quand la tignasse du
général lui tombait presque sur les épaules ! Au moral,
Hector avait-il jamais saboulé la discipline ou les ordres ?
Aurait-il seulement hésité si on lui avait commandé de mettre
une oasis au pas ? Des égards pour les bachaghas et les
caïds, toujours, puisqu'ils représentaient l'administration
légale et régulière, le respect de l'autorité militaire, l'ordre.
Sabine n'était-elle pas la première à regretter de ne pas
l'avoir empêché de faire son coup de tête ? Mais, dans
l'exécution, plus de ces sottises d'autrefois ni de ces hor-
reurs qui, le général de Roailles avait raison encore, ne
faisaient qu'exaspérer le sentiment de revanche et d'humiliation. La guerre n'excusait pas tout.

Il lança un mauvais regard à Denef.

— Tu divagues. Simplement je crois, comme le lieutenant
Kossaïri, qu'on a exagéré. La guerre tant qu'on voudra, les
canons, la mitraille et même les incendies. Pas plus. Les
femmes si on veut, puisque c'est admis des deux côtés.
Ça m'est arrivé. Ça m'arrivera encore. Mais pourquoi les
renvoyer comme ça ? Je vous approuve, lieutenant Kossaïri. Ça ne sert à rien.

Il disait « lieutenant Kossaïri » et il ne le tutoyait pas, pour
marquer à Denef qu'il ne partageait pas ses idées.

Denef renifla, le regarda de biais de ses gros yeux injectés
de rouge aux paupières enflammées, la chaleur et la
poussière probablement, se mit au garde-à-vous, porta à
son képi dans un geste dérisoire une main haute et cassée.

— Si on était dans la marine je t'enverrais des coups de
canon. Je te rends les honneurs. Je salue en toi le parfait
serviteur de ces dames, le défenseur de la veuve et de l'orphelin. Et puis je vais te dire : il te manque encore quelque
chose : qu'on déniche là-dedans un vieil abruti en larmes
et que tu le prennes sous ta protection pour montrer que
l'armée française c'est généreux. Tu me fais rigoler.

Hector pâlit, puis haussa les épaules. Denef tapota sur
son baudrier où l'étui revolver était glissé : la crosse de
l'arme et son anneau de suspension dépassaient.

— Il n'y a que ça qui compte, n'est-ce pas Krieger ?

3

L'adjoint revenait rendre compte. Les compagnies s'installaient pour la nuit. Cette fois, en réserve, elles n'auraient
à fournir que leur propre sécurité intérieure. Finalement il y
avait quarante-deux blessés, dont trois grièvement, et onze

morts, qu'on allait ramener à Fort-National où la cérémonie
funèbre aurait lieu. Le colonel réclamait les chefs de bataillon.

— Je vous guide, mon capitaine.

— Je t'invite à la popote de l'état-major, dit Denef. J'ai
ramené des nouvelles.

Hector lui tourna le dos brusquement et suivit l'adjoint.
L'incendie des hauts du village semblait maîtrisé. Les seules
fumées qui montaient venaient des cuisines. Ça sentait le
frichti. Des sonneries de clairon claquaient dans l'après-
midi. On se serait cru en manœuvres.

Et s'il se trompait ? Si Denef avait raison pour les femmes
comme pour l'armée ? Ce n'était pas à Krieger qu'il fallait
demander cela. Si le monde appartenait aux forts et aux
cyniques ? Quoi, il aurait admiré si longtemps Saint-
Arnaud pour le renier parce qu'un petit général de brigade
avait contracté une sale maladie de morale comme une crise
de paludisme ? Où était la victoire de Nicolas, comme l'appelait Sabine ? Ce Nicodème, Nicolas je t'embrouille. Saint-
Arnaud avait fini commandant en chef du corps expédi-
tionnaire de Crimée, le général de Roailles à la retraite
dans un manoir branlant au milieu d'un désert entre des
pots de confit d'oie et des livres. Son maître, ce M. de Vigny
dont il avait fait son prophète, avait eu pour sa part l'Aca-
démie, des prébendes, des actrices. Pas si bête. Se doutait-il
que des officiers avaient pu briser leur épée à cause de lui ?
Et ces indignations, cette vertu à l'égard des femmes ? Denef,
il y avait de quoi l'épater, lui qui se souvenait des belles
années de leur jeunesse dans la douceur d'Alger, des soirées
au Marabout et des conquêtes de Birmandreis, chaque jour
une nouvelle. Il suffisait que l'image de Sabine de Roailles
montât sur Icherridène, tout changeait. Cette fleur de nuit,
soudain éclose comme les roses dans la chaleur des bougies
près du front marmoréen de son mari endormi dans l'éternité. N'était-ce pas de la démence ? A quoi servait d'épargner, d'avoir pitié, de jouer les chevaliers ? Les hommes à
lui, ses zouaves, pensaient-ils à l'amour ? Attendaient-ils des
lettres ? Appelaient-ils des femmes en dormant ? Ridicule.

Ressaisis-toi, mon vieux. Secoue-toi. Mais le moyen ?
L'amour à la façon de Krieger n'était-ce pas la sagesse ?

Pendant quatre mois, à Blida, il était resté terré. Les
mauvaises nouvelles pleuvaient. A la caserne, on instruisait
des recrues avec des sous-officiers podagres. Une chienlit.
A la maison, le silence. Quelle idée d'avoir donné à sa fille
le nom de sa marraine ! Chaque fois il sursautait. La générale
avait écrit. Le temps de régler la succession, elle arrivait.
Tout était lent avec les événements. Par bonheur il avait été
désigné pour prendre le commandement d'un bataillon dans
une des colonnes qui partaient mettre la Kabylie au pas.
Sans quoi il aurait éclaté. A Alger, les colons manifestaient
avec des balais devant le palais du gouverneur. Le 12 octobre, l'ennemi était devant Paris. Il n'y avait plus de gouvernement. Gambetta s'était envolé en ballon pour Tours.
Le 20, l'anarchie régnait. Le Midi et l'Ouest se soulevaient.
Rouen et Le Havre étaient en révolution. Un fantôme d'armée
se battait à Artenay. On parlait de l'arrivée de l'Impératrice,
venant de Londres pour négocier le repliement de l'armée
du Rhin sur la capitale. Le 30, un dimanche, on apprenait
l'effondrement, un coup de tonnerre : la nouvelle capitulation, à Metz. Près de deux cent mille hommes, cent régiments avec leurs drapeaux, cent généraux se rendaient,
allaient déposer leurs armes et deux mille canons à l'île
Chambrière pendant que le bourdon de la cathédrale son
nait et que des hommes chantaient *la Marseillaise*. Une seule
division de l'armée allemande prenait possession de la ville
et de ses forteresses intactes.

Hector imaginait les zouaves de l'armée du Rhin désar-
més, des exécutions capitales, des chevaux morts, d'autres
raides sur leurs quatre membres, debout avec leurs carcasses efflanquées, attendant la fin, n'ayant plus la force
de hennir quand passaient les belles juments au poil luisant
des uhlans, des femmes écoutant le grand bruit de bottes,
de sabots de cavalerie et de fourgons, et regardant à la

dérobée défiler ces jeunes hommes au visage doux sous leur casque à pointe. Alors quoi, les maréchaux, l'un après l'autre ? On disait que Bazaine avait voulu épargner des vies humaines ou encore qu'il avait hésité entre deux malheurs, qu'il espérait défendre la société contre un danger plus grand que les Prussiens : la République dont Trochu, chargé de protéger une impératrice qui voulait jouer les Jeanne d'Arc, présidait le gouvernement ! Où était cet autre maréchal, Lebœuf, qui levait déjà les bras au ciel en août et s'écriait : « Que voulez-vous que j'y fasse ? Les états qu'on m'a présentés étaient faux. On m'a trompé. Il manque douze mille hommes... »

Les civils nommés gouverneurs ne pouvaient pas rejoindre leur poste en Algérie. Comment la générale serait-elle venue ? Le général Durrieu s'embarquait pour la France sous les quolibets. Un autre général qu'on accusait d'avoir signé la première capitulation de Sedan entre deux verres de champagne et des poignées de main aux Prussiens était tellement injurié par la presse qu'il n'osait pas traverser la mer. Un autre successeur du gouverneur, reçu sous les sifflets et les huées, démissionnait sur place et regagnait le port : il s'appelait Walsin-Esterhazy, il se disait d'origine hongroise, un de ses aïeux était venu se réfugier en France sous Louis XIV. On le soupçonnait d'être juif. Le nouveau maire d'Alger, un ancien quarante-huitard qui avait écopé de dix ans de Cayenne et réussi à s'établir en Algérie comme avocat, jouait les dictateurs. Les colons triomphaient : plus de militaires, plus de propriété indigène, des comités républicains partout. Il n'y avait que les marins, retranchés sur leurs navires de guerre, pour résister. On parlait déjà d'une Algérie indépendante. En réplique, le gouvernement de Tours assimilait l'Algérie à la métropole, transformait ses trois départements en départements français sous l'autorité des préfets et d'un gouverneur civil ; en novembre, les juifs devenaient d'un bloc citoyens français. Pour les Arabes, ils devaient en faire la demande, les théâtres rouvraient leurs portes, on imprimait des prospectus pour attirer les touristes.

Quel désordre, quelle impudence ! Quand on était offi-

cier, on n'osait plus se montrer en tenue. On avait des
larmes dans les yeux. On regrettait presque de n'être pas
resté dans les houblonnières d'Alsace. Denef ne pouvait pas
comprendre ça, ou alors il n'en souffrait pas à ce point.
Il pensait trop à ses fayots. Antoine, cet innocent, avait
couru s'engager pour sauver la France. Il balayait des cours.
Hector avait fini par le découvrir à la caserne d'Orléans
près de la Casbah, luttant contre les punaises des chambrées,
il lui avait offert de l'emmener avec lui à Blida. Antoine
avait refusé. Il voulait venger la France. Avec quoi ? Les
journaux publiaient des listes de souscription pour le vin
d'honneur des volontaires de passage : quarante-six à Alger,
vingt-cinq à Aumale ! Les colons juraient qu'ils se feraient
tuer jusqu'au dernier plutôt que d'abandonner leur patrie au
malheur. En août 70, ils avaient déjà envoyé des adresses
d'admiration à Mac-Mahon, souscrit pour des épées d'honneur. Des discours. Des rodomontades, du vent. Et les
bobards ! On disait que l'Algérie allait être cédée à l'Espagne.
Le gouvernement interdisait l'exportation des céréales algé-
riennes, qui pouvaient profiter à l'ennemi. Le bruit d'une
victoire enfin, sur la Loire. Ce soir-là, Alger illuminé délira.
Malgré la pluie et le vent, la foule se précipitait à la cathédrale où l'on chantait un *Te deum,* une retraite aux flambeaux parcourait la ville aux accents du *Chant du départ.*
L'archevêque ordonnait aux églises de livrer leurs cloches
pour fondre des armes. Pour annoncer le courrier de France
on rétablissait le coup de canon supprimé en 1860 par un
amiral dont la femme était trop émotive. En décembre, une
procession interminable de voitures escaladait le sommet de
la Bouzaréa pour admirer une éclipse du soleil. A Paris, le
traiteur Durand, place de la Madeleine, se faisait une spécia-
lité d'accommoder les rats, les canons prussiens de Châ-
tillon bombardaient le Luxembourg et la Sorbonne, l'Empire allemand était proclamé à Versailles, Tours occupé.
Mais le plus beau scandale avait été une adresse, publiée
par les journaux allemands, des musulmans d'Algérie au roi
Guillaume, que toute la presse avait reproduite : selon les
Arabes le roi Guillaume était victorieux parce qu'il rendait

grâce de tous ses succès à la Providence alors que les Français oubliaient Dieu. On attendait une protestation, un démenti des muphtis et des cadis.

Assez, assez ! Denef avait raison. Tous ces gens, civils ou Arabes, il fallait les traiter à la cravache, rendre à l'armée son rang. En un sens, l'insurrection kabyle était venue à point. Quelle pitié éprouver ? Qui ménager ? Denef ne quittait jamais son revolver. Il prétendait que son métier de ravitailleur était dangereux, que ses convois risquaient de tomber dans des embuscades. Il vidait son arme sous tous les prétextes. Il voulait la croix lui aussi, comme Dupuis qui ne s'était même pas fait réprimander. Le colonel était content : le commandant de la brigade l'avait félicité. Icherridène était maté. On le brûlerait dès que l'ordre en serait donné, après quoi on raserait Aguemoun Izem. Vous dites, Griès ? Moi rien. Seulement, à la fin de la conférence, Hector avait appelé Dupuis à l'écart. Ce n'était rien, Dupuis. Un faisan. Un type visqueux, toujours à l'abri sous des chapeaux de toile, qui n'arrivait pas à bronzer et cherchait à flatter le colonel. Il lui avait dit en le prenant au revers de sa tunique : « Si tu recommences ta saloperie de ce matin, je te casse la gueule. » Et il l'avait planté là sans autre explication.

Dupuis n'était pas un idiot, il savait que son imprudence avait exposé son propre bataillon à un danger grave : se faire prendre de flanc, culbuter comme un navire qui offre son travers aux étraves de l'ennemi, c'était son affaire et l'affaire de ses gens, mais un cadeau pareil pour les voisins, non ! Des manières, des gentillesses ? On ne plaisantait pas en cette matière. Denef et son revolver. « Il n'y a que ça qui compte... » Pas seulement pour les Kroumirs. Pour tous ceux qui jouaient avec la vie des autres. Tout de même ces menaces, ces brutalités à l'égard d'un camarade. Personne ne s'en était aperçu. Il n'avait pas humilié Dupuis devant des subordonnés. Il l'avait attiré à l'écart. Un mot sans témoin. Il lui avait posé la main sur le cou, on pouvait croire de loin à un geste d'amitié. Il avait parlé à voix basse, sans le moindre éclat, et l'avait lâché tout de suite.

4

— Vous y êtes allé un peu fort, mon capitaine.

Krieger avait bien des défauts, parfois une certaine dissimulation, on pouvait détester son poil, ses casse-croûte au poulet, le vent que son dévouement déplaçait et tous ses trucs, on devait reconnaître qu'il veillait aux tuiles. Ses conseils étaient judicieux, un peu protecteurs, un peu soucieux des règlements, un peu enveloppants. Il aimait son capitaine. Il cherchait à le mettre en valeur et à lui éviter des ennuis. Un bon chien qui ne pensait qu'à servir son maître. Il avait donc vu ? Ou bien son instinct et son affection lui tenaient lieu d'intelligence.

— Onze morts chez nous, ça ne vous suffit pas, Krieger ? Il n'y en avait que cinq avant la contre-attaque. Je n'ai pas demandé le chiffre des voisins, il en a combien sur la conscience, Dupuis ? La moitié ? Davantage ? Vous croyez qu'on a le droit de se mettre en valeur avec la peau des autres ? La vôtre, la mienne ? Moi je défends mes hommes.

Il eut un geste exaspéré. Ces mouches, bon Dieu... Les mouches s'abattaient sur la nuque, les mains, piquaient au sang. Elles se précipitaient de toute la Kabylie, attirées par les odeurs des bêtes et des hommes, la sueur, les blessures, l'huile répandue, les viandes gaspillées, les fumées, le bruit, les chevaux, les mulets, les femmes peut-être, les ruines, le carnage. Pourtant le coup de vent aurait dû les chasser, les envoyer dinguer dans les ravins, les aspirer dans le ciel vers la montagne, les jeter dans les broussailles, mais non. Au moindre souffle, elles s'abritaient derrière une pierre, se collaient derrière un pan de mur, au bon endroit, ou sur vous, dans votre dos, sur vos reins, il aurait fallu avoir

comme les chevaux une queue bien fournie en crins pour
les chasser, elles se plaquaient un peu plus loin et revenaient
obstinément. L'orage peut-être les enrageait. Il allait éclater ? On aurait cru, et puis il avait glissé dans l'effondrement du sud, et appliqué contre les flancs du Djurdjura,
il les recouvrait en partie, puissant troupeau de buffles et
de béliers noirs paissant des pierres et des rochers, glissait
sur les contreforts, s'écartait. La montagne avait disparu,
étouffée. On la sentait là, pétrissant les nuées, les repous-
sant, par endroits des arêtes de roc luisaient, de monstrueuses
veines, des protubérances de granit, des abîmes d'ombre
bleue. S'il fallait aller jusque-là pourchasser les rebelles...
Pour Krieger, c'étaient les mouches et l'orage qui compliquaient tout.

— Et s'il était un homme, Dupuis... Vous avez entendu
ce que je lui ai soufflé sous le nez ?

— Comme tout le monde. Vous parliez plus fort que
vous pensiez. Vous l'avez humilié.

— Qu'est-ce que vous auriez dit si un de vos camarades
vous avait menacé ?

— Je ne sais pas moi. On se serait éloigné pour s'expliquer.

— Eh bien lui, rien. Il s'est aplati. Il est devenu blanc.
Il s'est mis à suer. Il a bien fait. S'il avait bougé je l'aurais
écrasé comme une limace.

Le mot le fit sourire. Les limaces, s'il y en avait, ne
devaient pas être à la noce ici, par cette sécheresse, dans cette
pierraille peuplée de buses et de vautours. Dans les garrigues du Lot on ne devait pas trouver non plus de limaces.
Seulement, comme ici, de ces minuscules escargots blancs
agglutinés aux broussailles, collés à leurs rameaux en grappes
de graines, leur coquille bouchée au point qu'on se demandait quand ils se réveillaient, au printemps peut-être ? et de
quoi ils vivaient. Une limace, Dupuis, le mot lui convenait.
Hector lui marchait dessus ou, simplement, du bout ferré de
la canne qu'il prenait pour les étapes à pied, il le faisait
éclater !

Devant l'entrée de la longue tente aux pans relevés où la

table était dressée, au bruit des couverts sur les assiettes de métal, à la rumeur des voix, Krieger hésita. Il n'était pas invité.

— Vous m'accompagnez. On sait que je ne me déplace pas sans vous.

5

La popote de l'état-major ? Denef exagérait. Enfin, une des popotes de l'état-major, celle des bas officiers, des tringlots, du génie, des casseurs de cailloux, des éventreurs de routes, des trains de mulets. La cavalerie et l'artillerie mangeaient à part. Les brevetés, les aides de camp, les chefs de bureaux, le gratin, avaient l'honneur de la vraie popote du général, plus loin, près du fanion du commandement, avec les gens des goums à ceinture rouge, à turban, à têtes de forban ravagées par la petite vérole et à barbes noires. Pour le général et le chef d'état-major, des chaises. Des bancs pour les autres. A la popote de Denef, on s'asseyait sur des caises, mais alors, la chère... Délicieuse. Le meilleur cuisinier de la colonne, un mercenaire marocain. L'aumônier prenait pension là : Denef l'avait adopté. Il relevait la moyenne, donnait de la distinction. Un homme effacé, embarrassé dans sa soutane qu'il retroussait sur un ceinturon de troupe, coiffé d'un calot noir à passepoil rouge où une petite croix d'argent était épinglée.

Denef leva un bras, avala sa bouchée, roula des yeux, se poussa de côté.

— On a commencé sans toi. On se demandait si tu allais venir. Tiens, mets-toi là. Vous, Krieger, à côté de monsieur l'aumônier.

Il emplit lui-même les gobelets de ses invités.

— Goûtez ça.

Du vin rouge d'Algérie, au fort bouquet d'eucalyptus, du vin des vignes qui poussaient dans la terre ocre, un peu sablonneuse du Sahel.

— Ce voyage ? dit Griès en passant le pâté à Krieger.

— Je l'ai déjà raconté. Sans histoire. La route est bien gardée. On a trouvé les assassins des colons de Palestro. C'est réglé. Il y a eu une panique à Alger dimanche dernier, pendant la procession de la Fête-Dieu, rue de la Lyre. La musique de la milice venait de prendre place devant la cathédrale, le clergé allait descendre, un flot de... Comment diriez-vous, monsieur l'aumônier ? de spectateurs, de chrétiens ?

— Je ne sais pas.

— ... a tout bousculé. Tout le monde a fichu le camp de l'autre côté de la place du Gouvernement, sur le boulevard j'allais dire de l'Impératrice, je ne m'y ferai jamais : de la République. Les magasins fermaient, on croyait à un tremblement de terre, la troupe s'est formée en pelotons. Et puis le calme est revenu. Ce n'était rien. Une dispute, plus haut, entre des Arabes et les Maltais des congrégations. On en parle encore. Demain, on va célébrer, avec un peu de retard, l'anniversaire du débarquement. Il y aura une messe à Sidi-Ferruch, un défilé et une retraite aux flambeaux. A part ça, on discute. On croyait que la procession de la Fête-Dieu serait renvoyée en raison des événements, qu'il ne fallait pas provoquer les musulmans par l'étalage d'un culte étranger. Le gouverneur a insité pour qu'elle ait lieu. Ça fait marcher le commerce, on dépense pour deux cent mille francs d'ornements, de fleurs, de pâtisserie. Notre gouverneur, je ne sais pas s'il a le sens des affaires ou si c'est un chrétien pratiquant...

— Un amiral, dit l'aumônier.

— Les colons sont servis. Rien à lui reprocher. Il a été nommé par le gouvernement légal, est arrivé en frac civil pour bien montrer... Une tête comme ça, un collier de barbe blanche, de la neige, des lèvres rasées, il n'y a pas à s'y tromper, un vrai loup de mer. Et de la poigne. Il y a huit jours, Ahmed Bey et les Ouled Illès se sont présentés pour demander l'aman. On a réclamé des instructions au gouverneur. Sa réponse : rester dans la légalité, respecter la circulaire du 20 mai, ne rien promettre, ordonner aux rebelles

de se constituer prisonniers dans les villes. On dit qu'il a
écrit de sa main : « Agir comme à Paris on juge et on
désarme. Les Kabyles ne peuvent prétendre à plus de ména-
gements que les Français. » Un homme, cet amiral de
Gueydon ! Slimane, la suite au capitaine.

Du mouton encore, mais accommodé en sauce, fondant.
Des pommes de terre rôties.

— Et alors, Ahmed Bey, dit Hector, qu'est-ce qu'il a
fait ?

— Il est reparti dans la nature. A la grâce de Dieu,
n'est-ce pas, monsieur l'aumônier ?

L'aumônier sourit à peine, s'essuya la bouche.

— Ne mêlons pas trop Dieu à cela.

— Et de France ? demanda Hector, quelles nouvelles ?

— C'est fini. L'insurrection est brisée. Thiers a passé
quatre-vingt mille hommes en revue à Longchamp. A leur
tête le maréchal de Mac-Mahon. Pour ceux d'entre vous
qui connaissent Paris, il paraît qu'on a beaucoup fusillé à
Satory, au jardin du Luxembourg, au parc Monceau, au
Champ de Mars. On parle de vingt mille exécutions. Des
incendiaires et des crapules, moi je trouve qu'il n'y avait
pas d'autre moyen. C'est l'ordre ou ça. Le drapeau rouge
sur les Invalides, les barricades, vous imaginez ?

— Et les Prussiens ?

Ah ! ceux là, je ne sais pas. Ils doivent rigoler.

— Mac-Mahon, dit Hector, je ne voudrais faire de peine
à personne. Au mois d'août mon régiment appartenait à
son armée et je suis revenu à Alger porter une lettre de lui
au général Durrieu, sans quoi je me demande où je serais,
mais il est plus fort avec les Parisiens qu'avec les autres.
Il réussit mieux.

— Des gens qui ont tout brûlé, s'écria Denef, exécuté
des officiers et jusqu'à l'archevêque de Paris. Des communeux. Des pétroleuses. Des chiens enragés. On a été trop
bons. Les nôtres, par exemple, quand ils nous ont couverts

d'injures et presque f... notre général Walsin-Esterhazy à la mer, on ne les a même pas mis sous les verrous.

Hector laissa échapper un petit sifflement de mépris.

— A Alger, ce n'était qu'une pantalonnade. On n'a tué personne. Nos forts en gueule se sont contentés de voter pour Garibaldi, ils ont invité Gambetta à venir continuer la guerre ici pendant vingt ans s'il le fallait. Leur Gambetta s'est dégonflé comme son ballon, il n'a pas flotté longtemps. Pourtant, après la Loire et Bordeaux, passer la mer était tentant. Quelle plaisanterie ! La guerre contre qui ? Un beau résultat...

Toute la table s'arrêta de mastiquer. Les officiers regardèrent leur assiette, certains se mirent à tourner rêveusement leur gobelet en chassant les mouches collées sur le bord. Krieger but une gorgée. Si ce qu'on disait était vrai, les otages fusillés, la ville en flammes à mesure que l'armée avançait, un mouvement révolutionnaire dirigé par des émeutiers de profession, des journalistes tarés, des ouvriers en grève, des assassins, des pillards, des ivrognes qui montaient sur les barricades la bouteille à la main, sous l'œil goguenard des Prussiens, une femme qui voulait jouer les Charlotte Corday avec M. Thiers, une certaine Louise Michel. Tout cela était fini, heureusement ! Une revue à Longchamp effaçait toutes ces hontes.

— Quand on pense, dit Denef, qu'il a pu y avoir des officiers de l'armée régulière dans les rangs de ces gens-là. Ils avaient mal choisi leur camp. Ça vous démonte.

— Tant qu'on ne s'est pas trouvé dans des situations pareilles on ne sait pas, dit Griès. Quand on n'a pas vu la France à cette époque... Les gens qui vous insultaient, ce n'étaient pas des Communeux : des bourgeois qui vous balançaient leur lanterne sous le nez comme à des moutons pour décider ce qu'ils faisaient de vous. Les Communeux, si je me souviens de ce que les journaux ont raconté, ils criaient : Vive l'armée. Alors, les officiers...

— Pas derrière ça ! s'écria Denef. Qu'est-ce que c'est, le drapeau rouge ? Le massacre, la fin de tout, les églises transformées en clubs, les couvents saccagés, vous le savez monsieur l'aumônier, les religieuses violentées. Est-ce qu'on profite d'une invasion étrangère pour flanquer partout la révolution ?

Le braillard se déchaînait. Pour un peu il aurait fait réciter le bénédicité par l'aumônier. La chaleur, le vin. Ses vrais commandements s'exerçaient dans des popotes, mais là, quelle autorité, quelle conscience ! Ce ravitaillement de choix, ramené de la ville grâce à tant de fatigue et de peine imposait le respect. « Votre moral, disait-il, c'est moi qui le détiens. Ce ne sont pas les convois d'artillerie que vous saluez, mais les miens quand j'arrive. » Présidant sa table à la tête de son armée de serveurs et de cuistots, il régnait.

6

Ils étaient fatigués, fourbus, sales, écœurés par moments, réduits presque à rien, crevés, échinés, exténués, moulus, rompus, vidés par la dysenterie qu'on soignait à l'ipéca. Leur humeur se hérissait, ils grondaient comme des chiens hargneux, se mordaient entre eux. La campagne durait depuis près de trois mois. Comme l'eau souillée des villages répugnait, peut-être buvait-on trop de vin. Tout cela parce qu'on avait menacé le bachagha Mokrani et quelques-uns de ses vassaux de leur enlever leurs terres et leur puissance au profit de rivaux plus dociles. Curieusement cette politique allait de pair avec l'abaissement de l'autorité militaire : plus de grandes familles, plus de privilèges, plus de féodalités.

Aux menaces Mokrani avait répondu qu'il n'accepterait pas sa destitution sans la poudre, qu'il ne resterait pas comme une hyène dans son antre en attendant qu'on lui attache les pattes, qu'il mourrait chaud, en pleine lumière. Il avait tenu parole, appelé ses fidèles à la rébellion. Les Arabes, et qui sait, lui peut-être ? avaient envoyé au roi de Prusse cette adresse dont les journaux avaient publié le texte : « Votre Majesté n'ignore pas que notre pays fut autrefois un pays d'Islam, que Dieu nous imposa les Français comme dominateurs. Vous nous voyez prier pour que Dieu vous aide à vaincre et à nous libérer... » Pareille impudence après les déclarations de fidélité quand la guerre avait éclaté !

On pouvait discuter les mérites de Mac-Mahon stratège. Gouverneur général, il avait attiré l'attention des pouvoirs publics sur les dangers d'un soulèvement, dénoncé les attaques de la presse et les procédés des Européens à l'égard des indigènes, puis démissionné pour alerter l'opinion. Depuis des années, les Kabyles se prêtaient de l'argent « remboursable au départ des Français », ils achetaient de la poudre, des chevaux, des armes, les grandes familles recrutaient des goums. La chute de leur protecteur Napoléon III avait balayé les dernières hésitations. Mokrani n'avait pas eu de peine à convaincre le grand chef religieux Cheikh el Haddad, dépositaire des pouvoirs sacrés, de proclamer la guerre sainte. « Si vous êtes croyants, levez-vous pour mourir... » Le vieillard avait nommé califes ses deux fils, et jeté son bâton parmi les fidèles en s'écriant qu'on jetterait de même les Français à la mer. Un enthousiasme immense avait poussé cent mille fanatiques vers le bachagha qui avait renvoyé au gouverneur les insignes de toutes ses dignités. En réplique, le 9 avril, dimanche de Pâques, le général Saussier brûlait le bordj et tous les villages de la Medjana. Aussitôt les colons de Palestro avaient été massacrés, les routes coupées avec Alger, Tizi-Ouzou et Fort-National investis. De jeunes chefs ambitieux rassemblaient leurs troupes, les faisaient prier, entraînaient les caïds qui hésitaient encore à trahir. Le manifeste de l'amiral de Gueydon, mal accueilli partout, n'avait pas convaincu. Pour les Kabyles il n'y avait plus d'autorité.

— Le mal était fait, dit Denef. Mokrani n'allait pas se laisser enlever deux cent mille hectares de terre et tous ses avantages, ses esclaves, ses droits. Ça encore, on aurait peut-être pu s'arranger. Mais un juif, le garde des Sceaux

Crémieux parlant à des musulmans comme un chef d'Etat, les commandant, hein ? On peut prétendre que les décrets de naturalisation datent de l'Empire, que la République n'a fait que les appliquer. Sans ce coup-là, les musulmans ne se seraient jamais révoltés. Ils ont vu l'armée outragée, les généraux conspués et chassés par la canaille, les officiers qui les administraient humiliés par les colons prêts à s'emparer de toutes les terres, et pour couronner le tout les juifs triomphants ! Réponse : la guerre sainte, *el djehad* et les *moudjaheddines*, les combattants de la foi.

Pour les croyants, la parole de la France n'existait plus. Mokrani avait dit : « Je veux bien être frappé par un sabre. Par un juif jamais... » Le bachagha Mokrani, Si el Hadj Mohammed ben el Hadj Ahmed el Mokrani, qu'on donnait pour un descendant d'un compagnon de Saint Louis, un Montmorency resté dans le pays après la bataille de Mansourah et converti à l'Islam !

Depuis trois mois on n'arrêtait pas de se battre, de tuer, de brûler. La colonne Cérez avait réussi sa jonction avec la colonne Fourchault et la colonne Lallemand venant d'Alger, d'autres colonnes parties de Bougie et de Dellys avançaient, on fusillait des suspects, on razziait. Sur l'autre versant du Djurdjura, avant le massif des Bibans, la colonne du Sahel tenait solidement la plaine. C'était elle qui avait tué Mokrani, le 5 mai. Il ne restait plus aux rebelles qu'à se réfugier avec les sangliers sur les cimes du Lalla Khedidja que les glaces recouvraient toute l'année, à devenir des loups, à crever ou, s'ils le pouvaient, à gagner le fief des Beni Abbès, à trois journées de marche vers l'est, dans un cirque de montagnes qu'on pouvait leur abandonner en attendant de les coincer, quand on serait suffisamment forts, entre la vallée de la Soummam et Bordj Bou Arreridj. Mais qui oserait résister encore quand on saurait que les héros d'Icherridène avaient été vaincus ? On avait donné assez de leçons jusqu'à présent. Personne ne se faisait plus d'illusions sur la magnanimité des Français. Depuis Aumale et Tizi-Ouzou on savait de quelle manière ils opéraient. Par moments on n'était plus maîtres des troupes qui se jetaient sur leur proie comme des meutes de chiens courants. Pour la forme on feignait de protester, on laissait faire. Les hommes qui voulaient échapper au massacre devaient rejoindre les zones occupées avec leurs familles et se soumettre. Quelles conditions auraient-ils pu poser ? Des gens qui avaient attendu pour se révolter de voir la France vaincue, pillée, saccagée, détroussée par l'Allemagne et maintenant en pleine guerre civile. Et on laisserait ici des bandes de séditieux humilier une juste conquête ?

Il fallait détruire ces sauvages par le fer et par le feu, car toute la Kabylie, à part quelques îlots, était passée à la révolte. Quel bloc terrible ! Un massif presque impénétrable de plus de vingt mille kilomètres carrés, qui s'étendait de chaque côté du Djurdjura, de la neige l'hiver, des sauterelles l'été, partout des ravins, des broussailles, des falaises, des citadelles qui se croyaient inaccessibles, un réservoir inépuisable de rebelles accrochés aux rochers de la mer où les tempêtes éventraient les navires jusqu'aux solitudes du Sud, au-delà des Bibans, vers les terres nues des Aurès ! Les Kabyles répétaient leur profession de foi, s'en grisaient : « Hommes libres, votre nom est hommes libres, ô Jugurtha, le soleil se lève, le vent de la révolte souffle... »

Pour les Kabyles, les Arabes étaient les *adjerbats,* ceux qui ne comprenaient rien, et les Français les *amaksoutes,* les hommes au cœur dur. Mokrani avait beau être mort, sa légende survivait comme une âme ; son frère, un nouveau Bou Mezrag, continuait cette guerre sans pitié. A la longue, les adversaires n'en pouvaient plus, les uns parce que l'espoir d'une victoire s'en allait un peu plus chaque jour, les autres parce qu'ils étaient las de marcher dans un pays hostile et qu'il leur tardait de retrouver leurs maisons et leurs femmes. Pour le capitaine Griès, pour Krieger et pour tous les autres, la popote était un moment de bonheur. Ils flottaient sur les douceurs et les mâles tendresses de la camaraderie. Ils oubliaient presque leur condition, ils laissaient leur cœur s'épancher sans méfiance.

7

— Parlons d'autre chose, commanda Denef. Slimane, le
dessert.

Encore des plateaux de cerises raflées dans les vergers
détruits. Pour le café, les serveurs posaient des tasses.

Denef tordit la bouche et se tourna vers Krieger.

— Je vous avais promis d'aller porter de vos nouvelles
à Mme Krieger. Il ne faut pas m'en vouloir. Je n'en ai pas
eu le temps. Tout augmente. Il faut se battre avec les commerçants. La vie devient hors de prix à cause de vos compatriotes qui débarquent par bateaux entiers. Ils ont raison
de venir ici. Les terres ne leur manqueront pas.

Krieger sentit frémir en lui sa vieille haine des Allemands.
L'Alsace, une partie de la Lorraine moins Belfort, payaient,
avec l'indemnité de cinq milliards, le prix de la paix. Depuis
janvier on offrait aux Alsaciens de s'installer dans la plaine
des Issers et sur le royaume des Mokrani frappé de séquestre.

« Pas eu le temps », pensa Hector. Il a bien dû prendre
celui de revoir sa poule, qui doit être la femme d'un épicier
en gros. Dans la voix de Denef il discerna aussi une certaine
amertume : ces orgies de promotion pendant le siège de
Paris, la guerre en province et même à Alger, cet avancement scandaleux en faveur d'officiers attachés à flatter le
pouvoir, alors qu'ici on était loin des soleils où les képis
se doraient.

Il déboutonna sa tunique, sortit son portefeuille, en tira
un des nouveaux billets de vingt francs qui remplaçaient
les louis d'or. Les officiers se passèrent la coupure, la pal-
pèrent.

— La tête de la République, on la voit aussi en transparence. Evidemment, du papier, mais je me demande si je
ne préfère pas ça aux pièces.

— A la longue, dit l'aumônier, ça va se froisser et se salir.

— Ça se perdra moins facilement et c'est moins lourd. A Alger, les juifs ont raflé tout l'or. Etonnez-vous que les Arabes les matraquent.

— Ça continue ?

— On a brisé des magasins rue Bab-Azoum et rue de la Lyre. La synagogue a été pillée.

A Blida on avait défendu aux indigènes de sortir et dissous le bataillon de tirailleurs israélites qu'on devait toujours envoyer à la guerre et qui n'était jamais parti. C'était peut-être pour cela que Marguerite n'écrivait pas.

— Tu m'inquiètes, dit Hector. On ferait mieux, au lieu de museler les Kabyles...

— Aucun danger pour nos femmes à Alger ni à Blida. Il n'y a pas que les Alsaciens à débarquer. Des troupes de France rappliquent par régiments entiers, des cavaliers, des artilleurs. Quant aux civils ils ont bouffé du lion.

Il sortit un journal de sa poche, le déplia en évitant les salissures de la table.

— Tenez, voilà ce qu'on peut lire dans l'*Akhbar* de mardi dernier. Tout récent. Ecoutez : « Le temps du pardon est passé. Mort à tous les Arabes pris les armes à la main. L'extermination de cette race maudite doit être notre but, notre objectif. Si le gouvernement de Versailles ne se hâte pas de diriger sur l'Algérie les forces nécessaires... » C'est signé d'un certain Lucien Demolins. Et encore. Cette fois l'éditorial, c'est-à-dire la *vox populi,* ce qu'il faut penser pour être dans le vrai : « L'insurrection de la Kabylie n'a pour cause que la haine fanatique des musulmans pour tout ce qui n'est pas l'Islam. Nous devons nous en garder comme du pire, mettre définitivement ces gens-là dans l'impossibilité de nuire, les réduire par le feu... » Hein ? Alors messieurs, ajouta-t-il en passant le journal à l'aumônier, rassurez-vous sur le sort de vos familles. Vous me répondrez que ceux qui écrivent ça vous insultaient il y a trois mois. Prenez-les comme ils sont, la tête chaude, facilement emportés par

le verbe, mais ils aiment leur pays, et ce pays qui le défend
pour eux ? Nous...

Il se laissa aller à un éclat de rire, tendit la main vers
un plateau.

— Ces cerises d'Icherridène, dit-il en reposant les noyaux
dans son assiette, délicieuses hein ? charnues, croquantes.

Hector imagina sa caserne des zouaves occupée par des
étrangers, les cafés de la place d'Armes regorgeant d'officiers en bottes vernies, lorgnant les femmes et cherchant
des aventures. Si l'un d'eux... La vraie raison du silence de
Marguerite n'était-elle pas là ? Un autre capitaine, en tunique
bleu ciel à galons d'argent, défilant sabre au clair derrière
les trompettes à la tête de son escadron de chasseurs, tel
qu'il était autrefois, à côté de son général, quand il avait
surgi à la ferme, et elle se remettrait à rêver.

Une guerre, quelques éclairs, une défaite, on se hérissait,
on se voûtait sous le poids des hontes et des mélancolies.
Cette nuit du château de Bach, dont il évitait de parler,
il n'avait pas fini de la vivre. Marguerite avait pourtant
essayé de savoir, à plusieurs reprises il avait hésité à se
confesser. Elle ne comprendrait pas. Elle ne pardonnerait
pas. Elle briserait tout, s'enfuirait. Après dix ans de mariage,
ce déchirement ? On se croyait à l'abri derrière des charges
d'habitudes et de douceur, on regardait à peine les autres
femmes, un autre corps s'ajoutait au vôtre, devenait le vôtre,
d'autres yeux voyaient à la place des vôtres, on se prenait
à souffrir parce que les événements vous séparaient, il suffisait d'une aventure pour tout bouleverser. La générale, qui
aurait jamais cru qu'elle céderait ? On pouvait caresser
une illusion un soir de fête, quand le champagne, les dorures,
les lumières, les musiques et le bal faisaient valser le monde
et les étoiles. Il eut envie de se lever, de partir à la recher-
che d'Antoine pour l'interroger. Ta sœur Marguerite... Mais
lui c'était Marie qu'il chérissait surtout, Marguerite pour lui

une comète. Ta sœur Marguerite, avant moi, que disait-elle ?
Il l'entendait répondre qu'il ne se souvenait plus, qu'il était
trop jeune, que Marguerite était une Aldabram, Marie et
lui des Bouychou, alors forcément...

Chez les Aldabram, il y avait toujours un mystère ou
une incertitude, des femmes licornes à côté de... ah ne
disons pas de mal de ces gardiennes, de ces mères, de ces
femmes foyers comme devait être Mme Krieger. La générale
et Marguerite avaient dû se reconnaître sœurs. Alors on
s'embrassait, on écoutait battre les cœurs l'un contre l'autre,
on cherchait à lire son destin dans les astres, on regardait
les hommes comme des chevaux, il fallait toujours qu'on
fût montée sur l'un d'eux au galop à travers les déserts
du ciel, et à peine l'un d'eux était-il étendu, brisé, qu'on
sautait sur un autre. Cela ne s'appelait pas une trahison.
Est-ce que Sabine avait trahi son mari ? Jamais de son
vivant. Il avait suffi à Hector d'arriver, et là, sous les yeux
clos du général récitant son chapelet pour l'éternité, restez
là mon ami, patientez et surtout ne bougez pas, je reviens,
vous êtes bien, le lit du général, un simple lit de cuivre
avec de petites boules amusantes, un lit de jeune homme,
un lit de puceau, il n'avait jamais dû s'y passer grand-
chose, on s'en allait avec un simple capitaine, oui mais bien
en vie, un capitaine qui sentait la poudre, la gamelle, le
vin, les routes défoncées, les pluies de l'Est, le brouillard
et les jardins de garde-barrières, pas du tout l'eau de Cologne, eh bien en route pour le glacis d'eau noire et de lune
d'un océan à baldaquin où on avait de l'espace pour se laisser rouler sur les plages de la nuit. Pour Marguerite, il était
un vaincu, un homme qui n'avait plus de cheval, ramenait
seulement du désastre un sabre qui n'était même plus le
sien, presque un mort, immobile, glacé, essayez donc de le
toucher vous vous mettrez à trembler, vous irez vite vous
regarder dans un miroir pour savoir si vous n'êtes pas marquée par les ténèbres et le froid. Une tunique bleu ciel à
galons d'argent, les hennissements d'un escadron réveillé
par la diane, une odeur de cigare, et un capitaine vainqueur
prenait la place du vaincu, je vous en prie, montez donc,

installez-vous derrière moi, tenez-vous bien, accrochez-vous
à moi, serrez fort.

Vite. Retrouver Antoine. Parler d'elle avec lui. Trop tard,
mon cher. Le mal est fait. Tu avais un trésor. On te l'a
volé. Les louis d'or ont disparu. Il ne s'agissait pas des juifs.
Non, un bon chrétien, un type qui devait avoir des aïeux
aux croisades. Les juifs étaient de braves gens, sociables,
dévoués, comme ce Bacri que le vieux Bouychou recevait
à la ferme, qui lui vendait des semences à meilleur compte,
des harnais, de l'outillage, ou plaçait son argent à des taux
intéressants, il faudrait le revoir ce Bacri, il habitait Blida,
il saurait des choses, les juifs étaient très intelligents, la
persécution les avait habitués à observer avec minutie afin
de juger l'adversaire, et quand on était leurs amis, ils vous
aidaient de leurs conseils. Celui-là me dira s'il s'agit d'un
comte ou d'un marquis. Il ajoutera : vous avez eu tort de
partir, les femmes il ne faut jamais les quitter, elles sont
dupes d'elles-mêmes, des êtres tout en sentiment, elles se
croient amoureuses de vous, elles vous étouffent sous leurs
embrassements, elles défaillent dans vos bras, la vie les quitte,
et puis vous leur tournez le dos, le travail n'est-ce pas, ou
bien pour vous la guerre, vous partez pour des mois, vous
vous dites elles vont mourir, vous revenez : plus personne.
Elles sont encore là mais absentes. Le ciel a tourné, les
étoiles sont de l'autre côté de la terre avec leurs yeux intérieurs, les yeux de leur âme et c'est vous qu'elles accusent
d'avoir changé. Ah ! il faut les connaître, c'est un peu pour
ça que nous sommes, nous aussi, polygames. Enfin nous
l'étions mais l'habitude se perd, il n'y a plus que des coreligionnaires de petite condition à avoir plusieurs femmes et
à présent que nous voilà français et soumis aux lois françaises, n'est-ce pas, nous sommes obligés de faire comme
vous, de n'avoir plus qu'une seule femme. Là il se souriait
malicieusement à lui-même. Il rectifiait : « Une seule
épouse... » Hector l'entendait penser, M. Bacri. « Un gail-

5

lard comme vous... » Bacri poussait la liberté jusqu'à lui
dire : « Vous ne m'en voudrez pas si je suis indiscret ? Eh
bien quand on est bâti comme vous, qu'on porte les galons
de capitaine, un sabre, on ne doit pas souvent dormir seul... »
Une tête curieuse, ce Bacri. L'œil droit un peu fermé,
comme s'il avait eu un accident, le nez crochu, la lèvre
inférieure pendante, ou c'est moi qui le vois ainsi parce
que je sais qu'il est juif ? Eh bien vous vous trompez,
M. Bacri. Autrefois, j'avoue... Mais, depuis mon mariage,
rien. Enfin, rien d'important. Les mouquères vous ne préten-
dez pas que ça compte ? Il était d'accord, Bacri. Des mouquères, à l'occasion, si le cœur vous en dit... Je ne vais pas
lui raconter l'histoire de la générale. Ces choses-là on les
garde pour soi.

Mais pourquoi, puisque la générale et Marguerite étaient
sœurs spirituelles, ce qui s'était passé avec la générale ne se
serait pas produit avec Marguerite ? La logique même. A
travers ce dérèglement, on pouvait définir certaines lois.
Les tempêtes se déchaînaient aux mêmes saisons. Saint-
Arnaud, jeune marié et général commandant la division de
Constantine, pas un simple capitaine qui commençait à avoir
de la bouteille, craignait de voir son honneur bafoué, et lui,
après dix ans de pot au feu en commun, reposerait béat
sur ses deux oreilles ? Les nonnes, on savait ce qu'elles
devenaient dès qu'un homme les touchait... Des furies, des
ouragans, des cavales de feu. Il avait quitté Blida depuis
plus de trois mois. Pas une lettre, pas une nouvelle, était-ce
normal ? Elle était peut-être lasse de lui, déçue, elle avait
peut-être appris on ne sait comment la nuit de Bach, elle
avait rêvé. C'est que tu es en effet une Aldabram, toi, tu
descends peut-être des Arabes ! Des étoiles ou des Arabes ?
A la réflexion, je n'ai pas eu grand-chose à t'apprendre.
Tu savais tout. L'innocent c'était moi. L'eau qui ruiselle
des montagnes, inutile de lui enseigner où est le lit de la
rivière et à la rivière où est la mer : elles les trouvent, elles
y courent, il leur suffit de se laisser glisser. J'étais ton lit,
ton océan, tu as débordé comme l'oued de Sidi Moussa
après un orage. Un capitaine de hussards qui se glorifiait

peut-être d'avoir culbuté des uhlans débarquait à Blida dans
les rues bordées d'orangers en fleur, avec la croix sur sa
poitrine bleu ciel, est-ce qu'un pauvre capitaine de zouaves
rossé en Alsace et à Sedan et qui se battait à présent en
Kabylie pouvait rivaliser avec ça ? Moi le champion des
prises de la smala, le Casanova d'Alger, je me serai contenté
d'être le précurseur, d'avoir défriché ta beauté. Un autre
te respire. Penché sur toi il découvre dans tes yeux des
paillettes d'or, il te raconte des balivernes et tu le crois,
il boit la vie à ta bouche, mais je ne suis pas mort, je vais
me lever, flanquer par terre toutes ces bougies autour de
moi et avancer vers la chambre d'un pas décidé qui fera
trembler la maison.

8

— Où vas-tu, Hector ? Ah non, mon vieux, finis ton
café. Et puis et puis...
Denef l'interpellait et se penchait sur la table de chaque
côté.
— N'est-ce pas, messeigneurs ? Un jour pareil où le capitaine Griès s'est battu comme un lion, on le sait, tu as
décroché la croix, on ne se quitte pas comme ça. Hector,
une chanson !
Sous les autres tentes, à la table des cavaliers, on entendait chanter *Fanchon*, la chanson de Lasalle, le meilleur
général d'avant-garde des armées de l'Empire, tué dans une
charge à Wagram.

Si... quelquefois elle est cruê-ê-lle...

Depuis Fort-National on s'était remis à chanter. Les chansons rentrées dans la gorge par la défaite montaient au-
dessus des troupes en marche, ou le soir, près des feux. C'est
à Blida qu'Hector avait commencé à chanter, dans la mon-

tagne, dans l'odeur des mechtas qui brûlaient, quand on achevait de dîner sous la garde des sentinelles, que les premières étoiles brillaient, qu'on voyait en bas s'allumer les lampes de la ville et qu'on pouvait même distinguer vers le nord, quand il n'y avait pas de brume, les grandes lumières d'Alger, le collier de feu du boulevard de l'Impératrice avec tous ses réverbères au gaz. On ne regardait pas à la dépense en ce temps-là. A présent, était-ce un signe ? Le boulevard, devenu de la République, n'était éclairé que jusqu'à dix heures, après on éteignait, on faisait des économies pour ménager le ravitaillement de charbon qui venait de France. Ce n'était pas Hector qui avait commencé, mais un de ses lieutenants : *le Sire de Framboisy*, revenu de guerre après cinq ans et demi, n'avait trouvé personne chez lui, de la cave au chenil, couru tout Paris et déniché la belle dans un bal de Clichy.

Morbleu, princesse, que faites-vous ici ?
Voyez je danse avecque nos amis...

Il te l'avait ramenée à Framboisy, le sire, empoisonnée avec du vert-de-gris et sur sa fosse il avait semé du persil. Toutes les rimes en *i*. Une chanson mélancolique comme toutes les chansons de soldats ou de galériens. On y avait pris goût. Le capitaine lançait la sienne, toujours la même, *les Adieux de la Tulipe*. A Fort-National ça lui était revenu, on était vainqueurs, on avait fait le plus gros, on distinguait la fin. D'habitude il ne se faisait pas prier. A la popote de Denef on payait ainsi son écot. Cette fois vraiment...

— Debout, Hector ! *La Tulipe* !
Toute la table, même l'aumônier, criait : Hector, Hector... Après tout, bon, ça va, s'il n'y a que ça pour vous faire plaisir.
Il y avait des tas de façons de la chanter, cette chanson

des soldats du maréchal de Saxe à Fontenoy. Le mode ironique, le mode triomphal, le mode grossier.

Malgré la bataille qu'on donne demain...

Ça commençait avec un air sautillant, on croyait à de la
joie et tout à coup, avec la dernière syllabe de « demain »,
un sanglot en mineur, pour revenir à un ton plus léger :

Çà, faisons ripaille, charmante catin...

Cette fois, il mit le mot au pluriel « Charmantes catins... »
Il dédiait la chanson à la générale et à Marguerite.

Attendant la gloire, prenons le plaisir

Toute la table répétait en chœur le dernier vers :

Sans lire au grimoire du sombre avenir...

Il avait une belle voix, Hector, une voix grave, éclatante,
profonde, où son accent gascon n'apparaissait plus. Il devenait ce capitaine au cœur blessé qui se demandait s'il n'allait
pas tomber dans la rocaille. Dupuis, ce prétentieux de Dupuis
était loin, il aurait voulu qu'Antoine fût là, lui qui s'était
engagé pour délivrer son pays, et lui enseigner ce que
c'était que la morale militaire. Mon pauvre ami, c'est bien
beau tout ça, mais demande aux serveurs ce qu'ils en pensent, à ces braves Arabes venus eux aussi combattre les
Kabyles pendant que leurs femmes...

Ah ! retiens tes larmes, calme ton chagrin
Près du corps de garde achève ton vin
Déjà de nos bandes j'entends les tambours
Gloire tu commandes...

Denef se dandinait, frappait la table de son poing pour

marteler l'harmonie qui se cassait toujours mais s'achevait
sur un accent déchirant :

... adieu mes amours.

Ils avaient oublié le présent, ils allumaient des cigares,
ils allaient retrouver leurs fourgons, leurs corvées, leurs trains
de mulets comme au sortir d'un rêve, avec le souvenir des
cerises dans la bouche, ils se montreraient indulgents, tout
l'après-midi ils fredonneraient l'air de *la Tulipe*.

— Là-dessus, messeigneurs, je vous salue.

Il raccrocha son sabre et sortit.

9

On distribuait le courrier. Il se hâta vers le P. C. du
bataillon. S'il y avait une lettre pour lui, le vaguemestre
l'aurait déposée là. Rien. Pour Krieger plusieurs, que l'autre
se mettait à décacheter, à dévorer, à déguster, il fallait voir
ça. Il avait changé de tête, Krieger. Plus rien n'existait pour
lui. Assis sur une caisse de cartouches, il lisait, lisait. Par
moments ses lèvres bougeaient. A d'autres, il souriait. Il
passait d'une lettre à une autre, regardait le cachet de la
poste, comparait, il voulait lire dans l'ordre. On l'aurait cru
en correspondance avec Mme de Sévigné. Mme Krieger
devait lui parler de quoi ? Du cours des légumes, de l'esprit
qui régnait à Alger, des difficultés avec sa logeuse ? Pas
d'amour en tout cas. Une lettre d'amour ne se lit pas en
public, pas sous les yeux des camarades. On va peut-être
au commencement et à la fin puis on s'éloigne, on va se
cacher, on se recueille avant de lire l'Evangile. Ils avaient
tous des lettres, sauf Delfini, qui avait l'air de s'en moquer
et houspillait ses hommes. Le capitaine eut un mouvement
de sympathie pour lui. « On devrait interdire aux officiers
en campagne de recevoir du courrier, se dit Hector, ne le

leur remettre qu'à la fin. Regardez Krieger. On ne le reconnaît plus. Le voilà plongé dans un autre monde, absent à celui-ci, et encore Mme Krieger ne risque pas de le tromper. Sa santé, des histoires de rien, du bavardage, des papotages, et il en est tout retourné. Par chance, on n'a pas distribué le courrier avant l'attaque sinon... »

— Delfini, appelez-moi le soldat Bouychou.

Cette garce de Marguerite. Trop occupée, elle. Un capitaine de chasseurs. Qui sait ? Un chef d'escadron peut-être, un colonel ? Ou bien la générale était arrivée, et toutes deux se mettaient à caqueter, à se raconter leur vie, à sortir ensemble. Alors, pensez. Elle qui avait de la peine à tenir une plume, écrire à son mari. Mon Dieu, on croit être moins attaché à une femme, l'habitude de l'avoir toujours à côté de soi émousse le désir qu'on a d'elle, on la quitte pour la guerre, on la retrouve deux mois plus tard, on pourrait croire qu'on revient des grandes manœuvres, c'est déjà arrivé, pas du tout, on marche au milieu des ruines, ça tient encore debout mais tout risque de s'écrouler, les enfants sont presque devenus des étrangers, et votre femme... A-t-elle changé ou est-ce vous qui n'avez plus le même regard pour elle ? Autrefois, les autres femmes, il se demandait s'il allait les reconnaître... Des femmes de rencontre, il s'y perdait, il confondait. Toujours ce moment délicieux, un peu inquiétant, de l'attente. D'abord, il n'était pas sûr qu'on revînt. Et puis qui allait-il revoir ? La même, faite comment déjà ? Une autre ? Il la cherchait dans sa mémoire, reconstituait les traits, la taille, le son de la voix. Parfois il avait envie de s'en aller, et puis le désœuvrement, la curiosité... Il restait. Et d'habitude une déception. C'est pourquoi il évitait les liaisons. De bonnes fortunes, uniquement. Deux fois de suite à la rigueur. Pas de ces attachements qui menaient à des complications, des engagements puis des ruptures. On croit facilement que le plaisir du péché peut se prolonger. On s'illusionne l'un l'autre, on ne peut plus se quitter. Parce que c'est défendu. Il suffit que tout devienne légal, imposé, régulier, l'enchantement se dissipe, les défauts surgissent et grouillent, l'ennui s'installe. Mieux vaut demeurer sans liens, surtout quand le divorce a été aboli par la Restauration.

L'aventure avec Marguerite lui avait d'abord paru une catastrophe. Avec un autre général que M. de Roailles, il s'en serait tiré, mais celui-là avec sa morale, ses principes ! Il ne le regrettait pas. Chose étrange même, il avait trouvé en Marguerite... Quoi donc ? Eh bien l'être pour lequel il était fait, son complément et non un hasard, sa douceur, son bien, sa femme. Elle l'attendrissait. Ce dur à cuire fondait. Par moments, il avait des sursauts, se demandait s'il n'était pas en train de devenir un bourgeois. Les lieutenants de la Régence considéraient qu'il avait mal tourné. Cette vie de désordre d'autrefois ne pouvait pas durer. Evidemment, comme son maître le maréchal de Saint-Arnaud il avait rêvé d'un mariage riche, d'une femme brillante pour le pousser dans le monde et souffler sur sa carrière. Au lieu de quoi, rien, une illettrée, une fille qui n'avait que ses yeux, oui mais quels yeux ! et son allure et sa jeunesse et sa passion. On ne voyait plus qu'elle, on disait la belle Mme Griès, cette splendeur, il n'a pas perdu son temps le mâtin, où l'a-t-il dénichée ? Peu à peu il s'était enorgueilli, avait remercié en secret le destin de lui avoir forcé la main. Ils étaient pauvres, mais quelle richesse ! Les enfants que Marguerite avait eus coup sur coup ne l'avaient pas plus marquée qu'une jument. Toujours vive, mince, ardente. Elle avait appris à lire et à écrire avec facilité. Il ne lui manquait que des manières. Elle restait sauvage, ne cultivait pas de relations, s'enfermait chez elle.

Antoine claqua les talons devant lui, le salua. Hector avança, le prit aux épaules.

— Tu as des lettres ?

Une de Lætitia qui ne disait pas grand-chose : il manquait, le fils de M'hammed travaillait à la ferme, le père avait des moments de fatigue. Forcément à son âge : il

approchait des soixante-quinze ans. La Fleur s'était fait
déchirer une oreille. Il devenait vieux lui aussi.

— Elle ne te parle pas de Marguerite ?

Antoine eut un regard d'étonnement. Marguerite à Blida,
à dix bons kilomètres...

— Elle aurait pu venir, ou ton père aller la chercher.

Lætitia ne disait rien de Marguerite.

— A la ferme, vous savez, on ne voit personne. On vit
comme des chiens.

Antoine ne tutoyait pas son beau-frère : un capitaine !
Il s'était toujours demandé comment l'appeler. Une telle
différence d'âge et cette condition d'officier qui en imposait. Il se souvenait du premier passage d'Hector à la ferme
avec le général : une sorte de mirage, que le temps magni-
fiait encore, un capitaine de zouaves dans la famille. Quand
Hector venait, tout changeait. On recevait un souverain.
La mère disait : « Celui-là c'est un homme... » Rien n'était
trop beau pour lui. L'ancienne chambre de Marguerite,
Lætitia la quittait pour prendre celle d'Antoine qui couchait
alors sur une paillasse. On dressait un grand lit, on installait
un cabinet de toilette dont Lætitia avait hérité. La première
fois Antoine s'était montré jaloux, Hector et Marguerite
trouvaient ce chambardement tout naturel. Marguerite n'était
plus la même. Il n'avait jamais éprouvé pour elle d'affection débordante. Elle était lointaine, perdue dans ses rêves
et dans cette beauté qu'on n'arrêtait pas de célébrer tandis
que Marie, quel déchirement quand elle s'était mariée et
installée à Sidi Moussa ! Quel vide ! La ferme semblait
s'être rétrécie. Pierre et Dolorès, ce n'était pas la même
chose : ils restaient en dehors. Avec Lætitia, Antoine s'était
partagé la maison soudain immense. La ferme toute petite
et la maison immense, comprenez-y quelque chose, et pendant la guerre, tout d'un coup, le retour de Marguerite et
de ses enfants, Antoine relégué une fois de plus à l'écart.
Il s'était installé une cahute dans la remise en face de l'écurie. Il appelait ça son gourbi. C'était l'été. A son âge, il
éprouvait le besoin d'être chez lui. Il s'y trouvait bien et
voulait y rester. Et brusquement, à la nouvelle du désastre,

cette décision de s'en aller. Mon petit, mon petit, tu ne sais pas. Que vas-tu devenir ? Si encore tu étais forcé de partir, si on formait des armées, si on venait t'arracher... La mère avait dit à son père : c'est de ta faute, c'est ton sang qui coule dans ses veines, on lui a trop parlé de ton expédition d'Alger après ton coup de tête, il veut faire comme toi. C'était autre chose qu'il ne s'expliquait pas. Un aheurtement dont rien ne pouvait le tirer. Un instinct. Le sentiment qu'il devenait quelqu'un. Et s'il en perdait la vie ? Il n'y a que les vieux pour raisonner ainsi. Il se figurait que sa mère, comme Marguerite, n'avait pensé qu'à Hector. Hector existait seul. Il s'était levé sans un mot, s'en était allé à la gendarmerie. On lui avait dit : c'est bien, on vous appellera. On lui avait serré la main. Il était rentré, toujours en silence, mais changé. On ne devenait pas un homme autrement.

— Et de Sidi Moussa, tu as des nouvelles ? Hortense, comment va-t-elle ?

A présent, il éprouvait pour Hector plus que du respect : de la considération, parfois de l'admiration. Hector. Un chef de bataillon, un pontife, avec des tas d'officiers et près d'un demi-millier d'hommes sous ses ordres. On rendait hommage à son caractère et à son courage. On était fier d'appartenir à sa famille, d'être tutoyé par lui. Le tutoyer comme il l'avait invité à le faire ? Ça ne passait pas. L'appeler Hector ? Pas possible non plus. Quand on lui avait dit fin septembre, à la caserne d'Orléans, où il attendait d'embarquer avec un renfort de zouaves qu'un capitaine de sa famille le demandait, il avait cru à une blague. C'était Hector, si doux si triste qu'il ne l'avait pas reconnu. Il lui avait dit : Tu ne vas pas rester là, la France, c'est cuit. Tu ne dépasseras même pas Marseille, tu tomberas dans des révolutions, on t'emploiera à des besognes dont tu auras honte. Ici, nous allons avoir du travail. Les Arabes vont se révolter. Je vais t'emmener avec moi. Tu ne le regretteras pas. Ecoute-moi. D'abord il avait répondu non, j'ai décidé d'aller là-bas, je ne change pas d'avis. Tant pis. Hector s'était montré adroit. Il n'avait pas fait la moindre allusion à sa mère en larmes ni à la ferme. Les hommes ne se

laissent pas attendrir par des arguments de ce genre. Il
y a des circonstances où on doit aller au-delà des larmes,
des mères et de tout parce que c'est le destin des hommes.
Hector avait dit : il va se passer quelque chose. Regarde-
moi. Est-ce que je resterais ici si je croyais que mon devoir
est de repartir ? C'est cela qui l'avait convaincu. Hector
voyait plus loin. Il savait. Ainsi, pour Sidi Moussa, il ne
demandait pas de nouvelles de Marie mais d'Hortense,
et pourtant il connaissait mieux Marie qu'Hortense. Il avait
peut-être deviné que c'était à cause d'Hortense, pour Hortense
qu'Antoine avait voulu s'engager. Comme le père qui avait
quitté Montségur pour Marie Aldabram. Une légende. Les
légendes se font avec les femmes ou meurent comme des
terres sans eau et se transforment en déserts.

— Assieds-toi à côté de moi.
Sur un rocher, au milieu de la grande rumeur de l'armée,
des cris, des disputes, des chevaux qui hennissaient, des batteries qui prenaient position sur une croupe en soulevant
des traînées de poussière, des piquets de tentes qu'on enfonçait dans la pierraille, des sonneries de clairon. Pour les
musiques, elles s'étaient tues, le commandant en chef avait
fini de dîner.
— Nous sommes le jour de la Saint-Jean, dit Hector.
Ce soir, il y aura des feux partout. Tu as déjà vu ça ?
Dans mon pays, dans le Gers, les jeunes gens construisent
des bûchers au pied de la ville dans le lit de la rivière.
La nuit tombée, on les allume. On danse. On chante autour
des brasiers, on saute par-dessus. En Algérie, tu avais raison tout à l'heure, on vit comme des chiens. Il n'y a que
les Arabes à marquer les saisons. Noël, Pâques et la Tous-
saint, c'est tout ce qu'on célèbre. La Saint-Jean, je ne pré-
tends pas que ce soit un grand événement religieux... Le
solstice d'été, une fête païenne peut-être mais une fête, le
moment où le soleil est le plus haut, un ciel d'or, des nuits
pleines d'étoiles filantes, le temps des amours. Quand suis-je

venu à la ferme pour la première fois ? Tu ne t'en souviens pas. Peu de jours après la Saint-Jean. Le soleil, ici, un fléau plutôt. Alors, voilà, on oublie.

En face, le grand chaos de crêtes des Aït Iraten fumait encore, on sentait que ces villages-là avaient leur compte pour des années, le temps de relever les ruines, de ramener des tuiles. Les poutres ce serait facile avec tous les arbres coupés, mais comment vivre sans figuiers ? Il fallait un demi-siècle pour faire un beau figuier. L'indulgence ne menait à rien. Le maréchal Randon avait voulu se montrer grand seigneur avec les gens d'Icherridène. Résultat, quatorze ans plus tard les Kabyles annonçaient qu'Icherridène serait le tombeau des Français. Tous ces villages avec leur nom d'en haut et leur nom d'en bas, il y avait un hameau près de Fort-National qui s'appelait Taoughirt Haddadène, le hameau des forgerons car, comme dans tous les pays, les forgerons étaient un peu sorciers : des gens qui font ce qu'ils veulent avec le fer auquel, par le feu, ils donnent toutes les formes.

— A gauche aussi ça fume, dit Antoine.

Hector déplia sa carte. C'étaient les villages que l'artillerie avait aplatis le matin avant l'attaque pour supprimer les risques venant du versant qui descendait vers l'oued Djemaâ, du côté des Aït Yenni. Vers Fort-National, tout paraissait calme à présent. Le soir qui approchait teintait de bleu les crêtes derrière lesquelles coulait le Sebaou et les montagnes au-delà, la chaîne du littoral.

— Après, c'est la mer.

Sur la carte un grand vide, avec des courbes de moins en moins serrées qui épousaient le rivage et s'espaçaient.

— Hortense et toi, ce ne serait pas mal. Quel âge a-t-elle ?

— Vingt-trois ans. C'est ça justement. Elle ne me prend pas au sérieux. Elle croit qu'elle est vieille. Elle me dit : Tu es un gamin. Parce que Jean-Pierre a dix ans de plus que Marie, comme le Lézard qui a épousé Philippine et vous aussi pour Marguerite, elle croit que l'homme doit toujours être plus âgé.

— Il faut lui écrire.

— J'écris chaque fois que je peux.

— Elle te répond ?

Antoine tira d'une poche une liasse de lettres protégée par un mouchoir qu'il déplia un peu en découvrant une grande écriture enfantine. Hector se souvenait mal d'Hortense. Il l'avait vue une fois ou deux. Un visage aigu, douloureux, des cheveux châtains, quelque chose d'altier et de lointain dans le regard, une fille qui paraissait souffrir de la vie dans une ferme, de la compagnie des gendarmes, chez les Paris il n'y avait que des gendarmes.

— Je suis sûr qu'elle ne me dit pas tout. Elle ne va pas bien.

Il fourragea dans les lettres.

— Tenez, parfois seulement deux lignes : « Je pense à toi. Le docteur est venu. J'espère être guérie quand tu reviendras. » Elle voulait aller à Blida, Marie lui a tellement parlé de Marguerite. Elle s'est mise dans l'idée je ne sais quoi. Et puis avec la guerre...

— Les filles, on ne peut jamais deviner ce qui leur passe par la tête.

Comme les autres, celle-là ne demandait sans doute qu'à rencontrer l'amour. Cette histoire de fugue chez les Arabes dont on parlait toujours avec mystère, que signifiait-elle sinon qu'Hortense cherchait ce qu'elle n'avait pas ? Ces trois ans de différence avec Antoine, quelle importance ? Entre la générale et lui, la même ou presque. Est-ce qu'on s'en était aperçu ? Hortense avait autre chose de commun avec Sabine : ce côté nonne. Parlons-en ! Ces âmes inquiètes, quand elles se déchaînaient...

— Elle est pieuse peut-être ?

— La messe tous les dimanches quand elle peut. Le chapelet.

— Et toi, tu crois ? Ce serait bien. Moi je me demande... Les Arabes croient. Les Kabyles aussi. C'est peut-être pour cela qu'ils se révoltent. Ils n'ont pas peur.

— Dans la Mitidja, dit Antoine, ça ne va pas bouger ?

— Pas possible. Ici, ça leur était facile. On n'y avait personne, et le terrain, regarde. Ceux-là, ça m'étonnerait qu'on les tienne jamais. Tu sais comment ils s'appellent entre eux dans leur langage secret ? *Imazighène* : les hommes libres. Le nom de Kabyles qu'on leur donne, *Qébäïli,* signifie les ligueurs. Des individualistes forcenés, chacun avec ses alliés et ses ennemis, résistant depuis les origines à toutes les tentatives de séduction. Deux mille ans avant J.-C. on trouvait là des hommes blonds, venus d'Europe peut-être, en tout cas des fauves sans lois et sans gouvernement, les descendants d'un brigand ou bien les fils de Chanaan, fils de Cham, fils de Noé ? Je te dis ce qu'on répète. Ils ont donné du fil à retordre aux Romains. Leur plus grand général a mis trois ans à les soumettre. Tu vois ce qu'il en reste. Avant les Arabes, les Romains et après les Arabes, les Turcs, personne n'a jamais réussi à les briser. Sans cesse en révolte, toujours prêts à enlever Constantine et même Alger, ils ont campé dans les jardins de Bab-Azoun. Et leur férocité autrefois quand un navire se jetait à la côte ? On a vite fait de trahir en Kabylie. La preuve : les Kabyles qui se battent avec nous. A la moindre occasion, on saute sur le voisin. On ne pouvait pas se laisser prendre pour des idiots. On savait déjà que la Kabylie était la clé de l'Algérie. Pour posséder l'Algérie, il faut conquérir la Kabylie. On a essayé, mais on n'est pas allé jusqu'au bout. Cette fois-ci... C'est pourquoi il n'y a plus rien à craindre dans la Mitidja, et puis tout se sait. Tu peux être sûr qu'à l'heure qu'il est, l'Arabe qui travaille avec ton père, comme ceux des montagnes de Blida, ils connaissent la nouvelle qu'Icherridène est prise.

— Ça veut dire quoi, Icherridène ?

— D'après nos interprètes, les marques, les chevrons, la cicatrice. On a toujours dû se battre ici et ils ont toujours creusé des retranchements. Maintenant je te laisse. Sois tranquille pour Hortense. Je lui parlerai quand je la verrai.

10

Ils se levèrent et Hector regarda Antoine s'éloigner. Vingt
ans à peine. Marie Aldabram assurait qu'il ressemblait à
son père jeune. En plus fin sans doute, en plus aimable.
Il y avait chez lui de l'innocence, de la pureté, rien de la
férocité mêlée à la gouaillerie qu'on sentait encore chez
le vieux, tout ce qui demeurait de sa violence d'autrefois.
Une belle taille, des épaules qui faisaient craquer la tunique,
et dans les yeux de la douceur, ce qu'il fallait pour conquérir Hortense. Les Aldabram, au contraire ne cédaient qu'à
la force. Des Kabyles peut-être.

Il prêta l'oreille. Dans un verger, tout près, des mésanges
chantaient, des abeilles bourdonnaient, la paix revenait. Des
nuages roulaient sur les crêtes, l'orage se disloquait en éti-
rant des écharpes de brume, découvrait peu à peu l'échine
rocheuse du Djurdjura, des arêtes noires enchevêtrées, des
ombres qui ressemblaient à des lacs, des vertèbres enneigées.
Adieu, mes amours. Il voulait voir Antoine pour en savoir
davantage sur Marguerite et on n'avait parlé que d'Hortense.
Il se baissa, ramassa une sorte d'écaille minérale veinée de
marbre blond, la rejeta. Un couple de grands oiseaux tournoyait d'un vol lourd : des cigognes qui regagnaient leur
nid, comme dans la plaine. Les vautours avaient disparu,
ou bien ils étaient occupés à nettoyer, ils festoyaient, on ne
les voyait plus. Est-ce que les gens d'ici allaient aussi travailler dans la Mitidja à l'époque des fenaisons, des moissons et aux vendanges ? Des hommes secs et maigres, au
visage coupant, des yeux à l'éclat sauvage sous les grands
chapeaux de paille tressée, une langue chantante qu'on ne
comprenait pas, Kossaïri qui s'y perdait disait qu'elle n'avait
rien de commun avec l'arabe, et, passées à la ceinture dans
une gaine de cuir, des faucilles avec lesquelles on aurait
tranché des têtes, tout un rituel compliqué de salutations

et de coutumes, de fêtes bizarres avec des poupées, des invocations aux étoiles...

Peut-être aurait-il dû avec Marguerite se montrer plus tendre ? Il eut un petit rire. Les officiers prussiens étaient-ils des tendres en amour, des romantiques, des gens capables de mourir de désespoir pour une femme avant de réduire des villes entières à feu et à sang ? Se vengeait-elle ? Avait-elle trouvé quelqu'un qui la couvrait de caresses et de baisers ? Ou alors les lettres s'étaient égarées ? Un crétin du service de la poste aux armées envoyait le courrier rejoindre, en France, ce qui restait du 4ᵉ zouaves...

Il inspecta ses compagnies avec dureté, critiqua les mauvais campements, déchira des toiles mal tendues dans la rocaille, bouscula Krieger, l'accusa de rêver. Un contrordre avait chassé les postes de commandement d'abord installés dans le village. Plus personne dans Icherridène. Krieger avait dû faire enlever ses affaires de la djemaâ et dresser une tente au milieu du bataillon. Près du lit de camp d'Hector, il avait placé une corbeille de cerises. Une attention de femme. Le capitaine eut un geste d'humeur. Pourquoi pas des fleurs, comme lui autrefois à Marguerite ? Krieger entra, claqua les talons.

— Mon capitaine, les commandants de compagnie sont là.

Il les avait convoqués pour analyser le combat du matin.

— J'arrive.

Il se regarda dans son petit miroir métallique, grimaça. Il avait les yeux tristes. Pas à cause d'une femme tout de même ? Il ne se portait pas bien, il couvait une maladie, cette histoire de Dupuis l'embêtait, Krieger avait raison : il y était allé un peu fort, Dupuis n'était pas une limace, ils ne pouvaient pas se supporter parce qu'ils avaient le même caractère, la même ambition, Dupuis était plus aimable que lui, moins brutal. Il l'inviterait à déjeuner à la popote du bataillon, on arroserait la réconciliation, on ferait une nouba à tout casser. On inviterait aussi le colonel, pourquoi pas ? Une vraie fête de famille. On chanterait. A cette occasion-là, il demanderait une permission de quelques jours

dès que le bataillon rentrerait se reposer à Fort-National,
une fois la région pacifiée, sauterait sur un cheval et, à
l'exemple de Saint-Arnaud, gagnerait Blida à bride abattue.
Là, ou bien toutes ses craintes n'étaient qu'imagination et
tout rentrerait dans l'ordre, ou bien les remous du malheur
national auraient englouti Marguerite et la belle vie d'autrefois recommencerait. On ne se lamentait pas. Une aventure
née dans les flammes de la passion s'achèverait dans les
flammes d'une autre passion : la guerre, l'amour, l'amour,
la guerre.

Il sortit de la tente, répondit d'un geste négligent au salut
de ses officiers. Pourquoi disait-on qu'il était de mauvais
poil ? Il fredonnait les derniers vers d'une strophe des *Adieux
de la Tulipe*.

> *Çà, faisons ripaille, charmantes catins,*
> *Attendant la gloire, prenons le plaisir...*

— Messieurs, suivez-moi.

Une critique des opérations se faisait sur le terrain. Pas
en chambre. Il dépassa le campement du bataillon, déboucha
sur les lisières du village, se dégagea de l'amas de troupes
qui encombraient les abords, se détourna d'un convoi de
mulets équipés de cacolets qui emmenaient des blessés à
l'hôpital de Fort National, longea l'éperon rocheux au
bout duquel les Kroumirs avaient organisé leur défense.
Des lambeaux de vêtements traînaient encore, des étuis
brûlés de cartouches, des pétoires brisées, des fourreaux
de poignard, des képis maculés de poussière et de sang,
un cheval éventré, des têtes de mouton dévorées par
les mouches. Des équipes de brancardiers erraient, chargeaient sur un fourgon les morts ennemis, mais étaient-ils tous
morts ? qu'on répugnait à manipuler. Le génie avait creusé
entre des rochers une longue fosse étroite où les cadavres
s'entassaient les uns sur les autres, s'embrassant dans des

poses grotesques, singeant l'amour. On allait tout recouvrir de chaux, de terre, de pierre.

Hector s'éloigna du charnier, fit face à la dépression qu'il avait fallu escalader le matin, presque à l'aplomb de la falaise où les broussailles s'accrochaient, se carra au-dessus d'une tranchée. Les défenseurs avaient séjourné là long-temps : des traces de foyers, des brindilles et des racines, un grand chapeau de paille déchiré, des écroulements de granit, une pipe de terre brisée, un bât de mulet retourné.

— C'est d'ici, à peu près, qu'ils nous ont bloqués. Les ordres étaient clairs pourtant. Nous savions qu'ils voulaient nous arrêter là. Vous, Sauvemagne, vous deviez grimper droit devant vous, à gauche et à hauteur du bataillon Dupuis. Vous vous êtes laissé dépasser. Vous étiez déjà blessé ?

Le jeune officier se raidit. Il portait un pansement à sa main droite qu'il tenait posée sur sa poitrine.

— Pas encore, mon capitaine.

— Alors à quoi pensiez-vous ? Et vous, Allaire, sous le feu des Kroumirs vous avez glissé peu à peu dans le cul-de-sac qu'il fallait éviter. Je vous ai vu. J'ai pourtant essayé de vous repousser sur la droite. J'ai hurlé. Peine perdue. Vous n'entendiez pas. Vos hommes se carapataient. Sans moi, les compagnies qui vous suivaient tombaient derrière vous dans le trou.

Il descendit d'un pas dans les rochers, fit demi-tour, regarda ses officiers, Krieger était en retrait, plus haut que lui. Le soleil déclinait derrière eux dans un fleuve d'or. Il les voyait mal. Cinq ombres, il devinait des visages fermés, la grosse moustache renfrognée d'Allaire, l'air absent de Kossaïri qui n'y comprenait rien.

Non, s'il avait été à la place des Kabyles, jamais les Fran-çais n'auraient pu conquérir Icherridène. Une position domi-nant toutes les approches, pareille à une longue quille de navire renversée, tout hérissée d'arêtes de rochers derrière lesquels on pouvait s'abriter pour battre le terrain nu à un kilomètre de distance, un glacis, des pentes raides cou-pées d'effondrements, de ravins abrupts, de fossés où aucun cavalier ne pouvait se risquer. Ils n'avaient pas su utiliser leurs *im'sseblines* pourtant décidés à vendre leur peau très cher, les disposer en lignes successives, invisibles, bien protégés et bien approvisionnés en munitions. Oui, mais l'artillerie ? Il l'avait bien vu devant les Prussiens, que devenait-on sous les coups d'une artillerie puissante ? L'artillerie, pour être efficace, devait tirer juste. Comment diriger des feux quand on ne distinguait pas l'adversaire ? Depuis la mort de Mokrani, les Kabyles manquaient de tacticiens. Son frère Bou Mezrag n'était pas de taille.

— Vous attendez des compliments peut-être ? Nous sommes entre nous. Nous pouvons nous dire nos vérités. La guerre n'est pas une partie de cartes entre gens distingués. Ceux qui pensent cela peuvent demander leur mutation dans l'intendance ou l'aumônerie militaire. Aux questions que je pose je n'attends pas une réponse que je connais. Lorsqu'on n'avance pas quand l'ordre est d'avancer, lorsqu'on se précipite sur une direction qui n'est pas la bonne, c'est qu'on a peur. Je sais ce que c'est. J'ai peur comme vous. Autant que vous. Peut-être plus. Seulement j'avance quand même. Cela, c'est quelque chose qu'on n'enseigne pas dans les stages de formation ou dans les écoles. On a tort. On illustre des manœuvres au tableau noir. Une aile n'a pas marché, un Grouchy quelconque n'est pas arrivé. Personne n'ose parler de la frousse, des jetons, des foies. Comme si les types d'en face n'éprouvaient rien non plus. Vous croyez que les Kroumirs qui se cachaient là étaient à l'aise ? Dans ce cas, nous régalerions ce soir les chacals de nos carcasses. Et quand je vous ai poussés droit sur la falaise et que vous avez fini par lever le nez de vos trous, vous rêviez à quoi, Sauvemagne ? A votre petite amie, à la lettre que vous attendiez d'elle ? Laissez-moi parler, mon cher. Vous m'avez aussi demandé plus tard ce que vous deviez faire de vos prisonniers. Vous étiez vraiment troublé. Depuis quand fait-on des prisonniers ? Interrogez le lieutenant Kossaïri. Si les rôles étaient renversés, vous croyez que ces messieurs vous auraient offert à dîner ? Vous éprouviez de la pitié peut-être, de l'humanité ? On ne laisse pas des bêtes féroces derrière soi.

De nouveau il se tourna vers le col d'où l'armée avait
éclaté, quand le brouillard s'était dissipé, pour prendre ses
formations de combat de part et d'autre de l'effondrement
de roches au-dessus duquel Icherridène s'étalait.

— Je vous parais dur. Regardez. Quand on se trouve
sur un terrain pareil, dites-moi s'il y a d'autre solution que
celle d'avancer coûte que coûte. Ou alors il faut changer de
métier et aller vendre des brochettes dans les marchés. Vous
croyez finir comment ? Dans votre lit ? Non, messieurs. Sur
de la rocaille ou dans un fond d'oued. Comptez sur moi.
Vous serez vengés et les honneurs militaires ne vous manqueront pas : des drapeaux sur vos corps, de la musique
et des bénédictions. Moi aussi j'ai de la famille. On ne
mettra pas mes décorations dans une vitrine, ce n'est pas
cela que je veux léguer à mon fils. Un exemple. Pas une
recette de cuisine. Après la bataille, çà... Qui ai-je vu de
plus sauvages, de plus ardents, quand vous avez marché
dans Icherridène abandonné ? Les soldats les plus lâches,
ceux que vous avez dû relever à coups de botte ou ceux
de la dernière réserve, qui suivaient les mains dans les
poches. Quant au spectacle qu'on vous a donné des femmes, je ne suis pas d'accord non plus. Mais ça, n'est-ce pas,
je le laisse à votre appréciation personnelle. L'avenir jugera.
En résumé, la prochaine fois, vous me ferez le plaisir d'exécuter mes ordres sans réfléchir à vos problèmes. Là-dessus,
je vous félicite. J'aurais eu vraiment de la peine que l'un
de vous ne soit plus là. Krieger, j'ai soif. Nous pourrions
tous aller boire quelque chose.

Il les distança et, à grandes enjambées, longea la crête
au-dessus du chemin muletier vers les bivouacs enrubannés
de fumées. Krieger était resté avec les commandants de
compagnie. Pour le défendre probablement. Ce ton, cette
superbe, ce goût d'humilier. Il y avait déjà beaucoup d'hommes ivres. Leur fusil en bandoulière, de longues badines
dans les mains, des turcos remontaient d'un ravin avec un
troupeau de moutons en claquant la langue pour rassem-
bler les bêtes. Ceux-là du moins n'étaient pas saouls. L'Islam
avait du bon. Quand il atteignit la zone de son bataillon,

on le salua. Il répondait du même geste large. Delfini l'attendait. On allait brûler Icherridène dès le soir tombé, pour
la Saint-Jean. Un beau feu qui flamberait en plein cœur de
la Kabylie et durerait toute la nuit, torche immense que le
vent brasserait et qui éclairerait les montagnes. Comme
Marguerite était loin, tout d'un coup ! Quitter ce terrible
bonheur des armes, ne fût-ce qu'une semaine, pour un simple embarras d'amour, comme un embarras d'estomac ? Il
suffisait de vomir dans un coin puis de se plonger le visage
dans un seau d'eau. C'était ce qu'il allait faire. Déjà il
déboutonnait sa tunique, se débarrassait des lourdes jumelles
inutiles, débouclait son baudrier. Pour entrer sous sa tente
il se baissa.

11

Chez lui, dans la pénombre, il y avait quelqu'un qu'il
reconnut en un éclair : Dupuis.

— C'est toi ? Justement...

Il n'eut pas le temps de se relever. Le coup de feu le
plaqua au sol dans la poussière. Il étouffait.

— Justement... Je voulais te dire...

Je voulais m'excuser. Je me suis conduit comme un
butor. Tu veux que je me confesse ? J'étais jaloux, mon
cher. Tu m'avais volé ma gloire, tu m'arrachais mon enfant,
c'est pour cela que je t'ai menacé. Je suis même allé plus
loin. Je t'ai traité de limace. Eh bien, eh bien il n'y a pas
de limace en altitude, dans la rocaille... J'éclate, je mange
la terre, je ne peux plus cracher... Oui aide-moi. Je vois
des flammes. Déjà Icherridène est un brasier, la nuit se
change en fournaise, roule, bascule, chavire, se renverse,
des torrents d'étincelles grimpent dans le ciel, retombent sur
moi, quel beau feu d'artifice, le général est un seigneur.
Je ne suis pas fou. Je n'en croyais pas mes oreilles d'abord.
Cela ressemblait à un friselis de peuplier quand le vent
se lève, à la ferme le vieux quelquefois me montrait la

feuillée tout en haut de son arbre, vous pensez si je m'en balançais, j'avais d'autres idées en tête, il me montrait la montagne puis la mer comme pour dire ça vient de là et ça va là, ou le contraire, car lui n'entendait pas, il commençait même à devenir sourdingue sauf pour ce qu'il aurait été plus avisé de ne pas entendre. Qui sait s'il ne voulait pas me dire, car il devenait aussi avare de mots, que la révolte n'allait pas tarder à éclater, qu'il percevait des signes qui nous échappaient. Donc un vague friselis d'abord, puis des trilles de flûte, de plus en plus forts, de plus en plus rauques dans l'aigu et qui n'arrêtaient plus, on se demande où ces femmes-là vont puiser leur respiration pour atteindre la violence, l'éclat suprême de l'insulte ou de la gloire. Vous avez ramené les femmes dans Icherridène, vous êtes allés les chercher à Aguemoun Izem ou bien sont-elles revenues d'elles-mêmes parce qu'on les avait chassées ? Mais non, si elles étaient ici, dans les maisons qui brûlent, sous les toits qui s'effondrent avec des gerbes d'étincelles, elles finiraient par se taire, leur chant, est-ce un chant ? leur rentrerait dans la gorge, non c'est un cri de bête et ces bêtes-là il faut les tuer pour les museler. Des femmes violées, mon cher, elles célèbrent l'amour, la force des guerriers vainqueurs, la victoire des hommes qui arrivent aussitôt après le roulement des canons et l'explosion des obus qui vous transforment un village paisible en ruines, un paysage paisible en enfer, un dialogue de bergers en un fracas d'éternité. Elles remercient à leur façon les hommes qui leur ont rendu hommage, et d'abord, vous, lieutenant Kossaïri, un fils de Tlemcen à l'autre bout de l'Algérie, tout près du Maroc, on dit que vous êtes joliment civilisés là-bas, que votre enseignement de l'Islam est d'un raffinement, vous avez des montagnes aussi mais rien de commun avec la Kabylie, des montagnes presque désertes, placées là pour la contemplation des gens de la plaine.

 — Allez me chercher... le lieutenant... Kossaïri...

Nous avons des tas de choses à nous dire, Kossaïri, vous permettez que je vous appelle ainsi, sans mention de votre grade pour une fois, en ami ? Il me semble qu'il y a du brouillard comme ce matin, et, se levant dans le brouillard, un croissant de lune ébréché, à moins que ce ne soit la nitescence de l'aube déjà ou simplement la lueur de l'incendie d'Icherridène vu de très loin, de tous les villages de tous les Aït de Kabylie.

— Je suis là, mon capitaine, je vous écoute.

Dites-moi Kossaïri, vous qui êtes un Arabe, un musulman, encore que je ne vous aie jamais vu faire votre prière, mais vous la faites peut-être quand on ne vous observe pas, le soir très tard ou le matin très tôt ou encore sous votre tente, vous qui êtes entré dans l'armée française, qui êtes notre compagnon d'armes, qui avez failli vous faire embrocher dans des patelins de l'Est à consonance germanique où l'armée du bon maréchal Mac-Mahon allait moissonner ses premières raclées, vous qui vous en êtes tiré par miracle avec quelques-uns de vos hommes qu'on espérait bien voir, en reconnaissance de l'honneur insigne de partager notre sort, étendus dans les blés, qu'en pensez-vous ? Vous n'entendez pas ? Ecoutez bien. Ce n'est pas le sifflement des flammes, ce n'est pas le hurlement du vent, ni le battement des tambours ni l'air bien martelé de la marche des zouaves, encore moins les aigreurs tourmentées très acides et très compliquées des raïtas de la nouba des tirailleurs algériens. Parfaitement, mon cher, des you-you. Ceux que nous avons perçus au moment de l'attaque, il devait être onze heures, les vapeurs des crêtes s'étaient dissipées, les Kroumirs dirigeaient sur nous un feu violent, pas très bien ajusté malheureusement pour eux. Je vous ai dit : lieutenant Kossaïri, qu'est-ce que c'est que ça ? Krieger avait compris tout de suite. Les femmes croyaient à la victoire et de loin elles excitaient les hommes. Vous avez répondu : c'est des sauvages. Mon cher, avouez qu'il se passe de drôles de choses en Kabylie.

Ce ne sont pas des croyants comme les autres. Alors, vous entendez maintenant ? Les mêmes you-you parfaitement, en plus fort, moi ça me crève les tympans. Eh bien d'où viennent-ils ? D'Icherridène ? D'Aguemoun Izem ou de partout ? Vous devriez pouvoir me répondre, vous qui connaissez les femmes kabyles puisque le bruit court que vous en avez honoré deux aujourd'hui. Après tout c'est votre affaire. Pour moi ces choses-là m'ont quitté. J'ai l'esprit ailleurs. Puisque vous décidez d'épouser notre cause, de servir notre drapeau et de croire que l'avenir de l'Algérie c'est la France, je vous approuve et vous admire. Vous finirez peut-être gouverneur général, je n'y vois pour ma part aucun inconvénient quoique ça m'étonnerait avec les colons. Au début naturellement j'ai douté de vos aptitudes et de vos intentions, mais à présent que je vous connais je vous estime. Je vous laisse volontiers le soin de décider de la conduite à tenir dans ce cas-là. D'ailleurs nous sommes du même avis : les femmes on n'aurait pas dû les renvoyer comme nous avons fait.

— C'est moi, Kossaïri, mon capitaine...

Nous ne nous sommes pas tout dit, Kossaïri. Je voulais vous demander autre chose. Je n'osais pas. Le moment semble venu. Pourquoi voit-on si peu de Kabyles parmi nous ? Pourquoi se sont-ils révoltés ? Ne me répondez pas, comme les gens d'Alger et Denef, que c'est à cause du décret Crémieux. Nous savons que ce n'est pas vrai. Le fameux Mokrani lui-même, el Hadj Mokrani le bachagha, le fils du calife, y a fait allusion : il ne voulait pas obéir à un juif ou à un marchand. Un faux prétexte. Vous non plus dans ce cas. Personne en Algérie. Parce que les juifs deviennent français ? Les musulmans peuvent le devenir aussi s'ils le veulent. « Pourquoi donc, ô Kabyles, avez-vous commencé la guerre contre nous ? » Bugeaud, notre héros, l'homme à la casquette le leur demandait déjà et il n'était pas encore venu les provoquer dans leurs montagnes. C'étaient eux qui en descendaient pour incendier la Mitidja et attaquer Maison Carrée. Que lui ont-ils répondu, les Kabyles ? « Nous vous avons laissé combattre Abdelkader, nous vous avons laissé combattre les Arabes. Puis vous nous avez commandé de vous servir, sans quoi vous brûleriez nos villages et vous couperiez nos arbres. Que répliqueriez-vous si on exigeait cela de vous ? Vous voulez soumettre des gens qui vivent au milieu des rochers. L'échec ou le succès nous sont indifférents. Nous avons l'habitude de braver l'exil et la mort. Nos récoltes sont souvent la proie des sauterelles ou détruites par les éboulements, et néanmoins nous vivons. Nos arbres se dessèchent et ne produisent pas plus que s'ils étaient coupés, nos tribus se battent entre elles. Si vous décidez de nous briser, nous vous répondrons : la main de Dieu est plus puissante que la vôtre... » Je n'invente rien, c'est de l'Histoire, j'ai lu ça dans les livres, cette réplique des Kabyles sonne comme du Tacite, du Jules César, un bronze éternel. En ce temps-là on ne songeait pas à un décret Crémieux. La vraie raison n'est-ce pas ? c'est que la Kabylie est un os dans notre gorge et nous un os dans la gorge des Kabyles. Du coup, inutile de répondre à ma question, tout semble clair. Personne ne fait de prisonniers. Dans les villages conquis, on ne trouve pas un vieux, pas une poule, pas un âne. Un coup de chance ce matin, les femmes. Les hommes, nous ne les voyons que de loin, ou morts. Et vous, Kossaïri, vous nous aidez parce que vous avez à vous venger des trahisons passées. Les Arabes et nous finirons peut-être par devenir amis. Dans la Mitidja, dans la région de Blida, nous nous rencontrons à présent sur les marchés, vous vous enrôlez dans nos régiments. En Kabylie, mon cher, il y a quelque chose qui ne va pas, et cette grande lueur qui embrase le ciel, ce brasier qui rugit, vomit des fusées, gronde, s'élève dans la nuit, gagne les vergers, le versant des vallées, descend dans les ravins, comme une nappe d'or et transforme la montagne en un volcan, quelle splendeur ! Le feu est une bête. Comme une bête, ça court, ça craque, ça gémit, ça appelle, ça souffre. Quand on allume du feu dans la cheminée en se couchant, on croit avoir son chien dans la chambre. C'est le feu qui bouge. Vous n'entendez plus ? J'ai l'ouïe fine, mon cher, ou alors c'est, juste au moment où je me baissais pour entrer sous ma tente, plein du bonheur de rencontrer mon ami Dupuis à qui je me préparais à présenter des excuses et qui me tire dessus, ce coup de massue qu'il m'a assené, oui je suis violent, les mots dépassent souvent ma pensée, c'est la guerre, on ne se contrôle pas toujours, on s'en veut pour des riens, on se tuerait pour un regard ou une parole, on est triste à cause d'une lettre qui n'arrive pas, que s'est-il passé ? Je l'aime bien Dupuis, et il m'aime aussi, la preuve, c'est son visage que j'aperçois à travers Icherridène, on pourra dire que nous l'avons célébrée la Saint-Jean, une Saint-Jean tout en flammes et tout en larmes. Non, je ne me trompe pas : les you-you montent de partout, ils ont remplacé les chacals, dans toute l'Algérie les femmes lancent le cri de guerre et de triomphe pour les héros tombés... Si je meurs ne me conduisez pas au cimetière de Fort-National. Laissez-moi là. Rendez-moi les honneurs. J'oubliais : si vous rencontrez ma femme dites-lui que je l'aime, qu'elle m'a fait mal, qu'on ne peut pas s'aimer sans se faire du mal comme on ne peut pas devenir vautour sans être déchiré par eux... Non, taisez-vous. C'est ça, Kossaïri, prenez ma main, ne me touchez pas l'épaule, j'ai mal, ça me dévore. Si vous étiez venu avec moi, à travers les crêtes, au-dessus de Blida, nous aurions brûlé ensemble des mechtas et mangé des méchouis, nous nous serions partagé les filles, au château du général de Roailles, non, ce n'était pas la même chose, vous auriez même gâté ma nuit, je l'avoue, si vous m'aviez accompagné. Krieger !

— Mon capitaine...

— Vos cerises, Krieger, où sont-elles ? Donnez-moi des cerises d'Icherridène...

DEUXIÈME PARTIE

LES FEMMES DE LA PLAINE

... ô Femme, monceau d'entrailles, pitié douce
Tu n'es jamais la sœur de charité, jamais,
Ni regard noir, ni ventre où dort une ombre rousse,
Ni doigts légers, ni seins splendidement formés.

Aveugle irréveillée aux immenses prunelles,
Tout notre embrassement n'est qu'une question :
C'est toi qui pends à nous, porteuse de mamelles,
Nous te berçons, charmante et grave Passion.

ARTHUR RIMBAUD, 1871.

1

Elle était là.

Assise à la table de la ferme, en face de lui, à droite de la mère à sa place éternelle, on aurait dit de connivence avec elle. Les deux femmes l'observaient bizarrement, comme un gibier, un passant ou l'ennemi. Derrière un bouclier d'impassibilité, d'attentions, quelquefois de paroles, de faux naturel, leurs yeux étaient pareils à des oiseaux qui ne volent pas comme d'habitude, tournoient, planent immobiles, inspectent, prêts à fuir à tire d'aile. Chez Lætitia, une sorte de curiosité amusée et chez la petite Sabine déjà de l'intérêt pour une intrigue qu'elle ne distinguait pas mais qu'elle flairait, à huit ans ! alors que son frère Alexandre se tenait droit et mangeait sagement, avec fierté, dans l'espoir d'un compliment de son héros de père.

Le vieux, n'en parlons pas, ne voyait rien.

En même temps, derrière leur rempart de pensées secrètes, surveillant leurs gestes, leurs attitudes, les deux femmes multipliaient les prévenances, prêtes à quoi, à se prendre elles-mêmes en défaut ? Chez Marguerite, un détachement, un éloignement, de la distance. Cela, Hector l'avait senti tout de suite, dès qu'elle était arrivée la veille à l'hôpital de la Salpêtrière à Alger, alors qu'il ne s'y attendait pas.

Comme il partageait une chambre avec un autre capitaine au lit pour une jambe brisée, pas d'effusions ni de confidences possibles sur le moment. Marguerite s'était jetée dans ses bras, l'avait touché avec délicatesse, avait voulu voir son pansement sous la robe de chambre et la chemise de grosse toile. Plus de fièvre, une auréole de gloire, l'empressement des infirmières, la bonne blessure. De l'anesthésie au chloroforme qui l'avait agité quelques jours, il ne lui restait qu'un souvenir nauséeux. Sans procéder à ces débridements barbares d'autrefois, les chirurgiens avaient extrait à la pince la balle de revolver logée dans le gras de l'épaule. La plaie, sans fracture ni esquilles, n'avait pas suppuré. Une chance. Même quand ils ne traversaient que des muscles, les projectiles sectionnaient parfois des nerfs, des membres étaient paralysés.

On était sorti, on s'était assis sur un banc. Des moineaux s'agitaient dans les palmes, parmi les parterres fleuris, les anciens palais du dey Hassan Pacha. Tu as su que j'étais là ? Les hommes trouvent tout naturel. Il existait un télégraphe, quand il s'agissait d'un officier on savait s'en servir pour avertir la famille, et avec les trains...

Pourquoi n'as-tu pas écrit ? Cet étonnement dans les yeux pleins de larmes. « Tu attendais des lettres ? Je fais tellement de fautes... » Lui dire quoi ? qu'il avait souffert, qu'il était jaloux, qu'il avait failli sauter sur un cheval pour la retrouver ? A quoi bon ? On se déchire, on se tourmente, on se laboure le cœur, on ne vit plus, que ne va-t-on imaginer ? Rien ne résiste à l'apparition de votre femme : la voilà, heureuse, illuminée par l'amour, avec cette robe que vous aviez oubliée, ce parfum, la douceur de cette gorge, ces mains qui vous caressent le visage, mon Dieu à quoi pensais-je ? On a honte, on se cache derrière ce qu'on peut, on se répand en banalités, tu as pu venir avec cette chaleur, je ne voulais pas qu'on t'inquiète, où sont les enfants ? Et puis tout à coup... Quelque chose, on ne sait quoi encore, qui a bougé. Comme une pièce qu'on ne reconnaît pas parce qu'on a changé les meubles de place.

Les meubles seulement ? Un rideau aussi, le ciel moins
éclatant, des bruits nouveaux, tout se transforme. « La générale est arrivée... » On apprend cela avec indifférence ou
presque. Depuis longtemps ? « Depuis huit jours. » Voilà,
c'est ça. Ça repart. Qu'est-ce qu'elles se sont dit ? On examine
un visage. Rien. Les femmes, quelle audace. Comme si rien
n'était. A la place de la générale je n'aurais pas osé. J'aurais
invoqué des ennuis, des obligations. Par exemple si son mari
avait été en vie, je n'aurais pas pu le revoir après. Les
femmes, pas du tout. Pour celle-là il ne s'est rien passé.
Un coup de vent mais la maison est intacte, pas un arbre
arraché, la conversation reprend, le jour se lève, il y aura à
déjeuner du rôti de veau. Pourquoi pas un rôti de porc, tu
te souviens ? Quel parfum il avait, ce soir-là ! Les cornichons, le beurre, le pain de campagne, le chandelier d'argent, le vin rouge dans sa couleur brillante, moins charpenté
que le cahors, mais franc, bouqueté malgré son arrière-
goût de futaille saine qui embaumait la cave. Et ces verres
pareils à des calices... La générale, une tombe. Quel mot !
« Pourquoi souris-tu ? » Rien, je me dis que vous avez dû
vous en raconter. Tu étais un peu sa Terre promise...
     « Comment sais-tu cela ? » Je n'ai pas les yeux dans mes
poches tout de même. Je te parais si stupide ? « Non, mais
les hommes, il me semblait que vous ne sentiez pas ce que
les femmes peuvent éprouver... » Tout de même, cette passion dont la générale, Seigneur il avait failli dire Sabine, si
cela lui avait échappé il aurait ajouté de Roailles, à la longue
on pouvait admettre entre soi une certaine familiarité à
parler des autres, cette passion dont elle s'était prise pour
Marguerite... Marguerite n'avait pas été aide de camp, elle
n'avait pas cerné l'hostilité de Mme de Roailles pour les
petites Bouychou, elle n'avait pas assisté à sa métamorphose
dès leur arrivée au palais de l'Agha, elle croyait cela normal,
la plus belle chambre, ces conversations devant le feu, les
toilettes, des robes, des fleurs, des honneurs rares, et, pour

finir, un diamant ? Une reine éprise de sa demoiselle de compagnie. Tous ces regrets, ensuite, s'adressaient-ils à la perte d'un poste brillant, ou bien la générale aurait-elle volontiers troqué des centaines de morts à Touggourt pour la présence de Marguerite ? J'admets que nous ne sommes pas toujours très fins, les hommes, cependant... Il exagérait à peine, s'ennuageait pour se dissimuler à son tour, et derrière ce rideau de fumée guettait les tressaillements du beau visage. Rassurons-nous : la générale n'a pas laissé percer la moindre allusion. Entre homme et femme, on peut se trahir par un mot, mais les femmes entre elles, des escrimeurs de force égale. « La générale est arrivée... »

C'est elle qui t'a poussée à venir ? « Quelle question ! » Eh bien oui. Fallait-il l'avouer ou non ? Surtout pas. Cet empressement de la générale à la secouer, comment ton mari est blessé, car à présent on se tutoyait, cela coulait de source, inquiète-toi de savoir quand il arrive, puisqu'on assure que ce n'est pas grave on ne le gardera pas en Kabylie, cours le retrouver à Alger, reste près de lui un temps, on est aux petits soins pour les officiers, ramène-le, gâte-le, je m'occuperai des enfants. Non. S'il revenait on irait d'abord à la ferme, on y verrait plus clair. La générale naturellement resterait à Blida, une femme comme elle avait des habitudes de confort et puis elle se lançait dans la vie mondaine, on lui faisait la cour, on se l'arrachait. Blida avait changé. La garnison, avec toutes ces troupes venues de France, prenait un lustre qu'elle n'avait pas, de la distinction, on s'amusait. « Tu attendais des lettres ?... » Une question en réponse à une autre question. Cela ressemblait à une échappatoire. Toi tu as failli m'oublier. La générale est peut-être tombée au bon moment. Alors, ce capitaine de hussards ? « Quel capitaine ?... »

Je ne suis pas un enfant de troupe. A sa place, j'aurais fait la même chose, tu serais passée pendant que je buvais une absinthe à la terrasse d'un bistrot de la place d'Armes,

je me serais levé, je t'aurais suivie, je t'aurais fait porter des
fleurs sans un mot, une brassée de roses, je t'aurais guettée,
je t'aurais saluée, je t'aurais encore fait porter des fleurs, les
mêmes, je ne t'aurais pas parlé, tu aurais été intriguée,
j'aurais attendu un sourire, et puis un jour je me serais
arrêté et présenté. Tu aurais dit : « C'est vous ? » J'aurais
déjà tout su de toi, les enfants, le mari en opérations en
Kabylie, on ne laisse pas une beauté pareille à Blida. Quand
on vient de traverser la mer, qu'on a connu des malheurs,
qu'on se morfondait à Bitche ou à Saint-Avold dans un
camp, avec pour seules distractions des boniches, les samedis
de la femme du chef d'escadron et le bridge, cette ville
de Blida vous grise. Je comprends, va. Blida, quand on
arrosait les rues dans l'après-midi sentait les épices, le tabac,
les jardins mouillés, l'aventure. La nuit on entendait les
tambours arabes du quartier réservé, on s'y baladait en
bandes, on enviait les tirailleurs assis dans les cafés maures
autour des lampes à carbure qui puaient, on rentrait chez
soi en rôdant à travers les rues mortes. Un mot, tu m'aurais
envoyé au moins un mot s'il n'y avait pas eu ce capitaine
de hussards qui t'a tourné la tête, moi qui croyais tes lettres
égarées en France dans des sacs de vaguemestres à la recher-
che des débris de l'ancien 4ᵉ zouaves. Le capitaine, je te le
répète, j'aurais fait comme lui. Il a cogné à ta porte un soir,
pas très tard, tout de suite après dîner, tu n'as peut-être pas
ouvert la première fois, les enfants n'étaient pas couchés, il
est revenu le lendemain, le salaud. Vous pouvez dormir tranquille la veille des batailles, soyez sans inquiétude, si le sort
veut qu'une balle kabyle vous étende à l'aube dans la
rocaille, vos chères épouses ne resteront pas longtemps
veuves, c'est la vie, ça, mon cher. Tu es descendue, tu as
hésité mais c'était déjà trop tard, il avait entendu tes pas
dans l'escalier, tu as entrebâillé la porte, tu as eu le même
mot : C'est vous ? Il n'a pas attendu que tu te décides, il est
entré. Je passais vous présenter mes hommages, formule de
rigueur. Ne me dis pas que tu étais innocente, ah non ma
belle. Il y a dix ans, peut-être, quand je t'ai dit : Montrez-
moi les chevaux. Et encore. Enfin, c'était ton innocente

rouerie de jeune fille, tu attendais le cavalier. Maintenant tu es une femme. Une femme attend toujours le cavalier. « Hector, pourquoi ris-tu ? »

Ça, tu vois, ça me soulage. Ce rire de merle quand on se promène dans les forêts de France en automne, ce rire devrait aussi avoir quelque chose de rassurant pour toi. Le capitaine t'a dit : Je ne reste qu'une minute, je passais prendre des nouvelles de votre mari. Vous avez parlé de moi, quel culot ! Tu as dit que je devais me trouver du côté de Fort-National, l'ancien Fort-Napoléon débaptisé, que je me battais. Tu recevais mes lettres. A Fort-National, à mon tour je me suis arrêté d'écrire. Tu ne connaissais pas les murailles de Fort-National défendues par six pièces rayées et huit cents hommes qui buvaient beaucoup de goutte, les grandes casernes, la ville avec sa fontaine, ses mulets au piquet, ses curés en tricorne, les montagnes d'où montaient, la nuit tombée, les chants funèbres des *im'sseblines* qui juraient de mourir pour leur terre. Le capitaine t'a débité des sornettes, a dit que tu devais t'ennuyer. Non, les enfants t'occupaient. Il a été parfait, le hussard ! Pas un geste déplacé, son sabre entre les jambes, il ne voulait rien accepter, même pas un verre de liqueur de cacao, ça je le comprends, il est parti en te baisant la main, tu n'étais plus la petite gourde des débuts de notre mariage, tu savais. Tu es restée rêveuse, tu as mis du temps à t'endormir.

Il a été adroit. Il n'est pas revenu le lendemain ni le jour d'après. Ce jour-là tu as reçu un mot du cercle militaire. On te priait à un thé, on comptait sur ta présence. Comment se dérober ? Le commandant de la subdivision réunissait les femmes des officiers pour s'inquiéter de leur sort : les cadres des nouvelles troupes y assistaient. Le hussard était là, vous vous êtes retrouvés comme de vieux amis, il pouvait frapper à ta porte en plein jour, il apporte peut-être des chocolats aux enfants, encore qu'il doive s'arranger pour venir pendant les heures de classe, il t'a invitée à déjeuner à l'hôtel d'Orient, à moins qu'un autre soir... Il aurait fallu que ça dure un peu plus longtemps, je le sentais, j'allais descendre à toute pompe, ton hussard je te l'aurais vidé par la fenêtre ou dans l'escalier, il aurait quitté son souci d'entraide.

« Quel capitaine ? Ce n'est pas un capitaine, qu'imagines-tu ? Un colonel d'artillerie, enfin pas tout à fait, il n'est que lieutenant-colonel. Un comte. Il a offert l'hospitalité à la générale dans sa villa... » Voilà, tout se passe en famille. « Que vas-tu croire ? Non, bien entendu, entre la générale et lui il n'y a rien. Ils se connaissent vaguement... » Entre aristocrates. Quel âge a-t-il ? « Le tien peut-être ou un peu plus. » Il sort de Polytechnique probablement, l'avancement au galop, quand on possède une artillerie qui s'est montrée si brillante pendant la guerre, il faut la récompenser. Eh bien tout est clair. Le colonel a dû savoir quel jour j'arrivais à l'hôpital du Dey, il a peut-être fourni une voiture pour conduire les enfants à la ferme et toi au train. Il ne t'a pas accompagnée à Alger ? Il aurait dû. Pourquoi pas ? Jusqu'ici, même. Allez consoler votre mari, chère comment ? Quel nom te donne-t-il ? Ne me dis pas qu'il t'appelle Marguerite. Tu ne serais pas amoureuse de lui par hasard ? Comment est-il ? Le capitaine de hussards, je te l'aurais décrit. Un artilleur, plus difficile. C'est net, ça voit les choses avec réalisme, toujours une règle à calcul dans la poche, l'arme savante, avec de l'ironie dans l'œil, une certaine commisération pour l'infanterie, sans trop cependant, ça met facilement la main à la pâte, ça résout des problèmes tactiques compliqués, j'oubliais, une solide réputation amoureuse aussi.

> *Artilleurs, mes chers frè-ères,*
> *A sa santé buvons un ve-rre...*

2

— Vous ne mangez pas, Hector. Vous n'aimez plus le ragoût de mouton ?

— Mais si, mais si. Ça me semble étrange de me retrouver ici...

Ce n'était pourtant pas la première fois. Non, mais la première fois qu'il se passait quelque chose depuis le jour où... Dans ce cas rien à lui reprocher à Hector. Passons sous silence la nuit de Bach, il n'y pouvait rien, ça entrait dans le grand tumulte des guerres, Marguerite n'en savait rien et, pour lui, la générale ne serait pas venue qu'il aurait peu à peu oublié cette nuit-là. De toute cette campagne dans les plaines d'Alsace, de Lorraine et sur les plateaux des Ardennes, pas une aventure amoureuse. On n'en avait pas eu le temps, le cœur n'y était pas, il n'y avait plus personne, on était si bouleversé par l'événement, on se préparait tellement à être prisonnier ou mort avant le soir... Certains vous racontent que les journées historiques sont propices à ça. Alors les grandes : la Bastille, un coup d'Etat, Austerlitz, la Commune de Paris peut-être. Pas une débâcle. Pas quand vous risquez d'être écrasés. Si ? Alors j'ignore, ça ne m'est pas encore arrivé, car après avoir quitté Sedan je vous assure que je ne savais plus où me fourrer et que ce n'était pas l'admiration que je lisais dans les yeux. Et en Kabylie s'être conduit aussi sagement que je me suis conduit. Récompense : l'artilleur... Est-ce que vous ne trouvez pas ça un peu étrange ? Car enfin, Marguerite me disait qu'elle était inquiète, qu'elle tremblait pour moi, qu'elle ne vivait plus. Ça me flattait. Je sirotais cela à petites gorgées, je me répétais : Hector tu es toujours le même, on t'aime. Je me montrais digne de cet amour, je le partageais, Marguerite était ma propre vie, je ne pouvais plus me passer d'elle. Chacun a sa façon. Les uns avec des cris, les autres en silence, les uns dans des exaltations, les autres...

Sur le banc des jardins de l'hôpital du Dey, j'ai failli me lever et dire à Marguerite : eh bien, ma belle, ton artilleur, ton colonel-comte, tu vas partir le retrouver, il va s'occuper de toi. Il doit avoir tenu garnison dans l'Est, il y a une chanson qu'on appelle *l'Artilleur de Metz* que toutes les dames saluent de leur balcon quand il rentre des manœuvres :

Vivent les artilleurs, les femmes et le bon vin.

Il te l'apprendra cette chanson, tu la chanteras. C'est fini,
bonsoir.

— Moi, dit le vieux en mastiquant, car il avait toujours
un solide appétit, j'aimerais savoir comment il a été blessé,
Hector.

Marie Aldabram s'interposa. Il ne fallait pas brusquer
Hector. Il se passait de drôles de choses dans ses yeux.
Sa blessure, on aurait dit qu'il l'avait au cœur plus qu'à
l'épaule.

— Je vous dirai. Encore qu'on ait du mal à savoir...
Vous avancez ou bien vous vous tenez tranquille dans votre
coin, tout à coup vous vous retrouvez à l'hôpital. C'est ça
la guerre. Heureux quand vous vous réveillez et que ce ne
sont pas les copains qui versent un pleur en jetant une
poignée de terre sur vous

Justement m'y voilà, à ma blessure. Laissez-moi continuer
ma petite conversation avec moi. Donc j'ai failli dire à
Marguerite qu'elle pouvait rejoindre son artilleur, qu'elle ne
le fasse pas attendre. Marguerite ne savait pas encore qu'on
m'avait donné la croix. Je ne la portais pas sur ma robe de
chambre. Elle était accrochée, toute neuve, flamboyante, sur
ma tunique dans la garde-robe. Le commandant en chef
était venu me la remettre à l'hôpital de Fort-National, sur
mon lit. Je me suis demandé un moment si on ne croyait
pas que j'allais y passer. Dupuis assistait à la cérémonie. Il
avait reçu sa propre croix sur le front des troupes, le lendemain d'Icherridène, après la conquête d'Aguemoun Izem.
Il m'a embrassé. J'étais heureux. Je pensais faire une surprise à Marguerite, et la surprise...

J'ai été tenté de lui raconter que j'avais manqué d'être tué non par les Kabyles mais par un camarade, que si je ne m'étais pas baissé en entrant sous ma tente le coup me frappait en plein cœur. Et puis je me suis dit qu'elle n'aurait pas compris pourquoi cela pouvait tant m'atteindre. Ce sont des histoires d'hommes. Pour un mot les femmes s'égratignent. Nous on se tue. J'accusais la légèreté de Dupuis, je la jugeais responsable de la mort de quelques-uns de mes zouaves, encore qu'Antoine fût indemne. Je me trompais. Dupuis se battait bien, et il voulait la croix comme moi. Ce n'est pas cette blessure qui me l'a value, mais tout ce qui précédait. J'avais humilié Dupuis. On avait admis qu'il manipulait son revolver et que le coup était parti, des choses qui ne se produisent pas quand vous prenez le thé au cercle militaire pour faire la connaissance de ces dames. Maintenant, ma belle, laisse-moi. Ton artilleur-comte doit s'impatienter.

Le vieux s'arrangeait pour ne pas s'adresser directement à son gendre. En vérité il n'avait eu de contact direct avec lui que le jour de la demande en mariage. Il aurait aimé le tutoyer et n'osait pas. Cette timidité lui restait de son ancienne condition de troufion pendant l'expédition, dire « tu » à un capitaine ne passait pas. Alors il biaisait. Il parlait d'Hector à la troisième personne. Raconter, ce n'était pas le genre d'Hector, sauf à lui-même.

Par exemple, j'évite d'aller dans l'écurie. Au début ça m'a amusé. J'y suis retourné avec Marguerite après notre mariage en pèlerinage. On a souri. Les choses n'étaient plus les mêmes. Les mulets avaient changé de place. Le panier à caroubes était dans la remise, on entendait toujours les porcs grogner en reniflant leur auge. On aurait dit que les bêtes, complices, nous reconnaissaient. Je les ai flattées. J'avais déjà demandé à Marguerite si elle avait tout avoué à sa mère. « Tu es fou, m'a-t-elle dit. Rien. » Tout le monde savait pourtant, mais enfin sans détails précis. On imaginait. Ça m'a rassuré. Je pouvais visiter ce lieu historique sans être surveillé. Je m'en suis très vite détourné : un vague sentiment de culpabilité, il n'y avait pas de quoi être fier d'une écurie, mausolée de mon glorieux célibat. Cette fois, j'éprouvai une sorte de répulsion. A quelques pas derrière la maison, dans la cour de terre battue qui se changeait en boue dès qu'il pleuvait, ma vie avait bifurqué. Alexandre, si fier de son père et qui se tenait comme un piquet sur son banc, avait été conçu là, toi tu as un drôle de sang dans les veines, je ne sais pas comment tu tourneras, Sabine ce n'est pas la même chose, c'est une légitime, une régulière, une enfant faite dans un lit, depuis dix ans j'étais fidèle à la même femme, je menais une existence bourgeoise et digne, et tout à coup j'apprenais que Marguerite était sur le point de me tromper, qu'il s'en était fallu d'un rien. J'exagérais, naturellement. Je comptais encore pour elle. Elle s'était précipitée, mais parce que la générale l'avait poussée. Qui sait ? Je devais peut-être à la générale la fidélité de ma femme.

Tout cela tournait dans ma tête. Probablement aussi dans celle de Marguerite et dans celle de Marie Aldabram, qui se doutait. Ces regards... Marguerite avait-elle parlé de l'artilleur à sa mère ? Non. Pas sûr du tout. S'élever en grade brusquement, de femme de capitaine de zouaves devenir femme de colonel d'artillerie, comtesse... J'exagère encore, les femmes n'ont pas de ces pensées mesquines. Elle a dû se dire qu'elle devenait pour moi une habitude, que mes ardeurs d'autrefois s'en allaient, elle a peut-être voulu éperonner son cheval qui s'endormait.

— Antoine, dit le vieux après s'être essuyé la bouche, il n'a pas été blessé au moins ?

— Je l'ai quitté en bonne santé. Je l'ai confié comme un dépôt sacré à mon adjoint, le lieutenant Krieger...

— Un nom bizarre...

Hector s'adressa à Marie Aldabram. Dès qu'on parlait d'Antoine, les yeux de sa mère s'emplissaient de larmes.

— Vous pouvez être tranquille. Il reviendra. Vous serez fière de lui.

— Un tueur de Kabyles, dit le vieux. On va le décorer lui aussi ?

— Pourquoi pas ? C'est un homme. A son retour il faudra le marier.

— Avec qui ?

— Il vous dira.

— Hortense, dit Marguerite. Hector croit qu'ils s'aiment. Ça ne m'étonne pas.

— La dernière lettre qu'on a reçue d'elle date d'un mois au moins, dit Lætitia.

Le vieux bougonna. Encore les Paris. Il ne leur pardonnait pas de lui avoir pris Marie. Les Paris avaient toujours le don de l'exaspérer. Marie, la femme de Jean-Pierre, avait eu beau appeler son premier fils Antoine comme lui, ça ne l'avait pas désarmé.

— Alors vous avez vu le général de Roailles, dit-il.

— Hector a déjà parlé de lui à son retour de France, rappelle-toi.

Quand il refusait d'entrer dans la conversation, le vieux feignait d'avoir des absences ou alors il se laissait rebondir sur des exaltations ou des colères.

— Je ne me souviens pas.

Il se baissa, toucha le flanc de son chien couché à ses pieds.

— La Fleur non plus.

— La générale m'a raconté : c'est la guerre qui l'a tué. Il avait tout pressenti, n'empêche que ça lui a porté un coup. La veille de Sedan il s'était remis en tenue. Le lendemain elle l'a trouvé mort dans son lit. Ils faisaient chambre à part depuis un an car il se relevait la nuit pour écrire. Des mémoires, paraît-il. Elle a pensé qu'il avait veillé, qu'il dormait. Vers les midi, elle s'est décidée à ouvrir les volets, Voilà. Là-dessus Hector est arrivé.

— Pas tout de suite. Dans la nuit. Si j'avais pu prévoir...
Qu'aurais-je fait ? J'aurais brûlé l'étape sûrement. Je me
serais défilé. Une soirée mortuaire, bon appétit, messieurs.

Sincère, il prit un air de circonstance, accablé. Quel
devoir, n'est-ce pas, quelle corvée ! Allons, mon cher, un peu
de compréhension. Cette nuit-là tu n'as pas beaucoup pensé
à Marguerite, tu ne t'es pas demandé s'il y avait un capitaine
de hussards à lui faire la cour. Tous au feu les hussards,
les dragons, la Garde ! Tous débandés à travers les campagnes de France, pourchassés par les uhlans. Les artilleurs,
pour mémoire, leurs batteries renversées dans les fossés ou
alignées pour la revue des inspecteurs prussiens en casques
à pointe : tant de pièces, ça ne correspond pas à nos renseignements, il en manque, nous allons vérifier. Messieurs, le
train qui emmène les officiers en captivité partira à telle
heure... Si ça lui était arrivé... Des déclarations d'amour à en
perdre la raison, des cris de passion. Qui pouvait résister à
la vie, au parfum des roses de Blida, aux matins de Blida,
aux fanfares de cavalerie qui secouaient les orangers en
fleur de Blida ? Et toi, à quoi as-tu résisté ? Il a suffi d'une
nuit de pleine lune, d'un dîner aux chandelles, d'une odeur
de mort à l'étage, d'une main posée sur une épaule... Un
peu d'indulgence pour les autres, mon cher, si tu en souhaites
pour toi. D'autant plus que ce n'est pas à ton retour de guerre
que Marguerite s'est mise à flotter. A ton retour de guerre
tu étais triste. Marguerite a trouvé cela un peu exagéré, avoir
mal à ce point-là pour son pays. Pour un officier tout se
confond avec la carrière. Puis tu es parti pour la Kabylie,
tes lettres étaient plus gaies, tu avais repris de l'activité, de
l'espoir, elle s'est demandé si elle te suffisait, elle a été
jalouse de l'armée. Les femmes, si le sort les met à l'abri,
peuvent assister d'un cœur plus ferme aux malheurs nationaux. Toi tu ne pourrais pas. Non seulement parce que c'est

ton métier. Parce que tu es poussé par quelque chose de plus fort que tout.

Souviens-toi d'Antoine, qui n'a pas vingt ans. Le sang lui bouillait. Il ne pouvait plus manger tranquillement des tomates farcies en parlant de Sedan. Il voulait montrer à Hortense et peut-être aussi à sa mère qu'il était un homme. Les femmes, laisse-les à côté de leurs enfants ou de l'homme qu'elles aiment, les grands événements les déchirent moins que toi. Elles ne peuvent pas toutes être des Jeanne d'Arc et toi, les Jeanne d'Arc ça te tape sur les nerfs. Alors, mon cher, comprends. Pars à la guerre si tu veux mais continue d'aimer ta femme. Ecris-lui chaque jour une lettre d'amour. La patrie sera l'homme qui l'aime. Mourant d'inquiétude pour l'amour, elle croira mourir pour la patrie. Tes lettres n'étaient pas tellement brûlantes pour Marguerite, tu lui parlais surtout de la Kabylie, tu lui disais combien de villages vous aviez détruits, tu lui donnais des nouvelles d'Antoine, elle se morfondait car ce n'est pas à Blida quand on ne lit pas les journaux qu'on peut se faire une idée de la France envahie, de Paris assiégé, des armées humiliées et les journaux d'Alger à cette époque donnaient plus d'importance à un vol de sauterelles près de la Mitidja qu'à une défaite sur la Loire. Il suffit qu'un inconnu lui envoie des roses, à Marguerite, que les trompettes de la cavalerie fassent vibrer le ciel, que les Arabes se pressent dans les rues pour voir défiler les escadrons sabre au clair, que les batteries fassent trembler les maisons de leurs roues, et l'imagination se met à galoper. Les chevaux, tu le sais, ne peuvent pas sentir d'autres chevaux approcher d'eux sans avoir envie de se joindre à eux. Ils hennissent. S'ils sont attachés ils se cabrent, essaient de briser leurs longes, ruent des quatre fers. Même les bœufs. Ils paissent dans les champs, mais si par hasard passe à côté d'eux un autre troupeau qu'on mène à l'abattoir, ils veulent se joindre à lui, ces idiots ont l'impression que l'aventure les appelle, ils se précipitent. On ne peut pourtant pas prétendre que ce soit très sensible, des bœufs. Tu es pareil. Les enfants aussi, alors les femmes ! Tu te demandes ce qui se passe dans la tête de celles-là, ta belle-mère, ta femme, sa sœur, et même ta fille, la petite Sabine : elles ont toutes entendu les trompettes, elles se sont détachées de toi.

3

Le rideau s'écarta. Une ombre entra.

— Tu viens au bon moment, dit le vieux.

Hector regarda M'hammed avancer. Il vieillissait, M'hammed. Plus du tout le gaillard qui le surveillait le jour mémorable du déjeuner du général. A présent, il faisait partie de la famille, il appartenait à l'ordre des choses. Que serait-on devenu sans lui ? Sur son visage on lisait le reflet de la chronique des gens de la plaine. Sa barbe grisonnait, les joues semblaient se creuser, ses yeux pleins de ruse et de bonhomie restaient aussi à l'affût derrière quelque chose d'inquiétant. Il avait assisté le matin à l'arrivée d'Hector et de Marguerite dans la calèche qui les amenait de la gare. Il avait touché la main d'Hector, s'était extasié sur la croix qui ensanglantait sa tunique à côté de la sombre médaille de 70, la gloire décidément pour le vieux et pour la ferme de Sidi Ayed, puis s'était éclipsé. Il revenait de ce pas de va-nu-pieds, ce pas d'Arabe, que personne n'entendait, faisait le tour de la table. Un grand jour encore. On disait la France abattue, mais les nouvelles de Kabylie étaient mauvaises. La mort de Mokrani sonnait le glas des espérances, les trains regorgeaient de canons et de troupes, des escadrons gagnaient Blida par la route et ces cavaliers-là portaient des uniformes qu'on ne connaissait pas. Il ne semblait pas que la situation empirât pour la France. Hector avait rapporté d'autres mauvaises nouvelles pour les Arabes.

Marie Aldabram versait l'eau bouillante à petites louches dans la cafetière, le parfum du café qui passait flottait, mêlé à d'autres odeurs de cuisine et de viandes.

— C'est la fête, ajouta le vieux en arabe. Si Aziz a fait sa soumission.

Si Aziz, l'un des fils du chef religieux des Arabes, le vénérable Cheikh el Haddad qui avait proclamé la guerre sainte. La fin de la coalition des notables. Bou Mezrag, le frère de Mokrani, pourchassé comme une hyène, trahi, vendu, maudit.

— Et sur le conseil de son père, pas de son propre chef. Si Aziz s'est rendu en Kabylie, où ça ? demande-le au capitaine.

— Au village d'Aït Hichem, dit Hector, pas très loin d'Icherridène. J'ai raté ça. Si Aziz venait des Amoucha. Et pas tout seul. Avec Ali Oukaci, Amokrane Oukaci, Mohammed Lounès, d'autres encore. Tous demandant pardon et mettant leurs armes au service de la France.

— On te raconte des tas de sottises ici, dit le vieux. La vérité, la voilà. Pas une histoire de brigands. Le capitaine revient de là-bas, tu peux le croire. C'est un bouffeur de Kabyles. Les Kabyles, qu'est-ce que ça peut te faire ? Ils se bouffent déjà entre eux.

M'hammed haussa les épaules. Les Kabyles, on ne savait pas. Des gens qui vivaient dans les montagnes, loin de tout, qui se faisaient des idées. On le voyait quand ils venaient pour la moisson. Des hommes pieux, ardents au travail, infatigables, se contentant de rien, rapides à dégainer leurs petits poignards, qui parlaient une langue qu'on ne comprenait pas, une langue d'oiseaux, mélodieuse, et s'en allaient comme ils arrivaient, en bandes. Un matin ils étaient là, se répandaient dans les fermes, rasaient les blés, couchaient à la belle étoile. Un autre matin, ils avaient disparu. M'hammed hocha la tête.

— Les Kabyles, pas des hommes comme nous.

— Tu savais ça, pour Si Aziz ?

Il fit un geste vague. Il savait, oui. Le bruit courait depuis la veille. Ce n'était pas sûr. Si Aziz encore... On ne disait pas que Cheikh el Haddad était d'accord. Bou Mezrag continuait la guerre.

— Si Aziz a porté une lettre de son père et cette lettre

dit : « Nous sommes entre tes mains comme des morts dans la main du Puissant qui est aussi le pardon et la miséricorde. » Le général Lallemand l'a bien traité et tous les autres se dépêchent de demander l'aman, mais si tu veux mon avis, on lui coupera la tête à Si Aziz. Se révolter contre la France au moment du malheur, ce n'est pas beau. Il sera puni. Qu'est-ce que tu en penses ?

— Je pense, je pense. C'est Dieu qui commande.

Il ne disait pas Dieu mais Allah, en faisant sonner la dernière syllabe en « o ». *Allah...* Il réfléchissait au nom de ce général. Un Français ou non ? Un Allemand peut-être. C'est pourquoi il était victorieux. Les Français avaient demandé à un étranger de commander leurs troupes. Les Allemands gagnaient partout. Pour la Kabylie, qui pouvait dire ce qui s'était passé ? Partout on répétait les mêmes choses, d'Alger à Oran, à Constantine, à Sétif et à Batna. Les gens de désordre avaient fait la loi dans la montagne, dans la plaine les juifs et les colons commandaient. Les grandes familles avaient demandé aide et protection aux militaires, mais les militaires ne les avaient pas protégées. N'était-ce pas cela qui avait provoqué l'insurrection ? Plus d'alliance entre le commandement et les grands chefs musulmans, plus de connivence. Les grandes familles avaient alors obéi à ceux qu'elles croyaient les plus forts. Quant aux Kabyles ils n'étaient pas plus solidaires des tueries que les militaires n'étaient solidaires des juifs, des colons et des autres tueries. Qui pouvait savoir à qui appartenait la loi ?

— Tu as raison, dit le vieux. Dieu a décidé qu'il n'y avait plus de Kabylie. La Kabylie comme ça, ajouta-t-il avec le geste de raser la table. Pour toi, un Arabe, c'est juste. Demande encore au capitaine. Avec l'armée française il y a des Arabes et même des Kabyles. Le capitaine commandait un bataillon là-bas, il avait avec lui un officier de chez vous, le lieutenant comment ?

— Kossaïri.

— Je ne connais pas. Ce n'est pas un nom d'ici.

Pour M'hammed il savait qu'il y avait en effet des régiments de tirailleurs qui razziaient la Kabylie avec les Français. De pauvres types qu'on trompait, des gens qui s'imaginaient au temps des Turcs, pensaient peut-être taper sur les juifs, profitaient de ce qui leur tombait sous la main, qui pouvait savoir ? On leur promettait de l'argent, des droits, ils auraient le commandement sur les pauvres, ils seraient tous caïds, le lieutenant deviendrait bachagha. Et les Beni Djennad qui servaient dans l'armée française et combattaient contre leurs frères, on se demandait quel démon les possédait.

— Je te donne du café, dit Marie Aldabram.

Elle lui tendit un verre plein qu'il prit par le bord, tout en haut, pour ne pas se brûler, s'assit à croupetons au pied de la cheminée sous le crucifix, accablé, et il eut un regard soudain grave. Le café des Roumis était moins odorant que celui des Arabes, moins sucré, moins épais. A le respirer on croyait que c'était du café, à le boire on avait beau l'aspirer bruyamment il sentait l'eau. Là, plus bas, à sa place de misère et d'humilité, près du chien avachi qui mouillait le sol de sa bave, il voyait le dos à peine voûté du vieux, le puissant capitaine avec son épaule gauche enflée sous le pansement, la belle tunique devait être rangée dans la chambre sur une chaise, avec son étoile blanche pendant sous le ruban rouge, ses boutons dorés, ses galons un peu ternis, les enfants jouaient dans la cour, on entendait leurs cris, et en face les femmes, la mère au bout de la table avec son visage de vieil oiseau, Marguerite, Lætitia. La mort pour les Kabyles, une nouvelle fête pour les colons, rien ne changeait. Cependant, cependant... Qui fallait-il croire ? Les Arabes qui se lamentaient, ceux qui disaient que les Kabyles finiraient par gagner, ceux qui affirmaient que l'heure n'était pas venue, ceux qui assuraient que Dieu appuyait les Français ? De quel côté se ranger ? Où soufflait le vent ? Qui le commandait ? Qui pouvait prévoir d'où il se lèverait le lendemain ? Cette Lætitia était douce, rieuse, attentive. Elle avait parfois de bons regards vers lui. Elle ne ressemblait pas à Marguerite la triomphante, on devinait qu'elle ne grandirait plus. D'ailleurs elle avait passé les vingt ans, ne semblait faite ni pour un homme ni pour l'amour et n'en souf-

frait pas : un arbre qui ne porterait pas de fruits, seulement
des fleurs que le vent emporterait et un feuillage agreste,
pareille, en plus menu, à Marie installée à Sidi Moussa, une
Bouychou avec le front carré, le visage carré des Bouychou,
leur petit nez droit, leur bouche étroite et bien dessinée, une
fille de là-bas, alors que la mère disait, peut-être le croyait-
elle ? qu'elle était une Aldabram comme sa fille Marguerite,
semées par les Arabes au temps de leurs conquêtes en
Europe.

Ces femmes-là exagéraient. Si elles s'étaient senties arabes elles n'auraient pas vécu dans des pierres et de lourds
toits de tuiles, avec des meubles, tellement de linge, des
voitures. Et puis elles les auraient autrement traités, lui
M'hammed et sa famille. Elles n'auraient pas été si souvent
à la ville ni tant poussé les hommes à travailler la terre.
Les Arabes, à moins d'êtres pauvres comme lui, ne s'attachaient pas à un arbre. A peine à un puits. Ils avaient
d'abord besoin de se sentir libres. Après la liberté venait la
femme, l'honneur, la foi. L'Eternel avait pris le vent et,
du vent, fait l'Arabe. Et puisqu'ils étaient le vent, ils possédaient tout le ciel et toute la terre. Où s'arrêtait le vent ?
C'était cet amour de l'espace que les Français exploitaient
pour recruter des tirailleurs, ce besoin de bouger et de
guerroyer, jusqu'à les jeter sur les Kabyles. Les taureaux
et les béliers se battent aussi entre eux, par appétit des
coups de corne. Lui, que faire ? Il attendait. Ces gens-là
vous forçaient à leur ressembler, ils enrôlaient des Arabes
dans l'administration. L'Algérie devenait le pays des étrangers, *barr el aadjem.*

Avec le malheur qui les frappait, les Kabyles payaient
peut-être leur amour immodéré du sang. Ils s'en vantaient
assez. Chez les Arabes on lapidait la femme infidèle. Chez
les Kabyles on creusait sa tombe en plein jour au cimetière
du village, on amenait la coupable au bord de la fosse, en
présence de la foule, et là, le père ou le mari l'égorgeait.

En Kabylie l'honneur brûlait comme le feu. On tuait pour un arbre pillé, pour un bœuf volé, pour un regard, la vengeance durait des années, se transmettait de famille en famille, de village en village, de génération en génération. On ne pardonnait jamais. C'est pourquoi M'hammed avait du mal à croire que Si Aziz et encore moins le vieux Cheikh el Haddad aient pu implorer le pardon des Français. Des Kabyles s'humilier, déshonorer leur nom et leur tribu ? On avait beau les connaître mal, cela semblait impossible. Il fallait probablement déjouer quelque rouerie de l'ennemi commun, à moins que ce ne fût une ruse. Les Kabyles étaient habiles à imiter et à dissimuler. Leurs artisans fabriquaient toutes les monnaies du monde. A l'époque de la moisson on devait se méfier : les fausses pièces de cinq francs frappées de la barbiche de Napoléon se répandaient dans toute la plaine. Du temps des Turcs c'étaient les douros espagnols, les piastres de Tunis et du Maroc. Sous une mince pellicule d'argent, rien, du fer brut. Quels artistes, ces gens-là ! Quels bijoux ils ciselaient aussi pour leurs femmes ! Certains ouvriers de la moisson en revendaient à Boufarik : des *khelkhal,* ces anneaux de chevilles, plus massifs qu'ici, des *thiâçabines,* les diadèmes d'émail, des petites boules, les *thikefisines,* que les femmes portent sur le front en gloire d'avoir un fils, des colliers, les *thizelaguines,* des fibules avec des pierres bleues et rouges ou de corail, les *ibzimen,* des boucles d'oreilles ciselées comme des larmes, des fourreaux de yatagan, des capucines, des pommeaux de pistolet... Les hommes qui les vendaient parlaient l'arabe. Quels avocats ! L'habitude de la discussion juridique leur donnait une habileté prodigieuse. Pour ne pas se laisser séduire par eux il fallait se boucher les oreilles, ne pas les regarder : ils paraissaient vouloir se dépouiller pour vous, par pure générosité envers les Arabes. Et puis cette morgue avec leur Djurdjura ! On aurait cru que c'était la seule éminence du monde. Evidemment, on la voyait de loin. Elle se dressait altière, sauvage, étincelante sous ses neiges l'hiver. La montagne de Blida, le pic de Mouzaïa n'étaient pas mal non plus. Rien de commun paraît-il avec ce massif énorme, terrible, écrasant que tous les Kabyles semblaient porter en eux, leur colonne vertébrale, leur fondement intérieur. « Nous sommes les fils de la montagne, disaient-ils. Nous sommes habitués à la saluer tous les matins. » Certains d'entre eux s'expatriaient comme les M'zabites pour le commerce, la plupart dans les plaines à l'époque des grands travaux saisonniers, ils se disaient malheureux. Il aurait fallu que leur Djurdjura les suive aussi. Ils se tournaient de son côté pour prier. Une terre d'orgueil, punie dans son orgueil, par qui ? Par Dieu ?

Les Arabes et les Kabyles avaient un ennemi commun, ces Roumis qui envahissaient tout, s'infiltraient partout, établissaient partout leur administration ou leurs serviteurs, ne tenaient aucune de leurs promesses. Leur gouvernement avait changé. Les colons avaient paru se réjouir de la disparition de l'Empire, leur République était, prétendaient-ils, la liberté. Quelle liberté, et pour qui ? Comme du temps de l'Empire, les Arabes devaient déclarer les naissances à l'état civil et non plus se contenter de demander au marabout quel nom donner aux enfants. Ces hommes à chapeau ! Ce vieux qui n'enlevait jamais le sien, un galurin sans forme, avec des bords crasseux qu'il tordait pour se protéger du soleil ou qu'il rejetait en arrière du front. Le chapeau, *el barreta,* le symbole de l'infidélité. Si je t'ai menti que Dieu me fasse porter un chapeau comme les chrétiens et les juifs. Le Bacri qui venait ici en avait un ridicule, un feutre l'hiver, un panama l'été avec un ruban autour de la coiffe, qu'il soulevait pour saluer le père Bouychou et les femmes. Des façons. « Couvrez-vous, monsieur Bacri, je vous en prie », disait la mère, flattée. Non, ce n'étaient pas des Arabes, ces femmes !

4

Le vieux se retourna.

— Qu'est-ce que tu fais là ? Je n'aime pas te savoir derrière moi.

Pourquoi ? Il croyait qu'on allait l'assassiner ? Lève-toi, va chercher un bidon d'eau, nettoie l'écurie, attelle le cheval, toujours des ordres pour travailler, jamais pour se reposer. Le capitaine offrait cependant un petit cigare au goût amer.

— Prends, c'est la fête.

Toujours la fête quand les Arabes ou les Kabyles étaient vaincus. Il se redressa. Il sentait qu'on l'observait. Il essaya de s'effacer, alluma adroitement son cigare au briquet d'amadou du vieux, on n'allait pas dépenser une allumette pour ça. Hector se déplaça un peu sur le banc, repoussa sa tasse, en son honneur la mère avait sorti les tasses ; M'hammed se mit près de la porte, hors de la lumière, se passa la main sur le visage comme pour une ablution qui lavait de ces regards, avança les lèvres, plissa les joues, essaya de sourire, de goûter le plaisir du tabac. « Que pense-t-il, celui-là ? se demanda Hector. Qu'imagine-t-il ? On vit à côté d'eux sans les voir. On les prend pour de bons bougres. On plaisante avec eux. On les croit dévoués, on n'a rien à leur reprocher, ils vont et viennent, apparaissent et disparaissent, toujours absents, toujours présents, on ne se gêne pas pour parler devant eux en croyant qu'ils ne comprennent pas, ils devinent tout, sont au courant de tout. Mes Arabes, disent les colons. Tous les mêmes, les colons. Tous à se figurer que les Arabes sont des brigands sauf les leurs qui remercient Dieu de leur avoir donné des maîtres généreux, tous à vouloir exterminer les Arabes sauf les leurs comme s'il y avait des exceptions. Celui-là avec son air bonasse et résigné, ce domestique modèle, cet ami de la famille, il faudrait l'entendre quand il rentre dans son gourbi et raconte à sa femme avec tous les détails ce qui se passe dans la plaine et dans les maisons. Il nous aime peut-être, il est dévoué, il croit que Dieu lui a fait la grâce de servir des chefs, je voudrais surtout entendre ce qu'il dit à ses frères les mulets quand il les étrille ou qu'il leur porte à manger. La vérité, c'est dans le secret de l'écurie qu'elle se cache ou dans les champs, quand il est seul et qu'il se parle... »

Brusquement le chien souffla, se dressa sur ses pattes et sortit en aboyant. Lætitia l'appela. Le facteur. Pas l'habituel, un autre qui approchait sous les platanes à pied, s'arrêtait à quelques pas du molosse.

— Ici, La Fleur !

Lætitia courut, saisit le chien par le collier. L'homme avança, entra, il était en sueur, tira un papier d'une petite sacoche en cuir, le tendit au-dessus de la table en hésitant. Un télégramme, jaune.

— Sûrement pour vous, Hector.

Le capitaine le prit, lut l'adresse, la répéta à haute voix :

— Famille Bouychou, ferme de Sidi Ayed, Boufarik. Non ce n'est pas pour moi.

L'homme se découvrit, s'épongea avec des gestes méfiants. La mère sortit un verre, c'était l'habitude, quand le facteur venait, d'offrir du vin rosé et de l'eau. Un télégramme ! La première fois. Ça marchait donc ces trucs-là ? Ça se baladait sur les lignes qui bordaient les routes.

— Lætitia, dit le vieux.

Il aurait pu, à présent qu'elle savait lire, désigner son aînée. « Famille Bouychou... » Marguerite n'était là que de passage. Lætitia tenait le courrier, les comptes. Ouvrir un télégramme la concernait. Elle déchiffra l'adresse à son tour. Ces caractères curieux, tout en majuscules un peu hésitantes et tordues sur un mince ruban de papier collé. La mère servit le facteur, renversa du vin sur la table. Elle tremblait.

— Eh bien ? dit le vieux, inquiet.

— Vous décachetez, dit le facteur. Derrière. Là.

Le papier était plié comme une lettre, raide, craquant. Lætitia hésita. Les enfants revenus en hâte la gênaient.

— Vous sauriez mieux, vous ? dit-elle à Hector.

Il décolla le feuillet, l'ouvrit sans le lire, le rendit à Laetitia. Des chiffres, en groupes, des signes bizarres. Dessous, des mots. Ses lèvres bougèrent. Elle pâlit, relut. Un télégramme ne savait qu'annoncer des malheurs. Le facteur posa son verre, se recoiffa, sortit. M'hammed retint La Fleur.

— Hortense décédée obsèques demain midi. Marie.

Le vieux soupira, soulagé. Une Paris de moins, ce n'était pas grave. On pouvait prendre ce soupir pour de la peine. Les cigales, qu'on n'avait pas entendues jusqu'à présent, grésillaient. Lætitia passa le télégramme à Marguerite, qui le regarda.

— Sidi Moussa, dit-elle. Il y a écrit « Sidi Moussa » en haut avant les chiffres.

— Le lieu d'expédition, dit Hector. Fais voir.

Six mots. En six mots après l'adresse on savait tout. Au-dessus de l'adresse, au verso, une grande inscription imprimée : « Empire français », les formules n'étaient pas encore remplacées. On aurait pu se croire en 70.

— Pauvre Hortense, dit la mère. J'ai eu peur.

— Votre fils, dit Hector, je savais que ça ne pouvait pas le concerner. J'aurais dû vous rassurer tout de suite. On envoie les gendarmes dans ce cas.

— Va chercher Pierre, dit le vieux à M'hammed.

— Moi qui pensais à Hortense tout à l'heure, dit Hector. Il faudrait avertir Antoine.

— Il viendrait ? demanda la mère.

— Mais quoi dire ? Elle n'était même pas sa fiancée. Je ne sais pas si on l'autoriserait. Il faudrait que...

— Laissons-le, dit la mère. Il aurait trop de peine. Il saura bien assez tôt. Et moi, le voir repartir...

— Un télégramme, dit le vieux. Ils ont de l'argent à f... en l'air, les Paris.

Tout arrivait en juillet. En 70, la guerre. Cette année... Pierre entra. On aurait pu l'inviter à déjeuner, mais Dolorès et Marguerite s'entendaient de moins en moins.

— Assieds-toi, dit le vieux. Prends du café.

Au passage du facteur, à la mine de M'hammed, à l'annonce du télégramme, il flairait le malheur, l'événement plutôt car personne ne pleurait, personne même ne semblait accablé.

— Hortense, dit le vieux, la cadette des Paris.

Il ne la connaissait pas. Un nom qui ne lui disait rien. Elle était malade ?

Le vieux grimaça, tira sa pipe d'une poche, chercha sa blague.

— On l'enterre demain.

— C'était ça ?

Il tourna dans ses mains le télégramme, l'examina, hocha la tête, fit semblant de lire, il déchiffrait à peine les titres des journaux, alors ces caractères bizarres...

— A midi, reprit le vieux, ils auraient pu choisir une autre heure. On mangera où ?

— Comment peux-tu penser à ça ? dit Marie Aldabram. Tes filles s'occuperont de toi et puis dans des occasions pareilles... Vous viendrez avec nous, Hector ?

— Je viendrai.

Ne serait-ce que pour Antoine. Pour le représenter.

Le vieux eut un clin d'œil vers la porte. M'hammed n'était pas rentré.

— Elle a dû attraper ça chez les bics, à sa fugue. Elle ne s'en était jamais remise. La dernière fois que je l'ai vue, au mariage de Marie, c'était quand ?

— Juste après le voyage de l'Empereur, dit sa femme. Six ans déjà. En juillet encore.

— Quelle tête elle avait ! Leur Franche-Comté n'est pas un pays sain. Ils y vivaient comment, les Paris ?

— Où vas-tu chercher ça ? Les fils des Paris sont des colosses, leur Philippine, une gaillarde. Hortense... Il y a des plantes qui ne s'acclimatent pas.

— Je lis très bien, dit Alexandre penché sur le télégramme. Hortense décédée obsèques...

— Sortez, s'écria Marguerite en arrachant le feuillet des mains de Pierre. Et ne restez pas au soleil. Allez chez Dolorès.

— Qu'est-ce que ça veut dire décédée ? demanda Alexandre.

— Endormie, dit Hector. D'un long sommeil. Je t'expliquerai.

Il y eut un moment de silence. On attendit que les enfants

fussent éloignés. On parlait devant eux de choses qui les troublaient.

— Marie, reprit la mère à voix plus basse, c'est elle que je plains. Elle l'aimait beaucoup. Elle nourrit encore sa fille Mathilde qui n'a pas six mois. Et puis maintenant qui écrira ? Qui nous donnera des nouvelles ?

Hector se remit à penser à Antoine. Après la reddition des chefs de l'insurrection, la guerre allait finir. Antoine reviendrait. Il était peut-être déjà de retour à Fort-National à moins que le général Lallemand n'ait poussé une colonne sur les pentes du Djurdjura, vers l'oued Sahel et les Bibans. Krieger et Delfini veillaient sur lui. Et lui que faisait-il ici, à présent que tout était réglé ? Son bataillon lui manquait. Son bataillon ou Antoine ? Une femme avait fait d'Antoine un homme, sans le savoir. Une femme ? Une enfant, avec son air craintif, presque traqué, son amour pour les animaux, les fleurs, la lune. Pour Hector le contraire : il avait fait de Marguerite une femme. Il la regarda, un peu las de sa beauté et même avec une rancune sourde : cette beauté vide. La vie c'était cela. On se laissait prendre au piège, on se liait, on avait des enfants, on se glissait dans le même lit, on perdait peu à peu son ardeur, on vieillissait. « Je l'aime encore ou pas ? se demanda-t-il. Il y a huit jours encore je souffrais pour elle d'une passion sauvage, à l'idée du capitaine de hussards. Finalement un colonel d'artillerie. J'en ai ressenti quoi ? De la colère, de la jalousie ? Le cavalier, je l'aurais tué. L'artilleur, rien. Parce qu'il est moins jeune ? Elle m'a dit : ton âge ou presque. J'étais prêt à la lui laisser. On devient fou, on délire et subitement le néant. Pourquoi ? Est-ce de l'inconstance ? Un beau fruit, voilà ce qu'elle est. Un oranger chargé à la fois d'oranges et de fleurs. Et la générale qui m'attend peut-être... Je m'égare. La générale n'a rien à faire d'un ancien aide de camp de son mari, ce serait déchoir. Alors pourquoi est-elle revenue ? Pour Marguerite ? Sait-elle seulement comment Marguerite

m'a cédé ? Le général n'a pas dû oser tout lui dire. Elle
viendrait aussi se brûler à ces yeux ?... » Il découvrit en lui
une sorte de rancœur. Dieu sait pourtant s'il aimait les femmes, s'il avait besoin d'elles. A cause de cela sans doute, depuis qu'il était lié à l'une d'elles plus qu'on n'aurait cru et
qu'il la sentait chanceler. Il ne pardonnait pas à Marguerite
comme à lui ne de pas se suffire l'un l'autre. La femme de
Jean-Pierre était plus modeste. Elle ne rêvait pas à des cavaliers. Son mari la comblait. Elle lui pondrait une dizaine d'enfants, elle dirigeait la ferme depuis qu'avec la guerre il faisait
le zouave à Alger dans la garde nationale, la force des
Bouychou s'alliait en elle à la ténacité des Paris, elle n'était
pas une Aldabram. A quoi pensait Marguerite ? A ce qu'elle
allait mettre pour l'enterrement. Paraître, un jour comme
celui-là !

— Tu ne voudrais tout de même pas aller chercher une
robe à Blida ? Ta mère te prêtera une jupe noire, un corsage,
un voile. Ça te suffira. Qui s'habille par ce temps ?

Sa voix était dure, cassante, comme avec Dupuis. La première fois qu'il lui parlait sur ce ton. Tout à coup, devant
la mort, les femmes l'agaçaient. La mort, c'était son affaire
à lui, mais pas chez les civils. Dans l'armée. Une mort propre, nette, des hommes qu'on relevait dans les ravins ou
sur les crêtes la tête fracassée ou la poitrine ouverte, des
rochers pleins de sang, des drapeaux, la sonnerie de l'adieu
mêlée aux coups de fusil et aux coups de canon, le vent
qui lavait tout, les vautours, les commandements, les armes
qu'on présentait. Les Kroumirs abattus et enfouis dans leur
fosse, on avait pour eux un regard noble, si les chacals déter-
raient les corps, si les oiseaux de proie mangeaient leurs
yeux, cela entrait dans les règles du jeu. Personne n'avait
des réflexions pareilles : « Je n'ai rien à me mettre... » Il
pensa : dans l'écurie non plus, et tu n'y as pas songé.
Tu as détaché de ta jupe un à un tous les brins de paille
qui y étaient collés, je m'en souviens, je te revois. On aurait

cru vraiment que tu étais une habituée... Il était injuste,
d'accord. Ça le soulageait. On peut se dire ces choses-là pour
se punir soi-même ou se demander si par hasard Blida ne
manquait pas à Marguerite, si elle n'espérait pas revoir
l'artilleur. Non, pas de Blida. D'ailleurs, il allait repartir
pour la Kabylie après l'enterrement, à moins que... Il se
toucha le poignet. Son pouls battait vite. Il avait de la fièvre.
Voilà. Les femmes...

— Vous irez sans moi, dit le vieux. A mon âge ces fati-
gues et ces émotions... Je garderai la ferme avec La Fleur.
Et puis là-bas tous ces gendarmes... Laissez-moi les enfants
si vous voulez.

— Les enfants viendront, dit Hector.

Un vieil homme pouvait s'inquiéter de son repas de midi,
de la chaleur, écarter de lui les idées funèbres, il devrait
pourtant bien s'y faire. Les enfants suivraient. Ils appren-
draient ce que c'était que ce sommeil. Si cela lui était arrivé
à lui Hector, que leur aurait-on dit ?

Le télégramme serait arrivé à Blida. Les gendarmes
auraient frappé à la porte. Marguerite aurait cru un instant
que c'était l'artilleur. Elle aurait regardé d'en haut par les
persiennes fermées à cette saison, se serait inquiétée. Des
gendarmes ? Eh bien voilà, ma belle. Un homme, il faut
veiller sur lui, lui écrire. Même quand on ne sait pas ce
que c'est que la guerre, il faut imaginer. Il est rentré de
France au bout de deux mois, mais pense à tous ceux qui
y sont restés, la bouche dans la terre grasse d'Alsace ou
dans les prés des Ardennes en bordure des bois, dans cette
campagne bête de l'été avec de l'herbe haute et des moissons sur pied, foulées par les orages et les troupes. On te
l'a foutu où, ton Hector ? Dans quel cimetière ? Le long
de quelle haie ? Et tu vas te demander comment t'habiller,
fouiller dans l'armoire ou dans les malles, retrouver ta robe
du bal... Même noire, elle aurait été trop décolletée. Alors,
je ne sais pas, couvrir ça avec du crêpe de Chine. La générale et toi vous auriez versé un torrent de larmes, chaudes,
brûlantes, vous vous en seriez saoulées l'une l'autre, vos
yeux seraient devenus des lacs débordants de lumière. A la

fin, la générale t'aurait dit, c'est ça : Arrête, mon cœur, tu te fais mal. Et toi tu n'aurais pas conçu le moindre soupçon sur les raisons de ce chagrin ? Tu aurais cru à cette douleur subite répondant à la tienne, sans penser qu'un seul passage pouvait laisser plus de trace que toute une vie, j'exagère, que vous étiez veuves toutes les deux du même quoi ? du même homme, du même amour ? Ne me faites pas rire, j'ai mal à l'épaule, ça m'élance.

— Quel âge avait-elle ? demanda Marie Aldabram.

— Un an de plus que moi, dit Lætitia. A peine.

— Quel malheur ! dit Marie Aldabram. Ces langueurs dont Mme Paris me parlait, ce n'est pas normal. Les fièvres devaient la miner. Dolorès viendra ?

— Oui, dit Pierre très vite.

— Je te ferai quelque chose avant de partir, Marjol. Tu n'auras qu'à le réchauffer.

— Le break et le deux-roues, dit Pierre. Partir à dix heures, ça suffira ?

— Plus tôt pour moi, dit Hector. Je pourrais prendre le break avec Marguerite, les enfants et Lætitia. Vous emmèneriez la mère et Dolorès plus tard.

Le vieux alluma sa pipe d'un air songeur. Pas de sieste aujourd'hui. Il se leva avec sa canne, sortit, eut un geste agacé vers les cigales, ce bruit rageur qu'elles faisaient dans les platanes où elles affectionnaient de se nicher, puis se retourna, lança un coup de sifflet impératif. La Fleur le rejoignit, résigné, secoua ses oreilles, renifla. Ensemble ils allèrent au peuplier. Une odeur de poussière chaude, de soleil blanc. Une lourdeur qui venait de la montagne. Pas un souffle de vent. L'arbre énorme semblait avoir atteint l'apogée de sa force. Il s'épaississait mais ne grandissait plus, comme s'il savait que sa taille l'eût trop exposé au danger des bourrasques. Son tronc se nouait, portait des blessures et des cicatrices verticales, des sillons profonds où grouillaient des insectes étranges sous les longues plaques de l'écorce. Qui pourrait avoir raison de lui ? Il deviendrait centenaire, il devait plonger des racines dans des profondeurs colossales, s'accrocher au puits, l'embrasser, le sucer, le boire. Il était l'orgueil de la ferme.

Le vieux cligna les yeux. Sa vue baissait. Il distinguait à peine une buée derrière le village, au pied de la montagne de Blida, et la plaine qui dansait dans l'air chaud, au rythme obsédant de l'éternité.

5

Les cyprès qu'on avait plantés partout pour protéger les orangers du vent cachaient les maisons. On devinait l'emplacement des fermes à l'amas des vergers et à la dentelure noire des haies. Chez les Paris aussi, sombre rempart bruissant d'oiseaux, les cyprès entouraient l'orangerie. A l'entrée de la ferme, sur le chemin crissant des galets de la rivière, après une grande touffe de roseaux, comme chez les Bouychou, on avançait entre les orangers, le long d'une allée de grenadiers encore en fleur dont les fruits mûriraient à l'automne. Il allait être dix heures. Que de voitures, que de monde ! Un vrai caravansérail. Hector rangea le break à l'ombre, attacha les chevaux.

Marguerite et Lætitia prirent les enfants par la main, Marguerite Alexandre, Lætitia Sabine déjà presque aussi grande qu'elle. De sa main libre Marguerite rassemblait et soulevait un peu les plis de sa jupe.

— Restez là un moment. Je viendrai vous chercher.

Il s'éloigna, croisa, sans la reconnaître, Philippine aux aguets, qui descendait l'escalier. Elle avait pris la carrure d'une jument de trait, avec une sorte de douceur dans ses yeux bleus. Elle embrassa les filles Bouychou et les enfants, les entraîna sous le figuier qui abritait la cour, à l'écart des noyers, non loin de l'abreuvoir et de la porcherie.

Dans la salle à manger on se pressait. Hector adressa un petit geste de la tête aux gendarmes, hésita. Pas de salamalecs à présent. Une vieille femme qu'on soutenait, la mère

sans doute, et qui se laissait aller à de longs gémissements.
Pour gagner la chambre d'Hortense, on traversait la cuisine.
Un arrosoir sur l'évier. Des chapelets de saucisses et de
boudins accrochés à des roseaux au-dessus d'une table. Du
café qui passait.

Marie s'avança vers Hector, posa un instant sa tête sur
sa poitrine. Jean-Pierre lui serra la main. Sur son lit étroit,
une simple couchette, Hortense entre deux bougies, toute
blanche, une hampe de lis sur sa poitrine. A côté d'elle, le
cercueil de chêne blond, béant. On retardait le moment de
la mise en bière. On attendait le curé. Après ce voyage dans
la lumière violente, il fallait s'accoutumer à la pénombre. La
fenêtre ouverte, sans volets, devait donner dans l'étable, car
une odeur de paille et de fumier flottait, mêlée à celle de
l'herbe fraîche déjà dans les râteliers pour le retour des
bêtes du pâturage. Un brin d'olivier dans un verre, une
image pieuse dans son cadre suspendu au mur. Un plafond
de lattes. Le silence. Les plaintes étouffées qui venaient
de la salle à manger. La vraie mère d'Hortense était Marie,
avec son beau visage à peine éclairé, sans larmes, figé dans
la douleur.

Jean-Pierre approcha d'Hortense, écarta les bougies et la
petite table de chevet, fit un signe à une grande silhouette
d'homme dans un renfoncement. A eux deux ils prirent le
corps, le soulevèrent, il ne pesait pas lourd, le mirent dans
le cercueil. Hortense était vêtue d'une longue robe de mariée,
avec une traîne dont on ne savait que faire et qu'on laissa
d'abord déversée sur le lit, le recouvrant presque, comme
ces écharpes de glace oubliées dans le ciel où se perchent,
le soir venu, les étoiles, tels des oiseaux de feu. Le lis avait
glissé. L'homme le replaça sur le cœur d'Hortense. Hector
avait raison : elle dormait d'un sommeil paisible, n'était
que joie. Elle possédait quelque chose, une connaissance,
un bonheur. Serrée dans la nacelle qui allait l'emporter à
travers les espaces de la nuit, de la lumière ? à l'étroit et
pourtant à l'aise, elle semblait faite pour cela, née pour cela,
délivrée enfin. A sa moustache givrée aux pointes en panache, Hector reconnut l'homme : le charpentier de Sidi

Moussa. Il l'avait aperçu au mariage de Marie, ils s'étaient dit quelques mots, avaient sympathisé. Un ouvrier peut-être, mais un homme digne, intelligent, lucide et bon. Un ancien quarante-huitard, on devait quand même se méfier. Le front d'Hortense était couronné de fleurs d'oranger. Hector distingua seulement leur parfum sucré. Une mèche de cheveux dépassait du cou, débordait sur l'épaule. Dans ses mains un chapelet de pierres transparentes, brillantes. Une poitrine plate de garçon. Les obsèques auraient lieu plus tôt que prévu. Le vieux aurait pu venir. Jean-Pierre avait demandé si le télégramme était bien arrivé. Peut-être était-il incomplet. On s'étonnait déjà pour les lettres. Encore les apportait-on dans des voitures ou des trains. Les télégrammes sur des fils à travers la campagne ? Il suffisait d'une erreur de transmission, d'un cafouillage d'opérateur. On avait du mal à croire qu'ils atteignaient leurs destinataires. Le progrès. Sauf pour empêcher les gens de mourir. Antoine allait s'inquiéter de ne plus rien recevoir, il allait écrire, le facteur viendrait avec des lettres de lui : Mademoiselle Hortense Paris, Ferme Paris, Sidi Moussa, département d'Alger, avec le cachet de la poste aux armées. Qui les ouvrirait ? Il faudrait en parler à Marie. Hector savait ce que ces lettres contiendraient. « Ma chère Hortense, nous n'avons pas arrêté de marcher depuis huit jours, j'espérais hier avoir quelque chose de toi à l'étape. On dit que le bataillon va regagner Fort-National... » Avec des fautes d'orthographe. Il lui demanderait des nouvelles de ses perdrix : Hortense en élevait deux à présent en liberté, qu'elle enfermait dans une cage le soir pour les protéger des rats. Qui s'occuperait d'elles ?

Hector devait tout regarder pour raconter plus tard à Antoine, quand il serait remis de ce coup. Il lui parlait déjà. Il lui disait : C'est moi qui n'ai pas voulu qu'on t'avertisse. Pardonne-moi. A ta place, j'aurais préféré ne pas savoir. Pendant une semaine tu vas maudire le mauvais

fonctionnement du courrier. Tu mettras ton inquiétude sur
le compte de la chaleur. Pourquoi te priver d'une semaine
d'espoir ? De toute façon, tu n'aurais pas pu descendre
à temps de la Kabylie avec un des convois de Denef. Hortense, on l'avait habillée pour des noces. Cela t'aurait fait
mal. Tu rêvais d'elle dans l'église de Sidi Moussa, avec toi
dans la jaquette que Jean-Pierre t'aurait prêtée, il y a toujours dans les malles, bourrée de boules de naphtaline, une
jaquette de satin qui attend les mariages, qu'on se passe
de père en fils ou de frère en frère en la rajustant. Vous
vous seriez installés à Boufarik, vous auriez travaillé la ferme
à moitié avec Pierre. Ce visage d'Hortense, l'aurais-tu jamais
vu de ton vivant ? Une fois peut-être, un matin où, levé
avant elle, tu n'aurais pas osé la réveiller, tu aurais lu sur
ses traits qu'elle possédait la paix, l'homme qu'elle aimait,
la vie qu'elle acceptait.

— Cette traîne, dit le charpentier, qu'est-ce que tu penses,
Jean-Pierre ?

Jean-Pierre acquiesça. Le charpentier n'avait pas l'habitude de fardeaux aussi légers, il s'empêtrait dans ses pans,
il la remonta jusqu'à la ceinture de soie d'Hortense. Marie
avança, en recouvrit les mains jointes, les corolles du lis
avec leur cœur d'or, en encadra le visage.

Elle était prête, Hortense, enveloppée dans son nuage, des
anges pouvaient l'emporter. Pas toi Antoine, ni personne.
A ce moment-là, il s'est produit un déchirement en moi,
un commandement secret. J'ai peut-être fait ce que tu aurais
fait. J'ai plié. J'ai mis un genou à terre. Mon képi m'a
embarrassé. Dans ces moments-là, n'est-ce pas... J'ai cherché
en moi. Je voulais te parler et je ne savais plus quoi dire.
A mon âge, après tout ce que j'ai connu de jours et de
nuits, de musiques de cuivres et de tambours, d'injures de
soldats, de cris, d'engueulades, ne parlons pas des femmes
ni de beuveries ni de la guerre... C'est le cérémonial de la
mort qui doit déclencher ces ressorts secrets : les bougies,
les larmes d'à côté, cette pénombre touffue, la chaleur. Ça
ne m'était pas arrivé depuis ma première communion, j'ai
dit : « Notre Père qui êtes aux cieux... » Je ne me souvenais

pas bien, le reste a suivi en hésitant d'abord et puis d'une traite jusqu'à « ... délivrez-nous du mal. Amen. » Chez Hortense un amour si puissant qui ne pouvait s'enrouler autour des hommes n'allait-il pas vers Dieu ? Moi un mécréant, je me suis demandé si j'étais tellement sûr de moi, si, un peu comme on refoulait les Arabes dans les montagnes pour ne plus les voir, et croire qu'ils n'existaient plus, qu'on avait réglé ce problème, je n'avais pas refoulé les troupes de chevaux sauvages qui revenaient galoper à travers les plaines de mon âme, oui j'employais des mots de ce genre. Naturellement, ils vivaient encore, les Arabes, ils se terraient, on les dénichait dans les expéditions, en Kabylie on découvrait qu'ils étaient légion, qu'ils grouillaient, toute cette terre encore à eux, tous ces ravins où paissaient leurs moutons, tout ce chaos de crêtes où leurs villages s'accrochaient, amas luisant de carapaces de tortues, on brûlait tout, on saccageait tout, on croyait tout réduit et puis... Quelque chose cédait, une poutre maîtresse, un toit s'effondrait sur moi, la terre, les vallées, les hauteurs, tout fumait sous la poussière que soulevaient les sabots. Je n'étais pas ivre : une tasse de café avant de quitter Boufarik. Rien d'autre. Ma blessure ne me donnait pas la fièvre. Je ne sentais pas mon épaule.

Tu me diras que devant mon général étendu raide... Tu ne sais pas, je n'ai jamais fait allusion devant toi à cette nuit-là. A ma façon je l'ai racontée à Marguerite. Devant le général, je n'ai parlé que pour me confesser. J'avais besoin de lui et il n'était plus là. Je lui ai dit ce que j'avais vu. J'attendais de lui un conseil. Il m'a surtout répondu par sa femme. Cette idée-là peut paraître étrange ou grossière. Non. Il voulait me prouver que la vie continuait. Il me transmettait un héritage. A présent, je le comprends ainsi. Pas de prière devant lui. D'abord il croyait. Il avait dû tout mettre en ordre chez lui. Ce n'était pas à moi d'intervenir, sauf pour ses décorations et son épée qu'on avait oublié de placer au pied de sa couche. Je ne priais pas non plus pour Hortense. Pour moi ? Pour je ne sais quoi ? Tout se ruait à travers un barrage rompu.

En Algérie on ne laisse pas longtemps les morts attendre le cimetière. Surtout en été. Eh bien, rien qu'un très léger parfum de lis et de fleurs d'oranger, mais ça c'était mon imagination. Les fleurs d'oranger étaient peut-être artificielles, on ne sait pas. Les vraies odeurs venaient d'à côté, de l'étable, de la cuisine et de tout ce monde qui se pressait dans la salle à manger, des gendarmes. C'étaient eux qui puaient. Soudain, il y eut du mouvement. Le curé est entré avec deux enfants de chœur en soutane rouge et surplis blanc. Je me suis relevé. Ces prières-là ne me concernaient plus. Je ne les comprenais pas. Elles ne m'entraient pas dans le cœur. Le curé portait une barrette, une étole brodée, il a aspergé Hortense d'eau bénite et j'ai quitté la chambre. Lætitia attendait dans la cuisine, elle m'a souri tristement. Elle m'a dit : Marguerite est dehors avec les enfants.

6

Je n'étais pas du tout pressé de la retrouver, Marguerite. Les gendarmes se sont mis au garde-à-vous, enfin une sorte de garde-à-vous miteux. Ils ont, comme on dit, rectifié la position, mollement. Pour me montrer qu'ils me saluaient mais que, dans la circonstance, ils ne pouvaient faire du bruit avec leurs bottes. Et puis comme eux j'étais de la famille. Je suis allé à eux. J'ai tendu la main au mari de Philippine, qu'on appelle le Lézard. Il s'est approché, il avait sur ses manches les galons de brigadier, il a grossi, épaissi du cou, s'est déplumé, il a toujours un regard indulgent, probablement faux, il m'a présenté le chef de la brigade de l'Arba, un grand sec au poil rêche. J'ai eu de la peine à reconnaître le jeune Désiré Paris sous l'uniforme de la maréchaussée, ça lui va bien. Le dernier, un certain Ruzès je crois, un vrai moricaud. Plus tard j'ai su qu'il avait fait longtemps la cour à Hortense. Pour une fois, tout le monde était hostile à ce mariage-là. Sur le moment je ne comprenais pas pourquoi les autres avaient l'air de le consoler. Tant qu'Hortense restait célibataire il pouvait se bercer d'illusions. A présent, ses espérances naufragées, il avait les yeux rouges. D'avoir pleuré ou d'avoir bu ? Il sentait la vinasse. Plus tard encore j'ai mesuré la qualité du regard dont il m'a suivi : il avait failli avoir pour beau-frère par alliance ou quelque chose comme ça un capitaine avec la croix. Les gendarmes s'occupaient du père à qui j'ai serré la main. Un vieil arbre abattu devant la cheminée, les yeux vides, la moustache humide, les joues ravinées, le front buté, l'air mauvais. La mère ne gémissait plus. Elle sanglotait avec des hoquets effrayants. Les bras ballants, la tête baissée, la bouche serrée, Marie Aldabram semblait perdue dans un rêve accablant.

Il y avait des gens debout, assis sur les bancs et même sur le coffre, des voisins probablement. Du café sur la table, des verres, des tasses, du sucre, un gobe-mouches. On étouffait. La pendule était arrêtée. Derrière la porte, des crosses de fusil dépassaient. Je suis sorti. Malgré la chaleur j'ai eu l'impression de respirer. Le corbillard attelé de deux chevaux bais et tendu de blanc était au pied de l'escalier en plein soleil, l'ombre légère des noyers ne l'atteignait pas. On se savait plus où mettre les fleurs, il y en avait partout, des arums avec leur petit sexe jaune, des marguerites, des œillets, des brassées de lis, des iris, des dahlias, des hortensias mauves. Pas de chien. On avait dû l'attacher de l'autre côté de la ferme pour l'empêcher d'aboyer. Pourquoi ai-je pensé au vieux Bouychou et à son molosse ? Je me suis mis à les haïr tous les deux. Le vieux devait fourgonner dans la cuisine, mettre un peu de charbon de bois dans le fourneau pour réchauffer son repas. Je suis sûr qu'il n'a pas sorti une assiette et qu'il a mangé comme un rustre à même la cocotte en trempant de temps en temps une bouchée de pain pour sa bête. Une belle paire, tous les deux, l'un à l'image de l'autre ! Etait-ce dans la crainte de mal déjeuner ou pour ne pas quitter son chien qu'il n'avait pas voulu se déranger ?

J'ai découvert Marguerite presque sous le hangar de la

machine à vapeur que Jean-Pierre Paris avait achetée, avant
la guerre, pour faire tourner la noria. Une petite folie. Les
Paris prétendaient tirer beaucoup plus d'eau et développer
l'orangerie, l'avenir. Alexandre fourgonnait dans le foyer,
bougeait les volants, touchait les bielles. Il avait de jolies
mains ! Sa mère, l'esprit ailleurs, le laissait faire. Lâchement,
je me suis tu aussi. Cela m'évitait de répondre aux questions que je redoutais mais Sabine m'a interrogé. « Endormie d'un long sommeil, qu'est-ce que ça veut dire ? » Eh
bien, on met des années et des années avant de se réveiller.
C'est pourquoi on ne peut vous garder à la maison. On
vous range à part, au cimetière... « Et un jour on se
réveille ? » J'ai hésité, puis j'ai affirmé que oui. C'était
notre credo. Sabine a répliqué qu'elle aimerait bien s'endormir. Pour la faire taire je lui ai dit de parler de cela à sa
marraine.

Près du hangar j'ai reconnu le serviteur des Paris avec
son turban crasseux autour du crâne. Quel âge a-t-il ? Cinquante, soixante ans ? Il se ratatinait mais souriait toujours.
Ses joues étaient moins pleines. Sa famille groupée regardait. Il y avait aussi trois Arabes du douar voisin sans doute,
qui m'ont adressé un vague salut militaire. Ils devaient se
demander s'ils allaient accompagner Hortense. Si le mort
avait été le père Paris, peut-être l'auraient-ils fait. Pour une
jeune fille... Muets, immobiles, ils paraissaient sidérés par
la lenteur du cérémonial. Je me disais que pour une fois les
rôles étaient renversés : les bics étaient en vie et nous con-
duisions un mort de chez nous à sa dernière demeure. Pourquoi éprouvais-je de la gêne ? J'ai cru trouver : j'étais en
tenue, ils devaient savoir d'où je venais, ils pensaient que
la croix m'avait été donnée parce que j'avais tué beaucoup
de Kabyles ou pour tous les feux, qu'on devait voir d'ici,
que j'avais allumés dans la montagne. J'ai eu comme de
la honte. J'ai appelé Alexandre, j'ai pris Sabine par la main
et nous nous sommes avancés vers le corbillard où le cercueil recouvert d'un drap blanc et de fleurs était placé.
Derrière le crucifix, le prêtre a chanté quelques versets du
Miserere jusqu'à l'entrée de la ferme, sur le chemin de gra-

7

viers. Là tout le monde est monté dans les voitures. J'ai dit à Marguerite de rejoindre sa mère et comme je me trouvais à côté du charpentier, je lui ai offert de l'emmener. Il a grimpé à côté de moi. Les banquettes arrière du break sont restées libres, personne n'a osé s'y asseoir. Les gendarmes à cheval fermaient la marche, sauf le jeune Désiré avec la famille, dans la première voiture.

On allait au pas. Un moment, je n'ai pas su quoi dire. J'observais le charpentier du coin de l'œil et il m'examinait, la tête penchée.

— Elle est morte de quoi ? ai-je demandé. Je voudrais bien pouvoir le dire au plus jeune fils de Bouychou, Antoine. Il était avec moi, je crois qu'il était amoureux d'elle.

— Si vous voulez mon sentiment, je vais peut-être vous offusquer, elle n'était pas faite pour vivre en Algérie. Ici, il faut des femmes avec du coffre. Comme sa sœur Philippine, la femme du gendarme. Ou comme Marie, votre belle-sœur, encore que ce ne soit pas le même genre, pas du tout. Marie, je dirai qu'elle a de la vertu. Hortense, sa vertu, c'était autre chose. Une force aussi, mais dirigée ailleurs. Pas dans le sens des terres, des meubles ou de l'argent. Dans les idées. Il est comment, cet Antoine dont vous parlez ?

— C'est un homme.

J'ai observé le charpentier. Sous son feutre marron à larges bords je voyais mal son visage. La cinquantaine, des joues bien rasées, un nez aigu. La douceur de son regard qui m'avait touché. Et habillé presque avec élégance. Il sentait la netteté. Un quarante-huitard ? Je ne les imaginais pas ainsi.

— Un peu comme vous, ai-je ajouté. Avec un idéal. Pas du tout le fils de son père.

— Son père n'est pas un mauvais bougre. Un original. Un proprio. Là-bas ceux qui en avaient le moins sont les plus durs ici. Ça se comprend. Pour moi, plutôt le contraire. J'en ai assez et je n'en demande pas plus. Eux non. Ils ont

peur de perdre ce qu'on leur a donné. D'ordinaire leurs
femmes leur ressemblent. Elles se battent comme des femelles de prédateurs. Quand je dis prédateurs, ici on ne me
comprend pas. Il faut préciser : oiseaux de proie. D'ailleurs,
ils ne savent pas eux-mêmes ce qu'ils sont devenus. En
s'amusant, ils vous tuent d'un coup d'ongle entre les vertèbres. Ça les étonne. Hortense, tout le contraire. Ils l'ont tuée
aussi sans s'en apercevoir. Sa seule richesse, elle la possède
seulement : sa robe de mariée et un cercueil de chêne pour
millionnaire, mon cadeau. On ne savait pas quoi lui dire.
Elle croyait à un autre monde. Je vous scandalise peut-
être. Quand on revient d'où vous venez...
    — Vous ne me choquez pas.
    — C'est fini là-bas, paraît-il. Vous les avez calmés. Moi
je m'interroge. Je les connais. Enfin je crois les connaître.
Ils n'arrêteront pas. Je lisais ces jours-ci dans l'Akhbar, et
vous savez l'Akhbar c'est le journal des colons, que si le
gouvernement voulait acclimater la civilisation en Algérie, il
fallait agir comme les Américains pour les Peaux-Rouges,
prendre un parti énergique et faire place nette. Votre avis
sans doute...
    Je me souvins tout à coup que le jour de la prise d'Icher-
ridène, Denef, quand il avait sorti son journal, avait rapporté
cette opinion. Il avait dit : à Alger, on a décidé de refouler
les Arabes vers le sud, toutes les tribus qui ont fait acte
d'insubordination doivent être désarmées et repoussées dans
le Sahara. Ça ne m'avait pas frappé. On commençait à penser
que le décret Crémieux n'était pas un argument suffisant
pour une insurrection aussi vaste.
    Mon hésitation sembla encourager le charpentier :
    — Comment voulez-vous qu'ils nous acceptent ? A leur
place nous ferions comme eux. Nous attendrions des jours
meilleurs. Alors, tous les tuer ? On a déjà essayé de faire le
coup aux républicains. Quand je suis arrivé à Alger, on faisait dire à un officier de haut grade : « Les transportés, s'ils
bougent, je leur farcirai la tête avec du plomb. » Voyez
le résultat, ce qui s'est passé à Paris.
    — Là je ne vous suis pas. Le drapeau rouge...

— Vous avez vu les enfants de chœur du curé. En rouge aussi. Pourquoi ? Parce qu'un ange est allé au ciel l'Eglise se réjouit. Le rouge, c'est la joie. Mais je vous abandonne le rouge. Des goûts et des couleurs... En 48, on a dressé des barricades pour le drapeau tricolore. Une révolution ça ne se mate pas comme ça. Mac-Mahon a pu fusiller vingt ou trente mille ouvriers, d'ailleurs il y avait parmi eux des militaires de carrière et même des officiers qui ont déserté de l'armée de Versailles parce que le peuple leur a fait honte et les a invités à lutter pour la liberté. Vous verrez, d'autres hommes se lèveront plus tard, ça ne finira jamais.

— Vous croyez ?

— Jusqu'à l'établissement d'une justice. Je ne sais pas pourquoi je me laisse aller à vous dire ça. Voyez comment je le fais. Sans m'emballer. D'une voix plutôt calme, non ? Avec sérénité, c'est parce que vous m'interrogez sur Hortense. Dans le fond du cœur de cette petite vous auriez trouvé ça.

J'ai dû ne pas paraître trop étonné car il a poursuivi.

— Les causes de l'insurrection de la Kabylie, les colons les attribuent plutôt aux bureaux arabes. Ils pensent que ce sont les officiers qui l'ont provoquée pour continuer à régner, à faire suer le burnous, et que, menacés de se voir remplacés par des péquenots, ils ont choisi la révolte. Nous avons un gouverneur civil, par hasard amiral, un royaliste clérical. Avec lui les bureaux arabes peuvent être tranquilles, on ne les délogera pas. Je préfère ça, figurez-vous. Les militaires sont des administrateurs intègres. Je ne dis pas ça pour vous flatter ni pour me ranger avec les Arabes. Vous ne savez peut-être pas ce qu'ils disent d'eux-mêmes : l'Arabe est un rat, ne lui ouvre jamais ta porte, il aurait toujours une patte dans ton plat et l'œil sur ta femme. *Ou aïnou fi moulate eddar...* Je me méfie d'eux. Ils peuvent promettre n'importe quoi et faire le contraire : ils ne se parjurent pas. Leur devoir est de nous combattre. Tous les moyens sont bons. On conclut une trève quand l'adversaire est le plus fort. On le dénonce quand il faiblit.

— Vous semblez en contradiction avec vous-même. Par moments vous défendez les Arabes, à d'autres vous les accablez.

— Je dis ce que je pense comme je le pense. J'ai cet avantage que, venu ici malgré moi, je vois plus clair que les colons. Maintenant je m'y trouve bien, et même mieux qu'en France par les temps qui courent. Ça ne m'empêche pas de me sentir libre de juger. Si on se montrait injuste pour les colons, je serais du côté des colons. Ça ne veut pas dire que je suis avec les Arabes, la preuve. Les Arabes ne sont pas mes frères de race. On se comprend, on se comprend mais c'est plus compliqué. Je voudrais éviter qu'on fasse des bêtises. En somme j'aurais peut-être été un bon militaire si je n'avais pas été obligé de faire la guerre, alors que vous, la guerre...

7

Il me devenait sympathique. En l'écoutant, j'avais l'impression d'entendre enfin un homme, la voix d'un homme. Il ne disait rien d'extraordinaire mais les choses qui auraient paru choquantes en soi ou chez d'autres, comme le drapeau rouge, ou son indignation devant les projets d'extermination des Arabes étaient chez lui naturelles. J'avais l'impression que la vérité me touchait. Denef lui-même, s'il avait été là, aurait peut-être commencé à réfléchir. Le charpentier Virtaut se laissait aller. Pour me convaincre ou me séduire ? Il semblait heureux de pouvoir exprimer autrement que devant son auditoire habituel des idées qui lui étaient chères. Un capitaine ça le flattait, et moi, un charpentier ça m'avait manqué. Ça me changeait du père Bouychou, de Denef ou de Krieger. Je lui offris un petit cigare. Il eut une courte hésitation, puis :

— Pourquoi pas ? dit-il. Les gens prétendent qu'on ne fume pas en suivant un enterrement. Ce n'est pas Hortense qui nous blâmerait. Au contraire.

Le cortège avait atteint la route d'Alger et les gendarmes venaient d'arrêter, pour qu'il nous laisse passer, un camion de grains. Un bel attelage de six boulonnais, et parmi eux un étalon qui hennissait et qu'un des aides du conducteur descendit tenir par la bride. Ça sentait le blé et la toile des sacs. De loin, dans la plaine, à la vue des gendarmes, des Arabes s'écartaient, partaient à travers champs.

— Vous êtes pour l'ordre, continua-t-il, sans quoi vous ne seriez pas officier. Moi aussi d'ailleurs. Mais pour un certain ordre. Les ouvriers, les prolétaires comme on dit maintenant avec un sens péjoratif, ne sont ni des énergumènes ni des canailles. Bugeaud, pardonnez-moi si je vous semble traiter avec irrespect un homme qui a sa statue rue d'Isly, Bugeaud, je m'en souviens, nous considérait plus en ennemis que les Autrichiens. Il nous a bien sabrés à Paris.

Il souffla un peu de tabac, secoua sur la route la cendre de son cigare et me regarda en souriant.

— Je ne lui en veux pas. Il m'a appris beaucoup de choses. Les prolétaires, en France on les traite comme ici les bics. Quand ils sont trop nombreux et qu'ils font trop d'enfants, on les refoule en Algérie, on leur envoie des boulets en guise de boules de pain, ou on les condamne aux travaux forcés à perpète, une façon comme une autre d'avoir bonne conscience en exploitant dans les usines des criminels de naissance : pour des centaines de milliers d'ouvriers, dix à quinze heures de turbin par jour, parfois plus. Ils entrent à l'usine à cinq ans, ils y meurent, et je ne parle pas seulement des mines. Pour seule arme, la misère, oubliée ici, par moi le premier. Vous comprenez pourquoi à la première occasion... Les Arabes je vous disais qu'à leur place nous ferions comme eux. A la place des ouvriers vous vous rangeriez du côté de la propriété ? C'est pour ça que ça casse, par moments. Pour l'instant, Gambetta n'a pas gagné, Mac-Mahon et M. Thiers sont les plus forts. Ça ne vous choque pas. Les journaux disent que l'ordre règne, que le drapeau tricolore flotte à nouveau sur les Invalides, dans un sens ça me rassure.

— Quelle solution alors ?

— Les philosophes la trouveront. Les poètes peut-être. Des gens comme Victor Hugo. Vous vous souvenez comment on l'a insulté autrefois quand il critiquait le régime ? « Encore un poète qui tourne mal... »

Oui je me souvenais. Saint-Arnaud, mon exemple Saint-Arnaud, mon maître, menaçait de le jeter à bas de la tribune de la Chambre, de le f... dehors...

— A son retour d'exil, à la République, on l'a reçu en triomphe. Il s'est acheté un képi pour se montrer sur les fortifs, depuis on n'entend plus parler de lui. Il a eu des malheurs, fichu le camp en Belgique, je crois. Il se demande peut-être de quel côté virer. Plus de famille, plus de patrie ? comme certains prétendent. Pas mon genre. Je tiens à ma femme et à mon fils, j'ai souci de ma patrie. Je ne sais pas si elle est ici...

L'allée des eucalyptus annonçait l'approche du village. Les cigales nous assourdissaient. Assez loin devant nous, les pompons du corbillard tremblotaient dans les cahots. Le charpentier éteignit son mégot contre une ferrure du tablier du break puis le jeta sous les roues, soigneusement.

— ... mais je suis attaché à tout ça, comme vous sans doute, pour d'autres raisons ou pour les mêmes. Si je disais que je ne tiens à rien, je mentirais. Dans mon genre je suis aussi un proprio. Hortense regrette peut-être ses perdrix. Ça me manquerait si je n'avais plus les Paris, et même tous ces imbéciles que vous allez voir à Sidi Moussa, les gendarmes et les Arabes. Hortense, n'en parlons pas.

Là, il me sembla que sa voix se fêlait.

— Certains voudraient que la propriété soit l'affaire de l'Etat, reprit-il. D'autres qu'il n'y ait plus d'Etat du tout. Moi je dis : pas d'intolérance, la liberté pour tous les hommes. Je dois être un utopiste ou un fou : les proprios auront toujours besoin de serviteurs, alors si l'Etat devient propriétaire de tout, si nous sommes tous esclaves de l'Etat, plus rien ne nous appartiendrait ? Comment savoir à qui on appartient ou ce qui vous appartient ? Les colons gueulent parce que les Kabyles, quand ils viennent travailler, récla-

ment deux francs cinquante plus un kilo de pain par jour.
En France, on ne donne que la moitié. Et si les Kabyles ne
descendaient plus pour la moisson ? Même quand il n'y
aura que des machines, on aura besoin d'eux, ne serait-ce
que pour entasser les meules et pour les battages. J'espère
que vous ne les avez pas tous tués, qu'il en reste. Quant
aux Arabes, évidemment tout les sépare de nous. Ils se
montrent rétifs et, en même temps, ils voudraient bien essayer
de ce que nous baptisons notre civilisation. C'est là que j'ai
des doutes : l'Arabe, quand il s'installe est un clou qu'on
enfonce dans du bois. Pour le retirer... Vous étiez là au
moment du voyage de l'Empereur ? Vous vous souvenez
peut-être qu'au débarcadère Napoléon III a été accueilli
par les chœurs de l'école franco-arabe de la rue Porte-Neuve,
c'est l'instituteur qui m'a appris ça, avec un hymne à quatre
voix et en latin, ce que les curés chantent pour remercier le
gouvernement qui les paie, sur un air de *la Muette de
Portici* d'Auber arrangé par leur maître de musique Fran-
cisco Salvador-Daniel, le fils d'un juif chassé d'Espagne.
La première fois qu'on a donné cet opéra à Bruxelles, en
1830, la Révolution éclata, les Hollandais furent expulsés
et la Belgique devint indépendante. Ça vous amuse ? Ça n'a
pas porté bonheur non plus à ce Salvador-Daniel. Tombé
amoureux fou d'une de ses élèves, la fille du meilleur pâtis-
sier d'Alger, il devait se marier avec elle quand le choléra
a emporté sa belle en novembre 65, je crois. Il n'y avait
pas que ça : à l'époque, à Alger, les Français et les Arabes
commençaient à se comprendre : on voyait des hommes
de qualité comme Jacques Bresnier, Oscar MacCarthy,
Roland de Bussy ou Emile Masqueray fraterniser avec les
Si Ahmed ben Rouïla, les Ali Cherif, les Ahmed el Badaoui,
les Ismaël bou Derba et d'autres. Pas étonnant que notre
Badinguet, je ne vous scandalise pas ? se soit laissé aller
à rêvasser. Ce brave homme avait peut-être raison. Il a
eu tort de se laisser embobiner. Mais Paris et tous nos gouvernements ont-ils jamais rien compris à ce qui se passe
ici ? Le malheur c'est que, dans les hautes sphères d'Alger,
c'est kif kif. L'amiral de Gueydon va écraser tout ça sous

son rouleau compresseur en croyant faire des routes. Je
vous ennuie.

Je protestai. Je lui dis qu'il me montrait un aspect de la
question qui m'avait échappé, que je ne fréquentais pas
d'Arabes, que je ne parlais pas leur langue, que je connaissais
seulement un lieutenant indigène et que sur certains points
je me trouvais en accord avec lui et en désaccord avec mes
camarades.

— Si vous commencez, dit-il. Mais je vous fais confiance.
Vous n'êtes pas un faible, vous. Vous ne vous laisserez
pas mener par le bout du nez.

Ce mot m'a frappé. Je crus entendre ce que le général
m'avait déjà chuchoté sur son lit de mort.

Le corbillard tournait à gauche, s'arrêtait devant l'église
toute pimpante où j'entendais sonner le glas depuis un
moment. Les voitures se rangeaient. Nous descendîmes. Il
m'aida à attacher les chevaux.

— Vous voyez, me dit-il, eh bien j'ai l'impression qu'Hortense est heureuse, qu'elle se félicite, j'exagère, de nous avoir
quittés, que sa mort a servi à quelque chose. Maintenant je
vous laisse.

— Vous n'entrez pas ?

— Ce ne sont pas mes idées. Je vais attendre à l'Espérance. A tout à l'heure.

8

Les femmes sur une travée, les hommes de l'autre. Je me
suis rapproché de la famille, j'ai appelé Alexandre et suis
allé avec lui près de Jean-Pierre. Ça a demandé du temps
d'installer le cercueil sur le catafalque, de transbahuter les
fleurs. Les vêtements noirs juraient à côté des ornements
sacerdotaux et de la soutane des enfants de chœur. Avec
mon pantalon rouge et ma croix, j'étais seul dans la note.

Je me demande, mon pauvre Antoine, si, à te parler ainsi,

à tout te raconter comme si nous étions à table ensemble ou en train de casser la croûte devant un paysage de Kabylie avec des sonneries de clairon dans le lointain, des coups de canon et un grand fatras de crêtes, de vallées brûlées, de poudroiement de lumière, je ne te fais pas saigner. Comment vas-tu me juger ? Toi, près du corps d'Hortense, tu aurais tout senti autrement. Et moi, s'il s'était agi de... De qui ? De Marguerite avant de l'épouser ? Rien de commun. Après des amours fulgurantes et ce qui vient de se passer entre nous, rien si tu veux, du brouillard comme le matin de l'attaque d'Icherridène, ce qui nous lie Marguerite et moi, voilà, c'est Alexandre précisément. Un fils. Celui-là il faut que je le forge à mon image. Le charpentier me manquait. Je pensais à toi. Il me semblait que tout était dans l'ordre. Ce mot encore m'a choqué. Dans l'ordre, avec Hortense ensevelie sous les fleurs, pendant que le curé chantait l'absoute d'une voix fausse et après ce que M. Virtaut m'avait dit ? Tu aurais pleuré. J'étais troublé. Ces chants funèbres juraient. Pour moi, tu vois, j'admirerais plutôt les Kabyles et les Arabes dans l'idée qu'ils se font de l'au-delà. Pas d'enclos. Les tombes presque dans les maisons, les morts mélangés aux vivants, cette façon qu'ils ont de se saluer au pluriel pour ne pas oublier l'escorte invisible qui accompagne les hommes. Ici, on s'embêtait. Respirer un peu d'encens coupa la touffeur qui montait de l'assistance en sueur. Mon épaule m'élançait. Heureusement que le curé ne disait pas une messe.

Il était blasé ce saint homme, depuis le temps que dans ses paroisses précédentes il enterrait à pleines charretées des enfants et des jeunes filles pendant les épidémies de malaria. Normalement les fidèles de Sidi Moussa auraient pu continuer à aller aux offices à l'Arba, mais on disait que Sidi Moussa allait prendre de l'extension, alors on avait bâti une église, accroché trois cloches dans son clocher et nommé un curé entre deux âges avec une barbe grisonnante et une voix tonnante, qui n'avait pas l'air tellement heureux d'être là. Il expédiait un pensum. A gauche la chapelle de la Vierge, à droite celle de saint Joseph, au-

dessus du maître-autel un tableau de saint Charles en car-
dinal au milieu des pauvres et des orphelins, on aurait cru
l'illustration de l'archevêque Mgr Lavigerie. Rien d'émouvant.
Tous les autels et la chaire en marbre blanc. Un lieu de
culte a besoin de patine. Celui-là sentait encore la chaux
des peintres. Les chants résonnaient sans mystère. Nous,
dans l'armée, quand les aumôniers bénissent nos dépouilles,
c'est sous le ciel et dans le bruit des camps. Le vieux Paris
était assis sur une chaise, la tête dans les mains. Il n'en
pouvait plus. Il se demandait peut-être ce que la cérémonie
allait lui coûter : pas grand-chose. Il y avait bien l'harmonium et six enfants de chœur, mais le curé de l'Arba n'était
pas venu. Un enterrement de seconde classe à peine. Enfin
un accent joyeux, un cri d'allégresse : *In paradisum...* Oui
qu'elle monte au paradis, Hortense, qu'elle nous laisse à
notre sort, qu'elle jouisse de la félicité éternelle avec les
Trônes et les Dominations, qu'elle écoute les chœurs des
anges !

Lamentablement, à pied, nous sommes repartis. Sur la
place, nous avons tourné à gauche. Des hommes sont sortis
du café de l'Espérance pour se glisser dans le cortège. J'ai
reconnu parmi eux le charpentier. M'étais-je trompé sur
lui ? Son culte à lui, le célébrait-il dans un bistrot ? Ses discours sur le prolétariat, une absinthe les inspirait-elle ?

Le cimetière n'était pas loin, après la mairie et l'école,
sur la gauche encore, derrière un enclos de murs, vaste
chantier qui attendait ses ouvriers et ses habitants. A peine
peuplé. Une vingtaine de tombes, où des milliers tiendraient
aisément. On voyait grand en effet. Déjà, près de l'entrée,
deux caveaux inachevés, sans nom de famille. Les Paris
auraient pu s'en payer un, mais qui y aurait pensé ? Pas le
vieux, il avait vécu trop pauvrement pour cela, et puis ces
idées-là ne germent que dans la cervelle des gens en pleine
force qui se croient immortels et se figurent préparer l'avenir
des autres, assurer à leurs parents une dernière demeure
glorieuse et bâtir un monument à leur propre vanité. La
tombe d'Hortense était creusée à côté des autres, près de la
croix qui s'élevait au centre.

Il y a eu encore des prières. Le soleil commençait à taper. Les fleurs se fanaient. Pour un patelin comme Sidi Moussa, c'était un spectacle. On me regardait avec cette impudeur innocente qu'on a en Algérie. En France on observe aussi les étrangers mais par en dessous, en glissant comme par inadvertance. Ici, est-ce dû à la lumière méditerranéenne qui ne dissimule rien, à la brutalité des rapports ? On vous reluque avec aplomb, comme les chiens entre eux, d'une effronterie toute naturelle, sans nuances. On surprend des clins d'œil. Il y avait deux ou trois zigotos qui suivaient Marguerite de près. Non mais... Inutile de se scandaliser, c'est le pays qui veut ça, le brassage de toutes ces races, l'absence de retenue, l'état brut des conditions : les mœurs ne sont pas plus choquantes qu'ailleurs, peut-être moins. Seulement tout ce qu'on ressent est bon à exprimer. On ne se gêne pas. Les Arabes, pourtant si pudiques quand il s'agit d'eux-mêmes et de leurs propres femmes, ont tout à coup des gestes cyniques pour les infidèles. On a l'impression qu'en Algérie le péché n'existe pas. Pauvre curé !

Quand on s'est apprêté à descendre dans la tombe le beau cercueil de chêne du charpentier, j'ai entraîné Alexandre. J'ai été tenté de lui prendre la main, elle était si sale d'avoir tripatouillé la machine de la noria que j'ai hoché la tête pour le gronder. Dans du sapin, Hortense n'aurait pas pesé lourd. Nous sommes retournés sur la place de l'église en évitant le café, par une petite rue bordée de maisons basses aux tuiles rondes. Nous avons repris la route. Des essaims de mouches nous escortaient. Les chevaux se fouettaient les flancs avec agacement. Il était midi passé.

9

Alexandre et moi n'avons pas dit un mot pendant tout le trajet. J'ai fumé un autre petit cigare. Nous sommes arrivés

à la ferme les premiers. Meftah s'est approché. Il m'a encore
touché la main puis baisé son doigt et moi j'ai posé ma main
sur mon cœur, ostensiblement, à la façon musulmane. Il a
dételé les chevaux et les a conduits à l'écurie.

Jean-Pierre a rappliqué avec son deux-roues. Il emmenait
Marie et Lætitia. La ferme semblait dévastée. C'était, comment dire ? un rivage quand la marée se retire. On ne reconnaissait plus rien. Le chien revenu devant sa niche n'aboyait
pas. Il ne savait plus, tournait, s'enroulait dans sa chaîne.
Dans la salle à manger, Marie a débarrassé la table et l'a
essuyée. Lætitia, peu habile pourtant à ce genre d'ouvrage,
l'a aidée. Elles ont rangé les sièges, Marie a ouvert le coffre
de la pendule, remis le cadran à l'heure et le balancier en
marche. Elle a fermé la porte de la chambre d'Hortense,
où elle avait caché la cage des perdrix. La femme de Meftah
a apporté une marmite qui paraissait lourde, puis a lavé
les verres et les tasses. Marie a dressé le couvert. Jean-
Pierre, Alexandre et moi sommes restés debout sous l'auvent,
en silence, à regarder fixement les noyers, l'orangerie et les
cyprès. Le temps s'était assombri. Les cigales se taisaient.

Une à une les voitures sont rentrées. Dans le break conduit
par Désiré, les parents avec Philippine, Marie Aldabram,
Marguerite et Sabine. Puis l'autre frère, François, que je ne
connaissais pas, sa femme qui avec Dolorès s'était chargée
des gosses, Pierre Bouychou, toute la famille, quoi. Pour
finir, le charpentier. On pouvait dire qu'il en faisait partie.
Il ne manquait que le Lézard, qui avait dû rejoindre Maison-Carrée.

— A table, a commandé Marie.

Le père Paris et la mère se sont fait prier. Marie les a pris
par la main et conduits à leur place. Sa place à elle c'était
celle de Marie Aldabram à Boufarik, au bout d'où l'on
surveille toute la table. J'étais à sa droite. La femme de
Meftah a posé la marmite près d'elle, Marie a servi tout le
monde.

— C'est un ragoût que Zohra a préparé, dit-elle. Il faut
manger.

Ça sentait bon. J'ai pensé que ton père ratait ça. J'avais de l'appétit. Peu à peu, avec le bruit des fourchettes et des assiettes, la conversation a monté. Le vieux Paris s'est mis à grignoter, on ne s'est plus occupé de lui. Jean-Pierre m'a interrogé sur la Kabylie. Je suis resté évasif. Je n'ai parlé que de toi, de ton courage, de ce que tu représentais. Jean-Pierre allait être démobilisé, on renvoyait la garde nationale dans ses foyers. Marie avait de la peine à avaler. Elle devait penser au moment qu'elle connaîtrait quand il faudrait remettre la chambre d'Hortense en ordre, sortir le lit au soleil, jeter les draps à la lessive. A qui allait-on la donner cette chambre ? Elle resterait vide un temps et puis la vie continuerait. Une autre Hortense l'occuperait, cette petite Mathilde que je n'avais pas vue, on avait dû la confier avec son frère, encore un Antoine, à des voisins ?

Jean-Pierre s'inquiétait des battages qui n'avaient pas commencé en raison des événements, il pensait que les Kabyles reviendraient. Ceux qui travaillaient dans la plaine ne s'étaient pas révoltés. Il prétendait qu'il n'y aurait pas eu d'insurrection si on n'avait pas voulu envoyer en France les smalas de spahis de la région de Boghar qu'on avait recrutés pour la police locale. Leur contrat spécifiait qu'on ne les utiliserait qu'en Algérie, et puis un général avait décidé de leur faire traverser la mer. Les hommes s'étaient bien mis en route, mais les femmes et les enfants les avaient arrêtés. Alors ils avaient tué un brigadier français et incendié Souk-Ahras. D'après lui, tout venait d'une faute du gouvernement. Pour ma part, je pensais que la rébellion des spahis n'avait été qu'un détonateur. Le charpentier m'approuva. Puis on parla de la Commune. Jean-Pierre s'indigna. Comment pouvait-on incendier une ville comme Paris ?

— Quand on se trouve au plus profond de la misère, dit le charpentier, qu'on a l'impression que tout est perdu, que l'ennemi envahit tout, qu'on ne croit plus à la victoire, qu'on est trahi par ceux qui veulent conserver leurs places, détruire devient presque un sentiment de dignité. Que l'étranger avance sur des ruines ! Mourir pour mourir, on flanque tout en l'air. Les Prussiens approchaient, ne l'oubliez pas.

Il avait vu une affiche, apportée par qui ? dans laquelle
le peuple de Paris demandait aux soldats de Versailles de
se joindre à lui.

— Pour juger, reprit-il, on doit avoir partagé le sort de
ceux qui souffrent. Si tu t'étais trouvé à Paris, Jean-Pierre,
de quel côté te serais-tu rangé ? Du côté des aristocrates ou
du côté des autres ?

C'était sa marotte, au charpentier : les autres. Je me suis
tu, mais, à cause de ces officiers dont il m'avait parlé, je me
suis soudain demandé si l'obéissance militaire ne pouvait
pas entraîner dans le crime, si au-dessus du devoir du soldat
il n'y avait pas un devoir de patriote. Est-ce que par hasard
le colonel d'artillerie de Marguerite n'aurait pas rendu
ses batteries aux Prussiens pour se mettre ensuite au service
du maréchal de Mac-Mahon défenseur de l'ordre bourgeois ?
Le général de Roailles quel choix eût-il fait ? Les propos
qu'il m'avait tenus au lendemain du procès Voineau me
sont revenus en mémoire. Assez vaguement. Je me souvenais
seulement qu'il m'avait parlé de cas de conscience et du livre
d'Alfred de Vigny. Ici, en finissant le ragoût de mouton
aux pommes de terre et en buvant du vin rosé, le problème
ne semblait pas tragique. Il faisait bon. On essayait de
rester tristes parce qu'on venait de conduire Hortense au
cimetière, mais la vie nous poussait. Il allait falloir penser
à rentrer. A cause de Marie sans doute, une Bouychou
pourtant, de la race de son père, et devenue une Paris, je me
sentais plus allié aux Paris qu'aux Bouychou. Un peu comme
toi tu étais amoureux d'Hortense, de la terrible douceur qui
brûlait en elle, plus que de sa beauté de femme. Ce n'était
pas une Aldabram celle-là. Son nom ne venait pas d'une
étoile. Du soleil plutôt, en sa plénitude féroce, des illuminations du jour en son éclat, tout cela enfermé derrière son
petit front têtu, à présent sous la terre glaise du cimetière.
J'ai regardé Pierre qui essuyait son assiette, en face de
Marguerite. Oui, qu'aurais-je fait au milieu d'officiers prêts à
se débiner devant les uhlans ?

— Et puis, de la Commune de Paris que sait-on ? dit le
charpentier. Ce que les journaux impriment. Il s'est passé

quoi au juste ? Pour se faire une opinion, il faudra attendre les procès.

Je me suis levé. J'ai dit qu'on s'en allait. Pierre m'a passé son deux-roues et je lui ai laissé le break. J'ai embrassé Marie et nous sommes partis, Marguerite, les enfants et moi. En chemin, je me reprochai de n'avoir pas demandé pour toi quelque chose d'Hortense, pas son chapelet, elle l'avait dans les mains, un cahier peut-être, le porte-plume avec lequel elle t'écrivait, une bricole. J'y avais pensé. Je n'avais pas osé. Quand on aime, a-t-on besoin de gri-gri ? Est-ce que cela t'aurait rendu Hortense ?

Je ne sais pas pourquoi j'étais soulagé. Presque heureux.

CHAPITRE II

1

Etait-ce dû à Blida ? Un grand changement s'était produit chez Mme de Roailles. Pareille à un continent gelé qui fond sous le printemps, elle découvrait en elle de la futilité, s'accusait de négliger ses grands devoirs, et, loin de s'en repentir, paraissait s'en amuser. Les Russes avaient un nom charmant qu'aimait citer le général pour décrire cette débâcle de l'hiver qui rendait les routes impraticables, faisait craquer le sol et les maisons, brisait les glaces : la raspoutitsa. Oui, mais toute cette boue dans laquelle on pataugeait alors ?

Depuis dix ans, de saison en saison, Mme de Roailles avait remis ce voyage à Blida. Sous l'éblouissement de la lumière d'ici, on pouvait à présent considérer cette aventure avec sang-froid. Car vouloir renouer avec Marguerite ces liens formés à l'occasion d'une fête avait été une aventure. Le souvenir de son mari ressemblait à un reflet doré sur un horizon marin, une douceur qui s'éloignait et finirait par disparaître. Unie à un homme par un sacrement, elle avait préféré cet homme à tout. Il l'avait projetée dans un monde qu'elle n'avait distingué qu'une fois perdu. Le général était bon, attentionné, délicat. Il affectionnait la simplicité du langage et des manières, mais c'était un Roailles et ses vingt-deux ans de différence d'âge commençaient à

peser. Si seulement il était resté en activité ! Son passage
dans la réserve, au moment où il allait compter dans les
conseils et où les vraies valeurs du siècle apparaissaient à
sa femme, s'était traduit par une déception commune.
Quelle erreur cette démission quand c'était le scandale qu'il
fallait provoquer ! Si encore on était parti sur la pointe
des pieds, si Marguerite n'était pas venue ! Quitter Alger,
sa lumière fatigante, ses distractions, quel soulagement ! La
fête des adieux avait déclenché un appétit de tendresse qu'elle
avait cru éteint. Quitter du même coup un attachement de
cette qualité sans rien recevoir en échange ? Etait-il raisonnable de se laisser emporter par une amitié aussi pas-
sionnée pour une jeune femme belle et innocente, de lui
donner son cœur sans le lui avouer, Mme de Roailles n'avait-
elle même pas songé à ne plus la quitter ? Par bonheur, le
mécanisme mis en marche par la démission n'avait pas souffert de relâche. Une fois les ponts rompus, on ne revenait
pas sur une telle décision. Le général avait versé la mélancolie de sa femme sur le compte du changement d'air. Après
deux ans de cette humidité d'Alger, quelque chose se détra-
quait en soi. On ne se réaccoutumait pas aisément à un
climat plus sec, même à celui de Fontainebleau pourtant
brouillasseux.

Et quel désenchantement ! On avait d'autres chats à
fouetter que ceux d'un général en retraite qui rentrait
d'Afrique. Pour ses ambassades même, le gouvernement
nommait des serviteurs dévoués sans restriction à toutes ses
politiques. On ne pouvait désavouer les grands commis, les
maréchaux, encore moins des ministres, pour une expédition punitive, finalement couronnée de succès, qu'un petit
commandant de subdivision avait désapprouvée. Quant à la
famille, elle n'avait rien compris. Pour ne plus subir humeurs
et remontrances, on s'était dépêché de s'exiler dans le
Rouergue : la solitude, et la foire de Villefranche le dernier
samedi du mois pour toute diversion.

La générale devait rendre hommage à son mari. Les visi-
teurs pouvaient le prendre pour un rêveur, un dilettante, un
amoureux du calme. Sans jouer les grincheux, il avait remisé

tenues, armes et décorations. A cette idée de sa femme de
passer un printemps à Blida qu'elle n'avait jamais voulu
visiter quand cela était facile, il ne protestait pas. Mais lui
non, c'était fini. Il ne remettrait plus les pieds dans ce pays.
Chaque fois que le rêve revenait flotter à la surface de
l'ennui, il ne se rebellait pas, il sombrait dans la tristesse
et tombait malade. Vraiment. Des migraines, des abatte-
ments, des essoufflements qui n'étaient pas feints. Le mé-
decin prescrivait du repos. Comment le laisser seul ? La vie
passait. Le deuxième enfant de Marguerite s'appelait comme
la générale, et paraît-il, lui ressemblait. Ça... On s'écrivait.
« Invitez les Griès à passer un congé ici... » Le capitaine
n'en prenait jamais. Les lettres de Marguerite étaient sim-
plettes, le général souriait, le charme se dissipait dans les
vapeurs d'un couchant, gagnait les hauteurs du ciel où il
s'éteignait.

Cependant l'année d'avant la guerre, un peu avant Noël,
la lettre de vœux des Griès et le projet de passer l'hiver en
Afrique revenus peupler les silences, un jour à déjeuner
le général avait dit de sa petite voix calme : « Nous repen-
sons à Blida n'est-ce pas ? En ce moment nous voguons
sur l'un des nouveaux steamers des Messageries impériales.
Comment s'appelle-t-il ? » Et puis, se remettant soudain à
tutoyer sa femme, et, contrairement à son habitude, vulgaire :
« Le soir de la fête, tu te serais bien laissé peloter par mon
aide de camp. Ne proteste pas. Je t'ai vue quand tu dansais
avec lui. Je n'en croyais pas mes yeux. Cette ardeur dans les
tiens... Qui sait ? Il lui aurait suffi de t'entraîner dans les
jardins... » Elle avait eu un coup au cœur. « Vous êtes
fou... » Il avait continué avec douceur, il s'amusait presque :
« Une femme comme toi, l'élite, la fleur, et en une seconde
tout change, tout bascule, tout s'écroule. Quand je mesure
le bonheur que nous prodigue une amitié d'hommes, pourquoi avons-nous tant besoin de vous ? Pour le danger que
vous représentez ? Nous vous offrons notre vie, nous misons
tout sur vous, un nuage trouble notre ciel, on n'y prend pas
garde. Quelle idée ai-je eue d'aller revoir mon ancienne
ordonnance ! Sans cette petite Bouychou, tu aurais continué

à considérer Griès comme un malotru. Nous le marions, nous
invitons sa femme à Alger, l'ouragan se déchaîne et brise
tout. Chères, irremplaçables créatures ! Toujours inquiètes,
en proie à des vapeurs ou des déchirements à propos de tout,
l'amour est votre maladie, votre enfant véritable. Je
t'adore... » Puis il avait changé de conversation. Cet hiver-là,
il n'avait plus été question de Blida.

Le général se trompait. Même si Mme de Roailles avait
eu pour l'aide de camp cette brusque inclination, son mouvement s'adressait moins à lui qu'au séducteur de Marguerite qu'on devait séduire à son tour pour qu'il consente
à quoi ? à un partage d'affections ? Il s'agissait bien de cela
à l'époque de ces tempêtes que le général avait essuyées
sans savoir d'où elles venaient ni où elles allaient. Depuis
longtemps en tout cas, depuis que Marguerite était partie
avec sa robe de bal et son diamant, elles ne soufflaient
plus. Mais qui était maître de ses rêves ? Un mot, une image
surgis des fumées, et ils se levaient, ravageaient un rivage.
On se réveillait le cœur battant, puis le jour les brouillait.
Le soir d'autres rêves se levaient. Le temps coulait.

Pour couronner le tout, la guerre. Dans le manoir de
Bach, Mme de Roailles n'avait pas le même regard sur son
miroir. Décidément le devoir semblait sa vocation. A quoi
servait de rompre avec son destin ? Il eût mieux valu devenir
clarisse. A quarante ans passés, prieure d'un des couvents
de l'ordre, peut-être, tout occupée de Dieu et des affaires
de sa communauté, éprise des grandes choses de la religion,
perdue dans le souci de son salut, moins soucieuse des
saisons de la vie terrestre que du retour monotone des temps
rituels, l'avent, Noël, le carême, Pâques, l'Ascension, la
longue période vide d'après la Pentecôte, les fêtes des saintes
patronnes, les retraites, les confessions, les scrupules, les
dissensions intérieures, les petits drames, l'économat, les
difficultés avec le clergé local, les riens et les questions
considérables sur l'Eglise, la foi, la charité, les fondements

de l'espérance chrétienne. Sa vie eût été plus remplie. Et
puis brusquement cette fin et aussitôt ces recommencements !
Le capitaine venu visiter son ancien général aurait été l'officier d'autrefois que rien ne se serait passé. Justement, il
était méconnaissable. Imagination, cela ? Cet accent du
Gers qui donnait jadis de la vulgarité à ses propos s'était
gommé pour laisser apparaître d'autres teintes, la tonalité
du nouveau parler algérien ou des troupes africaines. On ne
trompe pas certaines femmes, pas plus qu'il y a du calcul
dans les gestes de certains hommes. Quand il avait posé la
main sur son épaule, il avait presque pris le général à témoin.
Il était la réponse.

Le projet s'était-il renoué subitement ou bien l'épreuve de
la mort de Nicolas avait-elle tout remis en cause ? Quand
le capitaine lui avait demandé où elle comptait aller, elle
avait répondu : cet hiver à Blida si Marguerite me supporte. Sans le capitaine, elle n'y eût plus songé. Les attachements les plus délicats se dénouent, s'usent, se décom-
posent. « Si Marguerite me supporte », un pieux euphé-
misme. Me supporterai-je là-bas ? La supporterai-je ? Des
mots échappaient des oubliettes des âmes. Surgissant de
la nuit et du cœur même de la défaite, marqué par elle,
et, pour la première fois, avec de la noblesse sur son visage,
le capitaine avait apporté un salut. Ce soir-là elle avait peut-
être cédé à Blida.

Depuis le retour du capitaine, Blida avait pris un autre
sens. Marguerite ne comptait plus guère. Ni même le capitaine. Hector, elle prononçait ce nom en elle-même avec
un peu d'ironie, Hector avait été l'orage inattendu, un rêve
semé d'éclairs, un archange d'annonciation, tombé du ciel
et reparti. On ne court pas après un mirage, on n'est pas
dupe à ce point. Alors quoi ? Tout mêlé, illusion et désil-
lusion, désenchantement et quête d'enchantement. Tout ce
qu'on lui disait, Blida la petite rose, la garnison à réputation
de libertinage, le parfum des orangers, les trompettes de
cavalerie dans le matin, les zouaves rentrant de manœuvres,
leur capote en rouleau par-dessus l'épaule, les concerts sur
la place d'Armes plantée de platanes, ah ! oui, une belle

pouillerie, et cet amas de casernes dès qu'on quittait le centre
de la ville. Naturellement, Marguerite ne s'était pas inquiétée
de louer une villa avec domestiques, elle attendait de voir
Sabine arriver, le voyage avait été si souvent décommandé,
et puis avec les événements on avait tous les logements
qu'on voulait.

2

Eh bien il avait suffi de se trouver à Blida pour que tout
changeât. On avait l'impression qu'on faisait franchir la mer
à toute l'armée française pour la mettre hors de portée des
Prussiens. Quel mal déjà pour obtenir une place sur un
navire ! Huit jours d'attente à Marseille. Et subitement, à
Blida, plus un toit libre.

Le premier soir elle avait couché dans la chambre
d'Alexandre relégué sur un matelas dans la salle à manger,
la petite Sabine dormait avec sa mère. Une solde de capitaine
quand on n'avait que cela pour vivre... Jadis, de si loin, la
générale imaginait un palais de l'Agha en miniature, des
palmes, des eaux chantantes, des oiseaux, le capitaine
était en manœuvres, elle partageait le lit de Marguerite. Toutes deux vivaient dans une sorte de tendresse amoureuse, elles
ne se quittaient pas, les nuits coulaient dans une profondeur
étrange, voluptueuse. Le capitaine revenu de ses montagnes
pour quelques jours, Marguerite s'échappait, visitait son
amie presque en cachette, ou attendait un nouveau départ
du mari. De la folie. Ces inventions que l'esprit fabrique
hors de toute réalité.

Dans le lit d'Alexandre, trop étroit pour elle habituée à
des aises qui devenaient ici du luxe : la fenêtre de la chambre ouvrant sur une cour où des familles juives fourgonnaient
et caquetaient dès l'aube, la générale s'était demandé ce
qu'elle faisait là. Marguerite lui eût proposé sa chambre,
qu'elle aurait refusé, le sortilège s'était envolé. Pour comble,
des moustiques. Ah ! oui, Blida... Une fois revenues du

choc de la surprise de l'arrivée, on s'était embrassé, embrassé, des transports trop violents qui cachaient quelque chose, tentaient de réveiller une ferveur éteinte. « Laisse-moi te regarder... » La générale avait failli redire « vous » et puis, après une légère hésitation des deux côtés, le tutoiement qu'on employait dans la correspondance s'était imposé. Marguerite toujours aussi belle, ses yeux même plus envoûtants qu'autrefois, avec des ombres où naviguaient des paillettes d'or, tout un monde d'astres, son visage adouci par la mélancolie de la vie, son corps à peine épaissi, une gorge épanouie tout en douceur, mais... Dix ans avaient fui, la générale le savait, elle n'avait pas eu besoin de se regarder. Le palais, les flambeaux, les serviteurs, les feux de bois le soir, les uniformes, jusqu'à la bourrasque qui avait battu Alger toute une semaine et les obstacles que représentaient les hommes à la tendresse qui naît entre deux femmes, tout s'était défait avec une certaine innocence, un miracle de grâce et de ravissement réciproques, sait-on ce qu'invente l'esprit et comment se forment dans le ciel ces couleurs et ces nuages qui transportent les âmes ? Le temps ni la perte de la splendeur n'étaient la vraie raison. On aurait pu adorer Marguerite plus et mieux qu'autrefois. La déception tenait à la fragilité même des choses humaines, à ces passages de migrateurs toujours en route vers le soleil, les déserts ou la mort.

Le lendemain, la générale avait évoqué l'éventualité d'un retour du capitaine pour décamper. La Kabylie n'était pas si loin, on ne savait jamais. Le capitaine pouvait revenir brusquement en pleine nuit et quelle contrariété s'il n'éprouvait aucun plaisir à trouver Mme de Roailles chez lui. Jadis elle se serait accommodée de tout. Elle s'était aperçue que Marguerite ignorait presque tout de ce que faisait son mari, sinon qu'il était rentré de la guerre contre l'Allemagne avec des silences et des bizarreries, à cause de la mort du général ? La mort du général l'assombrissait moins que la défaite, il ne pensait qu'à s'en aller. Et depuis quinze jours Marguerite était sans nouvelles de lui. Tu lui as écrit que j'arrivais ? Elle ne lui écrivait pas. Un homme

sans lettres de sa femme ? Raison de plus pour ne pas rester
là, il pouvait tomber d'un moment à l'autre, de méchante
humeur. Vite l'hôtel d'Orient. Mais alors ces odeurs de friture à tous les repas, ce cliquetis de vaisselle qui durait
tard dans la nuit, ce service de souillons, ces cloisons qui
laissaient percer tous les bruits, ces portes qui claquaient...

Marguerite dînait souvent avec un colonel d'artillerie, un
célibataire ébloui par l'Algérie, plein de faconde, volubile,
empressé, portant le front en arrière, avec un nez busqué de
faux oiseau de proie. Comment un homme comme lui pouvait-il déjà commander un régiment ? Peut-être à cause de
sa souplesse ou de sa futilité. Comment Marguerite pouvait-elle se laisser impressionner par un titre aussi obscur
que celui de comte de Saintonge ? A quoi pensait-elle ? Se
vengeait-elle, à son insu, d'une infidélité qu'elle pressentait
sans la connaître ? Ou bien la rassurait-il ? L'amusait-il ?
Elle semblait ne rien lui avoir donné mais se laissait peu à
peu investir. Qui, des deux, pris dans la glu, s'agitait ?
L'artilleur avait eu du mal à se remettre de la présence de
la générale puis avait déployé ses batteries, offert ses services
et, à la nouvelle que Mme de Roailles vivait à l'hôtel, déclaré
avec chaleur que c'était là une chose impossible, qu'il lui
offrait de partager la villa trop grande pour lui qu'il occupait
près du Bois sacré, au milieu des orangers et des oliviers, et
où il ne rentrait que le soir, qu'elle y serait maîtresse de
tout. « Et puis méprisez les cancans d'une sous-préfecture.
Vous êtes au-dessus de tout cela. » Il y avait chez lui de la
générosité, un brin d'inconscience et de folie. Il pouvait en
imposer à une femme comme Marguerite. Les désagréments
de la situation avaient eu raison des hésitations de la
générale. Un colonel si peu compromettant ne valait pas
qu'on souffrît d'inconfort. Une semaine après, elle régnait
dans la belle maison mauresque. Blida retrouvait un certain
lustre à ses yeux.

Tout chaviré de dévotion, d'admiration, d'adoration pour
la générale, le colonel donnait des dîners, s'effaçait, se grisait d'on ne savait quelles espérances, il se croyait amoureux, un bien grand mot pour lui, mais de qui ? pas de la

générale tout de même, de Marguerite, des deux ? Chez
Marguerite, qui passait tous les après-midi avec son amie,
la générale ne discernait pas la distinction qui la rendrait
digne des positions supérieures. Un manque d'ambition
qu'on ne pouvait mettre au compte de la sagesse. L'armée
n'était-elle pas un champ de courses ? Marguerite ne sentait
pas qu'elle aurait pu pousser le capitaine à gagner des
trophées. A moins d'un hasard, elle semblait avoir atteint
son zénith.

3

Devant son miroir, les réflexions de Mme de Roailles
prenaient toujours de l'acuité. Là, il fallait guetter la réalité,
la déjouer, prévenir ses approches, essayer au besoin de la
tromper en l'égarant sur de fausses pistes, brouiller des
traces, s'ennuager parfois, composer. Et cependant, sous les
sourires ou la gravité, il n'était plus possible de tricher avec
l'ennemie qu'on avait en face de soi, en soi hélas.

Ce combat que menaient les femmes à s'observer derrière
des apparences était impitoyable. Rarement une trêve ou
un armistice, et le traité de paix signé à l'âge du renoncement
sur une défaite. Tactique et stratégie consistaient à reculer
ce temps-là le plus loin possible, une fois toutes les munitions
épuisées. On ne se rendait pas. Cette guerre-là n'arrêtait
jamais.

Ces légères rides de la patte d'oie, ces minuscules griffures qui résistaient à toutes les crèmes du soir, aux mas-
sages de l'eau de concombre, ne chagrinaient pas tellement
Mme de Roailles. Ce n'était rien encore que des ondes à
peine visibles, les traces d'un oiseau secret posé sur les tempes
pendant la nuit et qu'on découvrait chaque matin plus
nettes. Pour les effacer aux yeux d'un homme, il suffisait
du regard de l'amour. Le général les avait-il jamais vues ?
« Mon Dieu, se dit-elle, Nicolas... »

Non, ce n'étaient pas ces rides-là que Mme de Roailles

surveillait, ni celles des yeux qui donnaient plus d'éclat à l'âme par la marque des veilles et des tristesses. Ni celles du front : la pensée, la réflexion. Mais celles des joues. Ce sillon terrible, implacable qu'une charrue qu'on ne sentait pas vous déchirer approfondissait chaque jour de chaque côté du nez, de chaque côté de la bouche, d'abord une simple égratignure, un coup de griffe, puis une rayure pour marquer là et pas ailleurs, le passage des larmes qu'on pouvait croire effacées, épongées, séchées, toutes celles qui avaient coulé pour des riens ou pour de grandes blessures. Quelle erreur ! Chacune de ces perles de feu brûlait, creusait, forait, enfonçait un soc de plus en plus aigu et de plus en plus large. A plus de quarante ans, face à cette accablante lumière de Blida, on découvrait que la ride des joues s'apprêtait à rejoindre la ride de la bouche et qu'il y avait là un fossé, une tranchée, un ravin que rien ne pourrait plus combler, en tout cas pas les larmes, bien au contraire, qu'aucune main ne caresserait plus, qu'aucune bouche ne baiserait plus. Alors tout suivrait, le menton s'alourdirait, la peau se friperait. La débâcle. N'était-elle pas une coquetterie, cette coiffe des religieuses qui enserrait le visage et dont une mentonnière dissimulait justement les outrages les plus cruels du temps ? Pour que le divin époux n'y voie que du feu, pour lui présenter jusque dans les lointains de l'âge un ovale parfait, ou pour offrir l'image des félicités suprêmes au siècle, au confesseur ou à ses propres sœurs ? Et puis dans un couvent, pas d'autres miroirs que les vitres, l'eau des fontaines et le regard des autres. Le monde, en revanche, ne pardonnait rien. Tant que ces deux rides n'auraient pas fait leur liaison, on pouvait séduire, on guettait le délai de grâce dans les yeux des femmes. Une fois le fatal raccordement accompli, quand les hommes se détourneraient...

Découvrir cela juste au moment où ce changement en elle s'opérait, quelle ironie ! Mme de Roailles pensa à cette joie qu'elle sentait cependant bouger en elle. Ce mot de raspoutitsa que le général aimait citer et qui lui revenait à l'esprit, était-il exact ? Avec la Crimée, le russe avait été de mode.

Le général affirmait que raspoutitsa cela signifiait vice, débauche plutôt que débâcle, il y voyait une des différences entre les pensées, le mode de vie, les courants de littérature. Raspoutitsa, il n'y avait pas de frontières, tout était permis, on ne pouvait plus s'arrêter parce qu'une douceur s'emparait du ciel. Les glaces qui pendant quatre mois avaient gelé la terre et les âmes craquaient de toute part, même la nuit, avec un bruit incroyable, des gémissements, des chuintements, des modulations, une musique de sabbat de bonheur, le délire d'un printemps qui éclatait de rire après le silence de l'hiver. C'était ce qui se fendait en elle. Et pourtant Marguerite ne lui avait rien apporté, les enfants non plus, Alexandre était le fils de son père, pour la petite Sabine on verrait. Avec les filles il fallait savoir attendre. Quant au colonel s'il n'y avait rien à espérer de lui on ne pouvait pas non plus lui en vouloir d'être l'homme qu'il était, léger, insouciant, facilement hâbleur, mais capable de vivacité et, si on le piquait, d'insolence. Il se croyait irrésistible ! Dans les garnisons d'où il venait, peut-être, avec des âmes simples, le front qu'il avait grand et bombé devait faire impression, pourquoi croyait-on que l'intelligence se cachait sous les grands fronts ? Le capitaine valait mieux.

D'abord, devant Marguerite, Mme de Roailles avait, pour tâter le terrain, dit en parlant de lui « le capitaine », cérémonieusement, puis gentiment, familièrement. Marguerite disait « Hector » et, par la suite, pour être dans le ton de l'intimité, Mme de Roailles le désigna aussi par ce prénom un peu solennel et pompeux. Quand elle pensait à lui, il redevenait le capitaine, le gouverneur, le chef de guerre, l'homme apparu derrière l'épaule de la mort et qui lui avait rendu la vie, à qui elle avait cédé une fois sans réfléchir parce que cela entrait dans l'ordre des choses, et qu'il fallait, sans qu'on sût laquelle ni sur quoi, une revanche. D'ailleurs quel rôle Hector avait-il tenu cette nuit-là ? N'était-il pas l'homme qui aurait dû venir vingt ans plus tôt à la place de Nicolas ? Alors l'alliance avec un Roailles eût été autre chose qu'une alliance d'âmes, une sorte d'escrime subtile et élégante entre deux inquiétudes. Le capitaine, un ouragan, une force née dans le ciel derrière des montagnes et traversant les plaines avec une escorte de canons et de chevaux furieux. Elle ne s'était pas donnée, mais jetée à lui, sur lui, en lui, avec d'autant plus de violence que cela ne menait à rien et n'aurait pas de lendemain. Une raspoutitsa sans boue, à côté du pacifique général découvert sans vie le matin dans son lit où l'on aurait pu croire qu'il se reposait d'une longue veille. Quand on n'était plus capable de lutter, on pouvait donc s'éteindre d'un désespoir national. Hector se battait.

D'un quart de siècle de mariage, il restait quoi ? Un exemple de droiture et d'effacement, sottise dans l'armée, et l'éclat d'un nom, son véritable héritage puisqu'il n'y avait pas d'enfant par la faute de qui ? Elle n'était pas morte de douleur à son tour. Elle n'entrerait pas au couvent, elle ne causerait pas cette joie aux autres Roailles, aux triomphants imbéciles qui avaient transformé en musée le château de Fontainebleau, pas le palais du mariage de Napoléon Ier et de ses adieux, l'autre, plus modeste, à l'entrée des roches de la forêt. Au moins attendait-on d'elle qu'elle se montrât inconsolable. De quoi ? Le général avait bien fait de mourir. Sa veuve saurait porter le diadème de brillants des épousailles. Elle sentait battre en elle la force et la joie que ce pudique n'avait pas su montrer. Cette vérité des Roailles ne serait pas trahie. Précieuse, unique, irremplaçable, sans doute savait-elle qu'elle l'avait été aux yeux du général. Pourquoi ne le serait-elle plus pour personne ? Le veuvage était-il une fonction ? Pour l'instant, son lustre. Une d'Olivet eût laissé tous ces gens indifférents. Depuis la mort du général, elle était devenue une Roailles. Le nom les excitait. Ils ne savaient rien de précis, sinon que des Roailles avaient été maréchaux et cardinaux. Personne, sauf les Griès, ne se souvenait plus de l'ancien commandant de la subdivision d'Alger. Quand on a quitté l'armée, dix ans suffisent à vous effacer. Si encore le général avait accompli un exploit, pris la smala d'Abdelkader ou Constantine, réduit les Aurès comme Saint-Arnaud ou commis les enfumades du Dahra comme ce brigand de Pélissier ! Un beau crime restait tout aussi bien qu'une victoire retentissante. Mais rien. Une démission discrète, tout en douceur, et la fête, il aurait fallu, pour qu'elle passât dans les annales, inviter toute l'Algérie, monter des fantasias, secouer les collines du Sahel sous les décharges de mousqueterie. La saison ne s'y prêtait pas, en plein hiver. Aimer un seul homme de la jeunesse à la mort après avoir failli n'aimer que Dieu ? Peut être. Elle ne savait pas. N'avoir vécu que par autrui ou par procuration ? Elle était Mme de Roailles, marquise de Roailles. Cela comptait. Elle ne pouvait pas se commettre ni troquer ce titre pour du vent. Ingratitude ? Mieux valait être ingrate qu'abusive.

Mon Dieu, d'où lui venaient toutes ces idées ? De Blida. D'un miroir. D'une villa mauresque où elle n'était qu'une invitée. Des fleurs qu'on lui envoyait. A Blida, les roses ne tenaient pas. On avait beau les cueillir en boutons, elles s'épanouissaient aussitôt, devenaient énormes, béantes, dévoreuses, cherchant l'air de leurs lourds pétales odorants, perdues par l'excès de leur don. Elle se demandait quelle robe elle allait mettre, son veuvage lui laissait peu de choix : du noir, en satin, en soie, en organdi, en broché, mais le noir avait toujours été sa couleur, quand on frappa.

4

— Je peux entrer ?

Marguerite. La générale l'embrassa sur le côté à cause de ses lèvres déjà peintes et de la poudre. Autrefois...

— Eh bien ?

— Il est là.

A la façon dont elle avait dit cela il ne pouvait s'agir que d'Hector. Ils revenaient d'un enterrement. Quelque chose n'allait pas. Tout à coup Hector en avait eu assez des fermes.

Au lieu de rentrer à Boufarik, il s'était décidé pour Blida, sa maison, ses habitudes.

— Je crois plutôt qu'il voulait te revoir.

Sa blessure, rien. Il était presque guéri et ne songeait qu'à repartir. Il ne parlait que du jeune frère de Marguerite, Antoine, resté en Kabylie dans son bataillon. La voix de Marguerite était triste. Mais aussi n'avoir jamais écrit à son mari, s'être laissé inviter par le colonel... Elle était pourtant encore amoureuse de son mari jusqu'à ce qu'il parte pour la guerre, elle ne voyait que par lui, tremblait pour lui. A son retour de France il n'était plus le même homme. La générale avait répondu : moi aussi j'ai remarqué, il m'a semblé plus à son avantage. De la froideur ? Les hommes en manifestent quand les grandes choses qui les occupent ne tournent pas comme ils voudraient. Il faut attendre, prier pour eux, mais cette petite n'avait pas le sens religieux, elle ne vivait qu'emportée par le galop d'un cheval, ivre de vent, ses grands yeux ne voyaient rien. Il fallait la jeter dans un tourbillon, la presser, l'empêcher de respirer. Alors elle se collait contre le dos du cavalier, on pouvait l'emmener aux enfers, elle ne résistait pas. Une rose d'ici à peine en bouton et déjà épanouie. Qu'on la froissât encore un peu, elle tomberait, ne serait plus qu'un amas de soie, de larmes, de paillettes mortes. Elle avait cru que son mari ne l'aimait plus. On avait beau lui répéter que les hommes ne vivaient pas au même rythme que les femmes, qu'ils étaient solaires ou martiens et les femmes des lunes fantasques, ne se levant jamais à la même heure, tout éperdues d'elles-mêmes et ne songeant qu'à soulever des marées et des rêves, guettant à travers des montagnes de nuages, passant d'une étoile à l'autre et pourtant à jamais liées à leurs planètes maîtresses, elle ne comprenait pas.

Pour parler de leurs campagnes les militaires employaient des mots savants, on écrivait des ouvrages sur l'art de la guerre, il y avait des écoles de maréchaux. Une femme de général connaissait tous les termes utilisés par eux quand ils voulaient briller. Il existait aussi un savoir-vivre pour toutes les armées du monde, on respectait les règles de la chevalerie. Quand ce pauvre Empereur était allé, par naïveté ou grandeur d'âme ? se constituer prisonnier auprès de son cousin Guillaume, son cousin Guillaume l'avait prié de garder son épée, lui avait laissé ses aides de camp et donné un château. Il y avait bien eu quelques généraux tués par inadvertance, on savait se conduire. Encore ces messieurs, de retour chez eux, exigeaient des égards et se comportaient gaillardement. On devait les accueillir avec chaleur, les admirer toujours, les aider à tirer leurs bottes, brosser leur tunique, leur préparer un bain et du linge propre, un repas fin, après quoi... Dans la pratique du commun, quels petits manœuvriers ! Ils ne se demandaient pas s'ils avaient démérité et si l'on éprouvait du plaisir à les revoir. Vainqueurs encore, rentrant dans un grand bruit de fanfares, mais humiliés... Quel étonnement quand ils avaient senti dans la population une sorte d'aversion à leur égard, allant jusqu'à la détestation et à la colère !...

« Mais oui il t'aime toujours », avait répondu la générale. Il ne peut peut-être pas te le prouver en ce moment, il pense à un sabre qu'il a perdu, à la guerre où son armée a été vaincue, aux grades qu'il n'a pas conquis, à l'Algérie, que sais-je ? Il te reviendra. Il faut respecter ses silences. Quant à ses peines, seuls d'autres hommes peuvent l'en consoler. Et moi alors ? Eh bien toi, tu attends que ton soleil se rétablisse dans sa majesté. Sans l'arrivée de la générale, le colonel de Saintonge aurait jeté cette innocente en travers de sa selle.

Elle en avait profité pour savoir comment Hector l'avait séduite le jour de la visite de M. de Roailles à la ferme Bouychou. Marguerite avait tout avoué, naïvement. Quelle candeur aussi de la part du général, qui connaissait son aide de camp ! La générale était restée toute songeuse : l'époque n'était pas plus immorale que les autres. On pouvait rêver d'un lieu plus noble, d'un grenier encombré de souvenirs de famille, de vieilles armoires effondrées pleines de jouets antiques brisés, d'édredons éventrés, de portraits empoussiérés.

On n'était pas déçu pour si peu. Les lieux insolites tissaient un mystère qui devait inspirer des audaces. Etait-il sûr qu'il lui fallût la magnificence à laquelle le général avait voulu l'accoutumer, des tapis, de belles chambres, des musiques douces, un crépuscule doré, n'était-ce pas hypocrisie que tout cela ? n'avait-elle pas pris goût à des rites qui, si secrets qu'ils fussent, auraient pu se célébrer dans une écurie ? La crèche de Bethléem qu'était-ce donc ? On pouvait, à condition d'aimer, se laisser prendre dans des bras, caresser... La compagnie des bœufs et des ânes, pourquoi pas ? Le général ne l'avait jamais comprise. Une litière ou un lit, la belle affaire ! Dieu choisissait de naître sur la paille, de reposer enfant dans une mangeoire. Ces paysans qui venaient de passer la mer avec de pauvres bagages et vivaient au milieu des chacals étaient plus proches de la vérité. Elle se souvenait des maréchales de Roailles qui, selon la légende, avaient commencé leur carrière dans l'odeur du crottin et des canons noirs de poudre. A l'égard de Marguerite, elle se sentait partagée entre l'indulgence et l'envie.

Donc Hector était là. Pour faire un esclandre ? Sûrement pas. Se doutait-il seulement de ce que le colonel avait médité ou calculé ? Le croyait-il simplement dévoué à la générale ? Eh bien, il fallait de la solennité. Elle choisit une robe de crêpe de Chine à volants et ceinture de soie, avec des garnitures en brocard. Par bonheur, on n'en était plus à cette horrible mode de 65, qui faisait ressembler les femmes à des balles de fourrage. On avait à présent une taille de guêpe sous une gorge élargie et très serrée, un col à peine échancré, des jupes très larges du bas qui rappelaient l'élégance de la crinoline avec toute une série de retroussés et un faux jupon de dentelles rasant le sol. Pour le voyage les jupes étaient moins larges, les vestons se chargeaient de brandebourgs.

— Comment me trouves-tu ?

Marguerite ne répondit pas, mais l'expression qu'elle laissa paraître n'était qu'admiration. Deviendrait-elle jamais une femme comme Sabine, sûre d'elle et des hommes, sachant comme par oubli ou négligence mettre en valeur tout ce qui émanait d'elle, cette tranquille aisance, cette tendresse à l'affût de tout, cette beauté que le temps ne paraissait pas atteindre, cette quiétude ? Veuve, la générale avait plus de charme, les hommes devaient rêver de l'arracher à son deuil, de la conduire une fois de plus à l'autel. Quel prince, quel royaume seraient dignes d'une Roailles ? A son tour, elle éprouva quelque chose qui ressemblait à un pincement de jalousie. Après tout, à quoi sinon aux hasards de la naissance devait-on cette différence entre les personnes et les destins ? On le lui avait assez dit, elle savait qu'elle était belle, elle le lisait dans les yeux des hommes, même dans ceux des marchands de légumes ou des boutiquiers arabes, des commerçants juifs que pour sa part elle voyait comme à travers un brouillard, ces gens-là existaient-ils ? Ils avaient leurs mœurs, leur religion, leurs femmes, on sentait bien pourtant qu'à l'abri derrière leurs burnous ou leurs comptoirs ils jetaient sur tout ce qui révélait la puissance de l'occupant un coup d'œil avide et fulgurant, pareil à celui des peintres ou à l'objectif des appareils photographiques, et qu'ensuite ils reconstituaient tout pour examiner à loisir et rêver. Les officiers, pire encore. Ceux-là, partout en pays conquis.

Elle avait pu faire la différence avec la générale. Tant que Sabine n'avait pas été là, on guettait son passage, elle surprenait des courses, des messagers, des allées et venues sous les arcades de la place d'Armes, on cherchait à lier conversation avec elle, elle changeait brusquement d'itinéraire, s'attardait dans les magasins ou rentrait chez elle savourer le dépit de ses suiveurs qui n'osaient pas se déclarer. Le soir où le colonel venu la chercher pour l'emmener dîner l'avait trouvée avec Mme de Roailles... Il ne savait plus où se poser, le regard du colonel. Bourdon qui se cognait aux vitres, il hésitait, tournoyait, butait contre l'une ou l'autre, ne savait pas où se nichait le miel. Quelle révolution ! Marguerite s'en était inquiétée. Pauvre colonel ! Ce soir-là il se demandait s'il ne faisait

pas fausse route : des complications avec une femme dont
le mari pouvait rentrer d'un moment à l'autre quand s'offrait une veuve pareille... Percé d'un trait fatal, il n'aurait
pas balancé. Elle n'était plus une reine. La générale, tout
en feignant de ne s'apercevoir de rien, avait tout remis en
question : s'il avait osé il ne lui aurait pas seulement offert
sa maison. Seize ans de différence entre la générale et Marguerite ne tournaient pas à l'avantage de la plus jeune. Pour
les hommes il n'y avait donc pas que l'âge qui comptait.
La majesté, les dons de la naissance, tout ce qu'une femme
devenait par le milieu, la mode et le style de vie, pesaient
davantage. La même robe sur des épaules différentes semblait ne pas sortir des mains de la même couturière.

  « Comment me trouves-tu ? » On n'allait pas dire à la
générale qu'elle était... Pourquoi Hector avait-il si brusquement changé d'avis ? Lui qui s'était scandalisé à l'idée de
sa femme de chercher à Blida une toilette pour l'enterrement, tout d'un coup décidait d'y passer la nuit alors qu'il y
avait la voiture et le cheval à remiser. De Sidi Moussa la
distance n'était pas plus grande, ce caprice ne cachait-il pas
quelque chose ? A peine à Blida, Hector ne s'était-il pas
inquiété de voir la générale ? Marguerite s'était souvent
demandé s'il ne l'avait pas courtisée quand il était aide
de camp. N'y avait-il pas un secret entre eux ? Ce peu
d'empressement d'abord, qui ressemblait même à de la contrariété de la savoir en Algérie, puis cet empressement soudain... Cette froideur intérieure, une fois retombée l'ardeur
des premières effusions... On l'aurait cru travaillé par des
inquiétudes profondes et obscures. Seulement la défaite ?
Il était passé par le château du Rouergue, pourquoi n'avait-
il pas assisté aux obsèques du général ? Cette lettre de Mac-
Mahon qui ne souffrait pas de retard en avait bien subi un
par ce détour. Et tous ces changements en lui, les cheveux
plus longs, presque plus de moustache, une mélancolie sur
son front, derrière son front une âme labourée, n'étaient dus
qu'au malheur de la nation ? Il eût été le seul à se défendre
de la générale ? Une nuit au château à prier devant la
dépouille de son ancien chef ? Et la discrétion de Sabine à

parler de sa visite : il était venu passé minuit et reparti à
l'aube à travers les bois comme un grand-duc... Non. De
pareilles idées pouvaient naître, la jalousie n'en était pas
maîtresse, mais on devait les rejeter. Cela ne reposait sur
rien.

5

— Comment est-il ? demanda la générale en secouant
un nuage de poudre sur ses joues et ses yeux.

Puis se retournant en tendant la houpette en plumes de
cygne :

— En veux-tu ? Je sais que tu n'en as pas besoin...

Marguerite refusa d'un sourire. En effet... Autrefois elle
se serait amusée à imiter la générale, elle avait bien utilisé
par jeu ses crèmes, ses eaux, ses crayons de fard. A présent
on se tutoyait mais quelque chose s'était brisé. Tout ce qui
avait uni si tendrement entre elles des complices s'en allait.
Aurait-elle eu besoin de poudre, de rouge, d'un chemisier
ou de n'importe quoi qu'elle s'en serait privée. On verrait.
Le soin que la générale apportait à sa parure, cette coquetterie d'un autre monde que le sien, l'agaçaient. Sans en
avoir une conscience exacte, on se surveillait, on se sentait
rivales.

— Comment est-il ? répéta Marguerite. Eh bien, je m'interroge. Il a paru impressionné par la mort d'Hortense, ne
m'a pas dit un mot, il est resté tout le temps avec un charpentier, on rentrait à la ferme et subitement, avis contraire :
Blida. Pourquoi ? Pour qui ?

— Le colonel, si tu lui as parlé de lui. Descendons.

La générale prit Marguerite par la main, l'entraîna dans
un froissement de soie. En haut de l'escalier qui donnait
dans le salon, elle s'arrêta, sourit. Les deux hommes leur
tournaient le dos et parlaient avec vivacité. Le colonel rentré
chez lui avait trouvé le capitaine. En un instant, cela sautait
aux yeux, ils étaient devenus amis.

— Nous parlions de vous, s'écria le colonel. Nous sommes l'un et l'autre des connaisseurs, n'est-ce pas, mon cher ? Dites-moi ce qui mieux que la beauté des femmes mérite d'habiter les propos des hommes. Le capitaine paraissait inquiet. Il m'imaginait un peu distant, plein de la supériorité de mon arme, je ne sais pas, moi, un foudre de guerre. Il n'a pas résisté longtemps. Marquise, mes hommages, et vous aussi, madame.

Son enjouement submergeait tout. Il s'agitait, relevait le front et le bec, poussait de petits rires, appelait les serviteurs.

Hector s'inclina, posa ses lèvres sur les doigts de la générale. Nouveau cela. Des manières qui s'apprenaient à la guerre ? Lui qui s'était toujours montré rebelle au baisemain ? La générale, juste ce qu'il fallait d'intérêt, le regard qu'il fallait pour la croix, les questions sur l'épaule atteinte.

— Marguerite assure que vous ne pensez qu'à retourner en Kabylie, ce n'est pas vrai, capitaine ?

Il ne répondit pas, sourit, cacha son regard.

Capitaine, elle l'appelait capitaine, on était dans un salon. Devant Marguerite, quand on parlait de lui, cette expression « le capitaine » semblait neutre. Tout à coup le mot sonnait autrement. Hector paraissait timide, réservé, prudent. Le colonel ? La générale ? Lui qui, il y avait une heure à peine, voulait rompre avec tout le funèbre et les déchirements de cet enterrement. Célibataire, il serait parti en chasse, mais voilà, avec une femme et des gosses...

— Marquise, dit le colonel en emplissant les verres, ne jouez pas à me rendre jaloux. J'espère bien que le capitaine Griès va rejoindre son bataillon sans tarder. Sans lui, je disposais de vous et de sa femme. Lui revenu je me sens, comment dire ? son subordonné. Me voilà relégué à l'office. Je plaisante. Nous attendions tous votre retour, mon cher. Vous nous avez fait trembler avec votre blessure. Dieu merci, ce n'était rien... C'est du champagne qu'il faudrait, mais le moyen, ici, en cette saison, de le tenir au frais ? Du champagne tiède, pfft... La générale et vous, il y a combien de temps que vous vous étiez vus ?

Marguerite fut partagée entre l'orgueil et le dépit. Cela

se voyait donc que la générale manifestait à Hector plus qu'un intérêt de circonstance ? La générale regarda le colonel. Ce comte de Saintonge, cette aristocratie inconnue, probablement une lignée de hobereaux que le hasard liait au nom d'une province d'étangs, de marais salants et d'un petit vin gai, ce n'était pas un seigneur, il avait des défauts, mais quelle gentillesse ! Sa légèreté même le servait.

— Et puis, deux femmes de cette qualité ! reprit-il sans attendre la réponse à sa question. J'ai l'air de me contredire, de prétendre que ce n'était pas trop. Pour moi si, mon cher. Je me sentais confondu, je ne savais plus où donner de la tête. Enfin du renfort. De grâce, restez. Votre bataillon peut se passer de vous. Nous arrangerons cela. D'autant plus que les choses semblent se compliquer ici, qu'on s'agite dans la plaine, vous qui possédez à présent l'art et le métier de réduire nos petits amis, on saura vous employer.

— Pourquoi ? demanda Hector. Ça bouge ?

— Rien. Une ferme. Vous revenez d'un enterrement. Ne restons pas dans le lugubre. Buvons. Marquise, à votre grâce. Madame, à vos amours, au capitaine. Après quoi je vous enlève : nous sommes invités chez le baron de Tonnerre qui fête je ne sais quoi, peut-être son anniversaire, dans sa ferme de Rivet, un royaume paraît-il.

Et comme la générale paraissait étonnée :

— Je voulais vous en faire la surprise. Avouez qu'avec le retour du capitaine cela ne pouvait pas mieux tomber. Et puis aucun scrupule, n'est-ce pas. J'ai rencontré le baron l'autre jour au cercle. Il m'a supplié d'amener avec moi dix personnes si je voulais. J'ignorais qu'il était le propriétaire le plus riche de la Mitidja, de l'Algérie peut-être. Combien ? Deux ou trois mille hectares en deux ou trois domaines ? Ça encore. C'est l'homme qui m'a séduit : un seigneur russe, notre baron. Vous le connaissiez, Griès, vous souriez.

— Pardonnez-moi. Mon cheval s'appelle Baron. Vous me faites penser à lui. Ce baron-là je sais qui c'est. Ma femme aussi. Bien qu'ils soient à l'opposé de Boufarik, les Tonnerre font assez de bruit pour qu'on les entende d'un bout à l'autre de la plaine. Un peu snob peut-être ?

— Chacun a ses petits travers. Les anciens militaires encore plus.

— Vous dites que ça bouge...

— Raison de plus pour donner un raout. Nous avons une escorte, et là-bas, il y aura tout Alger et tout Blida.

— Mon Dieu, dit Marguerite, il faut que je m'habille.

— Surtout pas, s'écria le colonel. D'abord vous l'êtes, habillée, presque autant que la générale. Et puis le seriez-vous toutes deux dix fois moins, et même déguisées en paysannes, qu'on ne s'y tromperait pas. Ne changez surtout rien. On nous haïra mon cher. On essaiera par tous les moyens de nous enlever ces dames. Je compte sur vous. Si j'emmenais une section de bons artilleurs de chez moi, tout blonds, tout roses, tout ébahis comme moi de se trouver en Algérie, pour nous aider à les garder? Inutile ? Vous suffirez ? Alors, partons.

— Une écharpe, dit la générale. Laissez-nous le temps de prendre, Marguerite et moi, une écharpe. Il peut faire frais cette nuit.

Les femmes s'échappèrent.

— J'ai accepté, j'avoue, cette invitation parce qu'on s'ennuie un peu à Blida, vous en conviendrez, quand on ne fait pas la guerre, et parce que je m'efforce de connaître mieux ce pays, un mystère pour moi, de l'hébreu. Oui, le mot qu'il ne faut pas dire. Les juifs encore, des pacifiques, des commerçants, des gens comme vous et moi, nous en avons au gouvernement comme ministres. Mais les Arabes ? Ils n'ont pas l'air de mauvais bougres. Nous occupons leurs terres à la suite de je ne sais quels différends anciens. Nous les éduquons à coups de canon, c'est bien ça ? Nous leur enseignons la civilisation, les belles manières et ils ne sont pas contents ? Vous qui les comprenez, vous entendez leur langue je crois ? Non ? Ah ! je croyais, quelle attitude adopter à leur égard, comment les traiter ? En peuple mineur ? en

subalternes sans espoir de s'élever ou au contraire en colla-
borateurs possibles ? Il y a bien parmi eux des gens qui
nous valent ou peut-être même l'emportent sur nous, je ne
dis pas par le caractère mais par le jugement, la pensée.

— Je ne sais plus. Autrefois je croyais qu'ils ne comptaient pas, qu'on devait les détruire. On s'y est employé. Le
bruit court qu'ils étaient dix millions en 1830 et ne sont
plus que quatre millions, et encore. Après la Kabylie, combien
seront-ils ? Je m'aperçois qu'ils existent, qu'ils résistent toujours par les armes ou par le silence, qu'on réussit peu à
les attirer à nous. Je les ai vus se battre en Alsace aussi
bien que nous. Les zouaves se battaient pour leur patrie,
eux pour quoi exactement ? Ils ont ça dans le sang. En
Kabylie, avec ou contre nous, ils ne font pas de quartier,
nous non plus. Plutôt sauvages.

— On m'a dit qu'il y avait des régiments ou des bataillons
de turcos parmi les insurgés de la Commune. Qu'en pensez-
vous ?

— Je ne sais pas. Tout est possible. Des égarés ? Des
hommes attirés par le pillage...

Il hésita :

— ... ou bien par l'impression d'une certaine fraternité ?

— Vous n'allez pas me dire que ce sont des idéalistes ?

— Je commence à me le demander. J'ai sous mes ordres
un lieutenant indigène. Chaque fois qu'on leur manifeste de
l'amitié, ils répondent, la rendent au centuple. Il est possible que les Communards leur aient ouvert les bras et les
aient traités en égaux. Ça les flatte. A partir de ce moment-là,
par fierté, par fidélité, ils sont capables de se faire tuer pour
vous. Ils vous tueront le lendemain si le vent tourne, ou
qui sait ? par amour.

— Des mercenaires en somme ?

— Ceux qui s'engagent pour servir chez nous, peut-être.
Les autres admirent nos fusils, nos canons, notre force. Ils
nous haïssent de violer leur pays, de salir l'air qu'ils respirent.

— Le baron me disait... Voilà ces dames. Quelle splendeur, mon Dieu !

Marguerite avait changé de robe pour une de celles que

la générale avait emportées à tout hasard pour ces climats, en satin blanc. Mme de Roailles sourit à ses souvenirs de la fête des adieux, à l'image qu'elle avait gardée de Marguerite étincelante dans son écrin de lamé argent.

Ton souvenir en moi luit comme un ostensoir...

Elle se redit le vers de Baudelaire qu'elle s'était si souvent répété les premiers temps dans la mélancolie du manoir de Bach et tout à coup une bouffée de bonheur l'atteignit. Que de folies à cette époque, que d'innocence ! A portée de la main tout ce plaisir qu'elle n'avait pas saisi et dont, des années après, elle vivait, qu'elle savourait à côté du général endolori par ses renoncements. Elle se rappela les regards qu'elle avait eus pour la jeune femme à qui elle ouvrait le monde, de sa passion toute de flamme et de pureté, de la façon dont elle écoutait les bruits dans la chambre d'à côté, il lui revint une onde non de chagrin mais de complicité. Elle se fit un clin d'œil. A son âge on n'allait pas sans rien à une fête. Le soir à la lumière des flambeaux, on ne verrait sur elle que ce collier d'une seule rangée de perles.

6

La calèche était bien suspendue. Des roues à bandages de caoutchouc, le fin du fin. Pour cocher, un artilleur en bleu et rouge. On roulait dans le silence. Un attelage nerveux de deux alezans. En face des femmes, les deux officiers, le dos tourné aux chevaux, et qui se parlaient.

— Le baron me vantait l'attachement de ses Arabes, il en a des douars entiers sous ses ordres, un vrai barine avec des milliers d'âmes dans son fief...

La générale se pencha sur Marguerite, lui prit le bras, puis la main. Elle ne portait pas son diamant. Au retour d'un enterrement cela se comprenait. On longeait la place d'Armes, le colonel répondait à des saluts. Des rues qu'on

venait d'arroser montait une vapeur d'eau, on ralentit pour
s'engager dans l'artère étroite bordée de gargotes, de bou-
tiques de tailleurs et de bijoutiers, puis près de la porte nord
de la ville, de marchands de grains et d'entrepôts. Le jour
déclinait.

En avant, à quelques centaines de mètres, un escadron de
chasseurs trottinait. D'autres voitures suivaient.

« Quelle est douce cette heure, se dit Mme de Roailles en
pressant les doigts de Marguerite dans les siens. Autrefois
je ne l'aurais pas goûtée. La poussière m'aurait agacée. Où
bien est-ce Nicolas qui n'a pas su ? J'ai mérité plus d'une
fois l'éperon ou la cravache. A Blida les cloches de l'angélus
vont fracasser l'annonce de la prière arabe d'avant le crépuscule, elles se tairont sur une dernière vibration, on n'a pas
eu le temps de fondre leur bronze pour en faire des canons,
la guerre était finie, et l'appel du muezzin durera, flottera,
se mêlera à la rumeur de la terre, cognera contre la montagne, fera rejaillir en écho le nom de son Dieu si peu
semblable au nôtre. Ce n'est pas un Dieu de tendresse mais
un Dieu de justice, un implacable, ils disent qu'il est miséricordieux, s'il pardonne c'est dans la mort. Ça n'en finit pas,
la nuit surtout. On se croit en paix, et tout à coup cette voix
désincarnée qui se met à vibrer dans les étoiles, cette voix
souveraine, tranquille, terrible, ce chant qui appelle les pauvres à la prière... Ou bien le soir, on n'a pas fini de dîner,
le colonel me regarde en ne sachant plus, voyons mon cher
vous ne rêviez tout de même pas de moi ? A l'autre bout de
la ville, par-delà les vergers d'orangers, on entend le battement des tambours arabes et les flûtes du quartier des prosti-
tuées, on respire cette odeur de mouton grillé mêlée au
jasmin, et de nouveau cette voix qui vibre, remue le ciel et
la terre, je me mets à trembler. Non ce ne sont pas les
fièvres. Ici on prend régulièrement de la quinine. A quoi
pensent-ils ? se dit-elle en regardant les deux officiers devant
elle. Eux n'entendent rien, certainement. Le canon les a
assourdis une bonne fois. Même sur nous, leurs yeux glissent
sans rien remarquer. Hector doit être en Kabylie. Il doit se
demander si son bataillon existe encore sans lui, il ne sait

pas que Marguerite est sur le point de se poser des questions. Quant au colonel, il se laisse griser par l'orientalisme à la façon de M. Théophile Gautier qu'il ne connaît pas, il est tout à son délire candide, il nous conduit à une fête. Qu'est-ce donc que ce Tonnerre ? Un nom pareil. Il a dû faire lui aussi son service dans l'artillerie... »

A l'ouest, au-dessus des collines, la première étoile apparaissait, premier feu dans les banquises dorées du couchant.

— Regarde, dit-elle à Marguerite en serrant un peu sa main. Je crois que c'est Vénus. J'ai toujours pensé à toi en la voyant, le matin ou le soir, car c'est la même, qu'on l'appelle Hesper ou Lucifer. Quel beau nom, Lucifer : le porteur de lumière. Et Hesper avec un *h*, l'occident, je crois en grec. Pourquoi pas la même origine que l'espérance ? Moi ce n'est pas le matin, c'est le soir que j'espère devant ces couleurs.

Le ciel est triste et beau comme un grand reposoir...

Tu te souviens ? Je me disais toujours que la nuit allait passer sur moi comme un grand fleuve, m'emporter vers toi...

Elle mentait un peu. Marguerite avait quitté depuis longtemps le bord du navire où la générale naviguait, mais il fallait lui laisser cette idée-là qui la flattait, et aussi, comme les femmes étaient plus difficiles à conduire que les hommes, se couvrir de tous côtés pour déjouer les embuscades. En précipitant son amie au-devant de son mari blessé, il n'y avait pas eu que de l'intérêt pour le bonheur d'un ménage : on devait se préparer soi-même à ce retour, reprendre ses esprits.

A la faveur de l'ombre qui glissait, elle surprit un regard du capitaine. Avec le colonel, aucun souci de conversation : il parlait, il parlait. Croyait-il seulement qu'on l'écoutait ? Il se grisait de banalités, tout l'étonnait, pour un peu il aurait enlevé son képi et dégrafé son col pour mieux jouir de la douceur du soir, de l'air tiède que la calèche déplaçait, une caresse. A moins que ce ne fût pour cacher quelque chose ?

— Vous voyez, mon cher, c'est cela que j'aime ici, cette heure d'avant le jour et d'avant la nuit. On a l'impression d'une découverte. Le jour se lève, rien ne nous étonne plus ; la nuit tombe et je ne m'y frotterais pas, surtout sans lune comme ce soir. Je n'ai pas encore mon passeport pour la nuit. Sans doute faut-il pour l'obtenir sacrifier à de nombreuses formalités, connaître mieux les Arabes et le pays. Vous qui avez sillonné ces montagnes en tous sens, je suppose que vous vous arrêtiez au crépuscule pour vous retrancher. Ils n'ont plus rien, en tout cas pas de cavalerie ni d'artillerie, leurs seules troupes régulières sont celles que nous avons levées à notre service et que nous encadrons, cependant je ne m'y fierais pas. J'ai tort ?

— Pas du tout. Il nous manque un rien pour assurer notre conquête. Vous devriez le demander au baron, puisque c'est un ancien officier de spahis. On le considère toujours comme un des nôtres. Dans son domaine, il fait fonction de commandant d'armes, mène tout à la baguette. Chez lui on ne sonne pas de la trompette mais c'est tout juste.

La générale crut reconnaître de l'ironie dans le ton du capitaine. Ou un brin de froideur. Encore un quart d'heure et la nuit serait noire. On n'aurait plus pour s'éclairer que les étoiles, les lanternes rondes à réflecteur allumées au départ de Blida et, de distance en distance, les torches des cavaliers. Hector pensait que ce colonel si chaleureux, si spontané l'aurait, s'il l'avait pu, trompé avec la même cordialité. Dans l'armée on ne se berçait pas d'illusions sur la délicatesse des camarades. A la place du colonel, dans une garnison vide d'officiers... Ce n'était pas un cas pendable, ou alors... Peut-être le colonel voulait-il donner le change ? A d'autres. A présent, le capitaine ne répondait plus. Les flammes accrochées à des nuages détachaient Marguerite en face de lui et la générale en face du colonel. En se tournant un peu du côté du colonel par déférence, il voyait mieux Sabine. Son visage seulement, près de Marguerite, en blanc, comme Hortense.

A cette pensée il eut le sentiment d'un sacrilège. Hortense était la pureté. Elle étouffait dans son cercueil. « Ne nous gênons pas, se dit-il. Pataugeons dans la profanation... » Il essaya de retrouver le visage qui lui était apparu à la clarté de la pleine lune cette autre nuit où... Qui aurait pu résister à cela ? La route depuis Cahors, la découverte du manoir dans les bois, le cri des chats-huants, le dîner en tête à tête, le choc de la nouvelle de la mort du général, son cadavre entre les bougies et les roses, tout ce qui le poussait dans les bras de Sabine, une folie ? Cette envie de poser son front sur cette gorge abandonnée. En fin de compte n'était-ce pas lui qui avait pris le flambeau et l'avait mis sur le rebord de la fenêtre du couloir ? Puis sans un mot le geste de ses mains sur le calice du visage de Sabine pour l'encadrer de vie, l'offrir au ciel, essuyer les larmes dont il était humide, puis sa bouche sur sa bouche et sur ses yeux, que je boive à cette fontaine. Ce soir, à cause de cette robe noire, de la lourdeur de l'air, la même tentation l'assaillait.

Derrière les montagnes, très loin, il y eut une fulguration. Ils prêtèrent tous l'oreille. Rien.

— Un éclair de chaleur, dit le colonel.

Comme il y en avait dans les nuits étouffantes. Des orages sans pluie, prétendait-on. L'électricité dont le ciel s'était chargé éclatait en feu d'artifice silencieux. Dans la lueur, Mme de Roailles avait surpris un autre regard du capitaine sur elle. « Tu as oublié ? » Oui, j'ai oublié. Si je me souvenais de quelqu'un ce ne serait pas de toi. Est-ce toi qui es venu ? Depuis le commencement des temps j'attends le dieu, celui que Nicolas n'a fait qu'annoncer comme un prophète. Tu n'étais qu'un archange sabreur, je ne me trompe pas, ces flammes tu les tirais de ton épée, tu n'as fait qu'apparaître, mais l'autre, quand viendra-t-il ? Regarde ta Marguerite. Les lèvres entrouvertes, elle boit le soir, une fille du vent. Et puis tu as surgi des abîmes de la guerre, en plein été, quand un orage grondait je croyais entendre le bruit des canons. Tu es resté l'aide de camp. Tu n'as glissé dans mes bras que par hasard à la faveur de la mort, comme ces rivières d'ici qui ne roulent que l'instant d'une colère et disparaissent. Moi je rêve de l'automne, des premiers jours bas qui ne finissent pas de naître et de mourir, traînent sur les collines, s'étirent, on ne sait plus où les choses commencent, en se promenant dans les allées on dérange les oiseaux, j'étais une terre qui se prépare pour l'hiver, un chemin recouvert d'aiguilles sèches et de feuilles mortes, il y avait des fruits oubliés dans les vergers, tu m'as prise pour une licorne. Les hommes, vous n'êtes pas sensibles à ce qui passe. Les saisons flagellent en vous des rochers. Vous n'entendez pas le cri des bêtes laissées dans les pâtures, qui se souviennent de l'étable et appellent parce qu'elles se croient oubliées...

7

Dans les villages où des lampes s'allumaient, des gens s'assemblaient, admiraient les voitures, à présent toute une suite, les escadrons avec des torches. Des chapelets d'Arabes accroupis dans leurs burnous au bas des maisons et devant les cafés maures, en arrière des rues plantées de platanes. On ralentissait. Ça sentait les grillades, le charbon de bois des kanouns. A l'odeur des eucalyptus on savait, avant même que les chevaux eussent repris le trot, qu'on était de nouveau dans la campagne. Les feux s'espaçaient. Il en naissait dans la montagne qu'on longeait, on se demandait si ce n'étaient pas des planètes. Cet or fauve à peine palpitant.

— Nous approchons, je crois, dit le colonel.

Depuis un moment il se taisait, saisi à son tour par le mystère de la nuit avec le martèlement du sabot des chevaux et le petit sifflement entre les lèvres du conducteur. Le front haut presque renversé, les mains sur le pommeau de son grand sabre courbe, le colonel semblait défier les ténèbres. De la fête vers laquelle il allait, il espérait des félicités, récompense d'un célibat toujours disponible. Ce baron qui faisait penser le capitaine à un cheval... Le punch coulerait certainement à flot. Il essaierait de faire boire un peu la générale. Au retour, mon Dieu, on verrait. La belle Sabine de Roailles serait moins sur ses gardes. Celle-là, pour la

faire tomber, quel travail de siège ! Une véritable citadelle.
Ses armées battues en campagne, peut-être alors ouvrirait-
elle ses portes. Mais comment ? Lui proposer de l'épouser ?
Il devait être encore trop tôt. Après tout, un comte de
Saintonge promis à un autre avenir que celui d'un simple
brigadier, dans dix ans s'il savait mener sa barque il aurait
bien quatre étoiles, un comte de Saintonge n'était pas un
si mauvais parti. Ne pas l'effaroucher surtout, jouer le jeu,
placer les pièces, quelques machines de guerre, et, le moment
venu, déclencher le tir de toutes les batteries, faire tomber
sur elle un déluge d'amour.

Un carrefour de lumières. Des tambours arabes, des flûtes.
Un artiste, ce baron. Des cavaliers de son propre maghzen
autour de brasiers où craquaient les broussailles qu'on y jetait
à pleines brassées, une longue allée resplendissante et, derrière les palmiers, les murailles de la ferme avec leurs fortifications d'autrefois. Un dais impérial, des tentes béantes,
des tapis et des coussins à profusion, toute une armée de
serviteurs entourant le maître qui, une cape sur les épaules
et tête nue, s'avançait vers chaque voiture.

Le colonel sauta en bas de la calèche, aida Mme de
Roailles et Marguerite à descendre.

— Marquise, je vous présente le baron de Tonnerre.

Mme de Roailles le vit s'incliner, lui effleurer les doigts
de ses lèvres, se relever, s'incliner de nouveau devant Marguerite, il n'était pas mal du tout, cet homme, pas mal... Je
me figurais un vieux birbe, une chevelure en coup de vent
entoure son front avec des boucles brunes, une petite barbe,
un nez droit, des yeux brillants, un peu moqueurs les yeux,
un col cassé sur un large papillon de soie, un gilet rouge,
des bottes souples, on le prendrait pour quoi ? Un pionnier ?
Il a un regard trop doux. Les Tonnerre, qu'était-ce donc ?
Les bâtards des autres, les vrais, ceux qui n'accolaient ce
nom qu'à un autre pour le rendre plus fracassant. Il y avait
bien une vieille maison dans l'Yonne, dont la seigneurie et
les vignobles appartenaient à Louvois.

— Avec le baron, nous voilà tous aux premiers temps
de la conquête, à l'épopée...

— Pas moi. Je n'ai fait qu'hériter de mon père et l'héritage, je l'avoue, est parfois dur à porter. Tout a changé. Cela ressemble à la féodalité. En apparence seulement. Nous n'avons plus de serviteurs. Des associés, et qui nous le font sentir dès que... J'aurais tendance à me croire le dépositaire d'un legs qui va passer en d'autres mains.

— Pas celles des Arabes, tout de même ?

— Je me le demande. Cela dépend de vous, messieurs. Si vous nous aidez, mon colonel, à conserver notre patrimoine, si le capitaine reste avec nous, on est parfois tenté de s'en aller, je vous en parle d'expérience, et quand on n'a pas des terres qui vous retiennent...

— On peut être attaché à ce pays sans rien posséder.

Le baron eut un regard attendri pour Hector.

— Cette phrase vous en apprendra beaucoup, mon colonel. Le capitaine me donne une leçon et je lui en sais gré. Quand je dis que la terre m'a retenu, c'est une façon de m'exprimer. Pour moi ce serait plutôt le ciel. Excusez-moi, je vous rejoins. Installez-vous.

Ils avancèrent. Les bâtiments de maître, dont toutes les pièces étaient éclairées, un petit palais mauresque avec des colonnes, des voûtes, des coupoles d'un blanc de chaux teinté de bleu donnaient sur la cour où s'élevait, près d'une fontaine, un arbre énorme, des lanternes vénitiennes accrochées à toutes les branches. Tout Alger, tout Blida étaient là, des femmes en toilette, des officiers de toutes les armes, le gratin des colons, de hauts fonctionnaires qui se serraient autour d'un petit groupe de chefs indigènes en burnous éclatants et en bottes rouges. On fumait le cigare, des serviteurs arabes passaient des plateaux de vins et d'orangeades, la ferme semblait plus loin, on devinait des toits puissants au milieu d'une orangerie.

— Voilà ce que c'est d'être un nouveau débarqué, je ne connais personne. Et vous ? demanda le colonel au capitaine.

— Moi non plus ou presque, à part quelques têtes.

— Il manque une reine. Marquise vous avez toutes les chances, on ne voit que vous et la place est à prendre. Le baron est un célibataire endurci comme moi, comme a été longtemps le capitaine, je crois ? Ne vous défendez pas, mon cher, je comprends. Quand on rencontre une étoile comme celle qui est devenue Mme Griès, le voyage en Afrique vaut la peine. Aurai-je cette chance ? ajouta-t-il à voix basse un peu penché sur Mme de Roailles et promenant ses yeux sur l'assistance. Voyons, mesdames ou mesdemoiselles, nulle d'entre vous n'est tentée par le comte de Saintonge, colonel d'artillerie ? Je me ferais volontiers propriétaire terrien et laisserais mes canons à qui les veut. C'est étrange, depuis que je suis à Blida, je me dis que ce serait péché que de gaspiller des obus à détruire un si beau paysage, je rêve d'idylles, de promenades bucoliques, de houris. Le paradis de Mahomet est-ce autre chose ?

— Soyez raisonnable, dit Mme de Roailles.

— Ne pensez-vous pas que les militaires le soient trop ? N'est-ce pas leur plus grave défaut ? Le hasard vous met en compagnie d'un artilleur qui ne se prend pas très au sérieux et vous l'en blâmez ? Je vous fais juge, baron ! s'écria-t-il.

M. de Tonnerre revenait. Mme de Roailles remarqua dans son regard une sorte de bonheur qui lui manquait quand il les avait accueillis. Quel âge avait-il ? Des fils d'argent se mêlaient à ses tempes. Et puis il était aussi grand que le capitaine, avec une allure plus souple et une voix aux tonalités graves, un peu tristes.

— Je suis si peu militaire. La légende me fait officier de spahis. A force de chevaucher dans la plaine avec les escadrons, mon père l'était devenu à titre honoraire. On reporte sur mon front les lauriers qui ont couronné le sien. J'en suis bien indigne et quitte à vous décevoir, je me sentirais plutôt diplomate. On confond tout ici. Cette ferme, tenez, savez-vous comment on l'appelle ? La ferme de l'Empereur. Parce qu'à l'occasion de son voyage en Algérie on y avait préparé, à tout hasard, un gîte pour Napoléon III, qui ne s'y est pas arrêté. A l'époque, il supportait déjà mal les déplacements. Eh bien interrogez les gens. Tout le monde vous jurera que l'Empereur a couché ici. J'ai hérité d'un mythe. Est-ce le seul ? Je me demande par moments si je ne devrais pas apposer une plaque de marbre dans la plus belle des chambres où d'ailleurs je ne couche pas : « Ici, le 6 mai 1865, Sa Majesté Napoléon III... » Je plaisante. En prendre à l'aise avec la vérité historique n'est pas mon genre. Encore puis-je témoigner. Mais dans cinquante ans ? Peut-être pourrai-je vous faire les honneurs de la maison une autre fois ? Vous en avez déjà une idée. Elle est bien modeste auprès de celles que vous avez pu habiter, marquise. Le seul mérite en revient encore à mon père. Il avait du goût. Il l'a bâtie dans le style du pays, avec les Arabes au milieu desquels il venait vivre et dont il respectait les mœurs et la religion, il leur a reconstruit tout près d'ici un marabout qui tombait en ruine. Ancien magistrat qui avait démissionné de sa charge, il avait souci de la justice et la rendait à sa façon. Du domaine qu'il m'a laissé, savez-vous ce à quoi je tiens le plus ? A ce micocoulier planté par lui. Un arbre de notre région, le Gard, dans les rameaux duquel on taille, à cause de son bois dur, des fourches à foin, des manches de fouets, et, dans le tronc, des rayons de roues et de la charronnerie. Je vous ennuie.

— Pas du tout, dit Mme de Roailles. Je me faisais une autre idée de vous.

— Parce que vous vous souvenez des images d'Epinal de la conquête. Elles ne sont pas tellement fausses. Le marché de Boufarik par exemple. La première fois que mon père s'y présenta avec M. de Vialar et quelques autres, on leur tourna le dos, ils ne purent rien acheter qu'un chien, jusqu'à ce qu'on y établît un camp auquel on donna la forme d'une croix. Et le sergent Blandan n'est-ce pas ? assiégé dans Beni Mered. J'avais vingt ans quand Bugeaud, qui n'était pas encore maréchal, célébrait la fête du labourage à Maison-Carrée et traçait un sillon aux mancherons d'une charrue, tout comme un empereur chinois. Mais la charrue impériale chinoise avait un soc d'or. En ce temps-là, le bon maréchal Clauzel élevait les colons comme des moutons : il en amenait deux mille, il en mourait mille de misère ou de maladie, les mille autres survivaient. Vous avez le résultat sous vos yeux. Mais vous êtes là. Tout peut commencer.

Il fit un signe aux serviteurs, accompagna ses hôtes sous les tentes, les installa sur les tapis autour des tables basses, répartit les chefs indigènes, des tambours arabes se mirent à battre, haletants. Brusquement un double coup de feu explosa, tout près, puis d'autres. Les femmes sursautèrent, le colonel dressa le bec, l'assistance applaudit.

— Ce n'est rien, dit Hector. Le baron donne le signal des réjouissances en faisant parler la poudre. Ici, le fusil, c'est la joie. Moi j'avoue...

Il éprouva un sentiment de malaise à la pensée de son dernier combat. A la fête d'Icherridène, les détonations étaient plus sèches, pas de la simple poudre comme ici, les hommes se renversaient sur les rochers, perdaient leur sang sous l'œil aigu des vautours, la culasse des fusils brûlait dans les mains. Un simulacre de fantasia et à quelle occasion au juste ? On ne le savait pas. Ces gestes de dérision qui provoquaient le gloussement de peur des femmes, était-ce bien de la peur ? alors que, pendant trois mois, on avait avancé au pas de charge à travers les villages incendiés, parmi des monceaux de cadavres. Ici, les chefs indigènes à qui le baron tendait des armes se levaient tour à tour, esquissaient quelques pas de danse au rythme des tambours, lâchaient leur coup de feu dans les étoiles ou sur le sol puis revenaient s'asseoir. Le baron en amena un auprès de Mme de Roailles.

— Mon ami le bachagha Si Mustapha me prie de lui faire l'honneur d'une place auprès de vous. Ne vous y trompez pas. Si je dis qu'il est mon ami, c'est qu'il manque de ce qu'on aime trouver d'habitude chez ses coreligionnaires : une certaine soumission à nos coutumes barbares, vous verrez...

Le colonel s'empressa. Un burnous rouge, dissimulant une cravate de la Légion d'honneur, une face noble un peu triste sous une courte barbe noire.

— J'espère ne pas être un trouble-fête, dit-il.

— Comment le seriez-vous, monsieur ? répliqua le colonel. Depuis mon arrivée ici je souhaitais rencontrer quelqu'un de votre qualité. C'est à croire que, pour entrer en contact avec ce qui compte dans ce pays, on doive fréquenter les salons du gouverneur.

— Si vous interrogiez des officiers implantés de longue date comme le capitaine...

— Ils ne disent rien.

Le bachagha sourit.

— Peut-être faut-il interpréter les silences ? Si je ne commets pas d'erreur, le capitaine rentre de Kabylie ?

— Vous êtes bien renseigné.

— Les visages ne trompent pas. Je ne parle pas de ceux des femmes que nous n'osons pas, si beaux soient-ils, observer, encore que nous soyons tentés de le faire, mais ceux des hommes. J'aime le baron pour sa franchise et, comment dire ? son détachement. Il est de ce pays avec légèreté, dans le bon sens du mot. Il nous plaît. En tout cas, c'est à cause de mes sentiments pour lui que je suis ici. J'aurais pu m'abstenir... Ces coups de feu qui fracassent tout. Rassurez-vous il n'y en a plus pour très longtemps. Chez les Européens on a davantage le sens de la mesure.

— Pas chez vous ? demanda Mme de Roailles.

— Moins. Autrefois, mais il faut pour cela écouter les grands vieillards, quand nous célébrions un mariage la fête battait pendant des jours et des nuits.

— Sans arrêt ?

— Nous ne savons pas nous arrêter. Une griserie nous emporte. Les chants, les danses, les coups de fusil. Tout cela est bien fini.

— Pourquoi ? demanda le colonel.

— Les Arabes n'ont pas le droit d'avoir des armes.

8

Le baron invitait les officiers à lâcher des coups de feu. Le colonel se leva, amusé.

— Un fusil, j'avoue... J'ai plus l'habitude des canons. Essayons.

Le capitaine s'excusa.

— Que se passerait-il si les Arabes avaient des armes ? dit-il au bachagha. L'Algérie ne deviendrait-elle pas une immense Kabylie ?

— C'est ce que pense l'amiral gouverneur, semble-t-il. C'est pourquoi il va faire passer en jugement tous les chefs, les condamner à mort ou...

Les coups de feu. Comment tenir une conversation ? Cette odeur de poudre, il fallait être sauvage pour se griser de cela. Le souffle de la détonation parfois, quand il s'agissait de vieux tromblons bourrés jusqu'à la gueule. Ce bruit assourdissant.

— ... ou à Cayenne. A mon sens une erreur. Paris aussi s'est révolté. Le sang qu'on fait couler après ne règle rien. Je ne crois pas à la justice des hommes. A une certaine justice, à celle qui allie le châtiment à la miséricorde. Qui ne commet des fautes ? Il suffit souvent d'un rien, quand il avance le long d'une crête, pour faire basculer un homme sur un versant ou sur un autre. Ne revenons pas sur les causes de l'expédition d'Alger. On les connaît mal encore. Les gouvernements ont toujours... des insultes à venger. Peut-être les corsaires algériens ont-ils été trop cupides, peut-être ont-ils été des victimes, peut-être la France a-t-elle voulu effacer les dettes qu'elle avait contractées envers le dey d'Alger, un Turc. Nous nous sommes... peu défendus, c'est un fait. Vous avez vaincu. Non sans mal. Il y a une longue suite de malentendus, de méprises, de bonne foi abusée, de mensonges réciproques, d'égarements. Finalement, après maintes hésitations, et même des espérances de royaume arabe, vous êtes là et nous voici face à face les uns les autres. Le colonel cherche des réponses à ses questions. La réponse est là, sous ses yeux. Nous voici assis autour de la même table. Où sont... Où sont les serviteurs ? Où sont les maîtres ?

Par moments, dans le vacarme, il criait presque. « Ces imbéciles, pensa Hector, jouer ainsi avec la mort. Pas dan-

gereux ces flingots ? Une maladresse, parmi les civils il y
a tant d'inexpérience, une décharge dans un visage, on peut
tuer quelqu'un ou le défigurer à jamais. L'Arabe, c'est peut-
être à cause de cela qu'il parle. On a du mal à l'entendre,
on peut croire qu'il s'adresse à lui-même, qu'il est en train
de dire des choses sans importance. Il serait saoul, je comprendrais. Il n'a bu que du thé. Pour moi ce sont les femmes
qui l'excitent, ces visages qu'il n'ose pas observer, comme
s'il s'en privait, j'ai vu la façon dont il regardait Marguerite,
elle a été terrorisée et c'est une Aldabram. En fait il s'adresse
à la générale, la belle Sabine les trouble tous... »
   — Vous n'êtes pas un serviteur.
   — Moi, sûrement pas, mais parmi les caïds, combien, par
vanité de porter... un burnous rouge, deviennent valets,
combien à qui, pour leur faire payer leur trahison, les frères
qu'ils pressuraient ont fendu la bouche jusqu'aux oreilles,
pardonnez-moi mesdames, et cousu leur brevet dans le dos
en les promenant dans les douars ? Si nous ne sommes pas
les serviteurs, ajouta-t-il tourné vers Hector, où sont les
maîtres alors ?

   Le colonel revenait, l'œil brillant, il essayait de convaincre
la générale de s'exercer. Elle refusait mais on sentait qu'il
n'aurait pas fallu la pousser beaucoup. Ce mystère chez les
femmes : l'effroi provoquait chez elles une sorte de vertige,
elles voulaient être encore plus effrayées, sinon comment se
seraient-elles parfois jetées dans des bras comme dans le
feu pour aller au bout de leurs extravagances ? On devinait
que, tout à son étonnement de découvrir chez elle des égarements nouveaux, Sabine se retenait, tentait de cacher les
frémissements qui l'agitaient. Une danse, une musique, une
gorgée de champagne libéraient des démons. Cette atmosphère de sabbat, les rires qui fusaient, le déchaînement des
instincts, les explosions de plus en plus proches, ça va mal
se terminer, vous jouez avec la mort, eh bien voilà pourquoi les Arabes aimaient tant cela, éveillaient chez les fem-

mes une frénésie redoutable. Plains-toi, mon cher. Que cher-
ches-tu quand tu les assailles toi-même ?

La générale consulta Hector du regard. Il secoua la tête.
Non. Elle eut un petit sourire résigné. Un fusil se plaça
devant elle, un Winchester luisant à double canon, avec
une crosse incrustée de motifs d'argent.

— Venez. Je vous accompagne.

Elle se dressa devant une haute silhouette noire derrière
laquelle bougeaient des flammes. Comme pendant la nuit
de Bach, devant le corps du général, lorsque le capitaine
lui avait touché l'épaule. Quelle femme aurait pu résister à
ce qui la possédait alors ? Elles obéissaient à la force qui
entraînait les anguilles à travers les océans ou les éléphants
à travers les brousses d'Afrique, elles vous auraient piétiné,
elles cédaient à l'armée qui les dévastait, elles devenaient
enragées, elles acceptaient la dévastation, le feu, la ruine,
le viol.

Le baron jeta sur ses épaules un burnous et l'emmena.
Ils atteignirent tous deux la plate-forme où des musiciens
jouaient en demi-cercle face aux tentes des invités.

— Faites comme moi.

Le baron leva son propre fusil de chasse au-dessus de
sa tête, et se laissa glisser au mouvement de la mélodie aigre,
avec des douceurs étranges et veloutées de voix humaine
un peu rauque emportée dans les saccades des tambours.
Le corps droit, sa cape comme une aile énorme, donnant
parfois des coups de talon sur le sol, il semblait piaffer, cheval prêt à bondir, tournait sur lui-même, secouait le front,
fixait sur la générale un regard impérieux. Elle obéit, leva
aussi les bras et son fusil, chercha les détentes avec sa main
droite, la première fois qu'elle touchait à une arme, cela
n'était pas difficile, il n'y avait qu'à se laisser emporter
par le rythme, à peine un balancement des hanches, tout
dans les pieds, dans cette mesure primitive et âpre des tambours et des flûtes, elle n'était plus une femme mais un
ange, les femmes, elle en avait vu danser presque nues en
secouant leur ventre et leurs fesses, quelle horreur ce déchaînement de la bête, quelle horreur ou quelle dignité sau-

vage ? Elle était une reine berbère très pudique, presque
méprisante, tout au sommet de son orgueil et tenant les
hommes en respect au bout d'un fusil... Le premier coup
du baron partit dans les étoiles à sa gauche. Une aigrette
de feu au bout du fracas. Elle croyait en avoir la respiration
coupée. Rien. Elle mit son arme oblique, pressa sur une
détente en réponse. Baron, je suis la générale de Roailles,
si mon mari me voyait il croirait que je suis folle, mais non,
je danse une danse de guerre dans la nuit en face d'un
inconnu, je galope en pleines ténèbres, je chasse, pourquoi
ne m'as-tu pas emmenée à Touggourt, là où commencent
les sables, dit-on, où souffle le vent du désert qui n'a gémi
que dans mon âme, je sens derrière moi le regard furieux
du capitaine, c'est de votre faute, mon cher, il ne fallait pas
commencer, je le brave et Marguerite n'y comprend plus
rien, Blida quand je disais Blida c'était donc ça, une distraction de bazar turc ou quel appel ? De la montagne
on doit voir les lanternes vénitiennes, on entend peut-être
la pétarade, les chacals s'écartent, la gueule basse.

Presque en même temps les deux derniers coups parti-
rent. Le baron s'arrêta, s'inclina, lui prit son arme et la
reconduisit tout étourdie. Les officiers se levèrent.

— A un moment, dit le capitaine, j'ai même cru que
vous alliez pousser des you-you.

— J'avoue, dit le bachagha, que cela manquait. Vous
avez déjà entendu nos femmes quand une fête les emporte ?
Elles ne s'appartiennent plus, et alors ce cri... Elles disent
tout dans ce cri.

— Moi, dit Hector, je les ai entendues à Icherridène.
C'était la guerre.

Invraisemblable, cet Arabe. Que disait-il au moment où le
baron avait eu cette idée saugrenue ?

Le colonel tendit un verre de punch à la générale.

— Buvez, marquise. Moi qui vous considérais comme
une muse, et cherchais à vous éviter les courants d'air ou
les petites incommodités de la vie. La musique qui vous
convient c'est, je ne sais pas, Wagner, Berlioz. Une musique
pour walkyries.

Cet Arabe disait : où sont les serviteurs, où sont les maîtres ? Hé, mon cher, les maîtres, c'est nous.

9

On attendait le moment où les moutons rôtis, embrochés sur des pieux, seraient déposés parmi des fleurs sur la nappe d'une immense table dressée en un instant, on se précipita. De la peau croquante des échines le baron tirait des lambeaux qu'il offrait tout brûlants aux femmes, on puisait à pleines mains dans les épaules et les gigots, on dévorait la viande onctueuse qui avait grillé pendant des heures au-dessus des braises, on lacérait les chairs fondantes. Le capitaine mangeait du bout des dents, il n'avait pas faim, mais le colonel s'en donnait, pour lui c'était la première fois. Mon colonel, quand vous en aurez bouffé autant que moi dans la montagne, vous en serez peut-être dégoûté. A Icherridène aussi, le dernier jour, avant de mettre le feu au village, dans toutes les compagnies on tournait doucement des moutons en les arrosant de beurre rance quand ce brave Dupuis...

Pas de fête ici sans cela. L'Empereur avait dû faire honneur à tant de méchouis qu'il était reparti écœuré vers le bœuf gros sel et les filets de sole princesse. Un snobisme imbécile. D'abord on se salissait, rien de moins confortable, et puis quel gaspillage ! En campagne encore, dans l'armée, quand il n'y a rien d'autre et qu'on peut tout à son aise manger comme des barbares. Les Arabes, eh bien, les grands chefs arabes semblaient à leur affaire. Ils possédaient l'art de détacher les meilleurs morceaux, de les tendre en hommage aux femmes et aux officiers, d'engloutir eux-mêmes en un instant des portions énormes de cuisses ou de carré. Plus de conversation. On s'empiffrait. Là tout de même, la générale tiquait. Non, ça vraiment... Pas son genre. Marguerite non plus. Les serviteurs passaient avec des bassines et des aiguières. On se lavait les mains, on s'essuyait, on retournait s'asseoir. Un seigneur, ce baron.

— Vous n'avez pas paru goûter ce divertissement, dit le bachagha à la générale. Une coutume que les Français nous ont prise. Pas la plus délicate. Chez nous il n'y a de méchouis qu'aux mariages, aux baptêmes ou aux grandes fêtes religieuses. On tue le mouton en souvenir d'Abraham. Et encore chez les riches. Mais les pauvres ne sont pas oubliés.

— Où avez-vous appris notre langue, que vous parlez si bien ? demanda Mme de Roailles.

— Dans les écoles françaises d'Alger, et, figurez-vous, à Paris. Les faveurs de la naissance. Je connais mieux que beaucoup de colons d'ici la rue de Rivoli et le Palais-Royal. Quelquefois j'ai un peu honte. Je me dis que vous pensez que je ne suis pas comme mes frères.

— J'avoue...

— N'est-ce pas ? Détrompez-vous. Je ne bois jamais de vin. Je fais mes prières. Ce soir, Dieu me pardonnera, je me rattraperai rentré chez moi. Sous tous ces vêtements, j'ai un cœur d'Arabe et sous mon turban une tête d'Arabe. Je suis du même bois qu'eux, le baron le sait et le capitaine ne s'y trompe pas. Vous me jugez différent parce que je parle le français avec une certaine élégance. Donnez à tous ceux qui sont là, même aux plus humbles, le moyen de s'élever, d'apprendre et de connaître, ils vous étonneront. Quand vous allez à la chasse, que vous levez un lièvre ou des cailles, ne croyez pas à un hasard. Pour en lever d'autres il vous suffit de persévérer. D'ailleurs regardez-moi.

Il rejeta le capuchon de son burnous sur les épaules et son visage resté dans la pénombre apparut, encadré par le voile de soie. Un front droit, des sourcils très arqués, deux rides profondes de chaque côté du nez à peine aquilin, les joues mangées par une barbe courte, une moustache qui cachait sa lèvre supérieure, on se demandait ce qui le marquait le plus, une sorte de gravité un peu triste ? Il avait un accent bizarre, un reste d'âpreté dans la gorge, en l'écoutant on aurait dit qu'on venait de manger de ces prunelles des haies de France qui sont mûres à la fin d'octobre, d'abord elles paraissent douces, leur parfum explose, puis l'amertume gagne le palais, on est partagé entre le désir de cracher et le désir de prolonger sur sa langue ce goût acerbe d'alcool trop fort.

Comme la générale, Hector était divisé dans ce qu'il éprouvait pour le bachagha. De l'estime, de l'amitié, ou de la méfiance et du mépris ? On ne rencontrait jamais que d'anciens brigadiers de spahis ou d'anciens gardes champêtres à qui on avait donné un burnous de caïd, qui saluaient les officiers avec empressement, craignaient pour leur place, traitaient leurs administrés avec dureté et semblaient s'excuser d'être arabes. Celui-là s'en faisait gloire. Il devait être bien en cour, sinon pourquoi l'eût-on ménagé ? Quand il visitait les douars, on devait se précipiter sur lui, lui baiser les genoux, et alors que disait-il ? Ce qui se colportait dans les marchés : que Mokrani avait été tué par un soldat ivre, qu'il fallait prendre patience, que la Medjana était habitée par des porcs, qu'un jour viendrait où les Roumis seraient anéantis. Comment savoir ce qui poussait dans une tête d'Arabe, leur mode de pensée n'était pas le même, les idées se succédaient sans logique, et celui-là qu'on avait envoyé étudier au Quartier latin, quelle confiance pouvait-on avoir en lui ? Il savait se tenir en société, imitait les tournures d'esprit de ses maîtres, mais au-dedans de lui ?

On servait le couscous à présent, il y touchait à peine, regardait les invités se gaver. Parmi les musiciens, un chanteur chantait d'une voix étrange, presque asexuée, un peu semblable à celle des muezzins. Entre les couplets, il reprenait son souffle, baissait la tête, les tambours battaient plus fort, les flûtes répétaient le motif mélodique, toujours le même, lancinant, obsédant, envoûtant.

— Vous ne mangez pas ?

— J'ai déjà dîné. Nos habitudes ne sont pas les mêmes. Je ne comptais pas venir et puis le baron a tellement insisté. Je vous recevrai un jour. Si Madame la générale me fait l'honneur d'être mon invitée...

— Volontiers, répondit-elle. Je vais vous faire une confidence : jusqu'à présent les Arabes me faisaient peur.

— Parce que vous ne les connaissiez pas. Et puis nous nous souvenons de la façon dont on s'est conduit avec nous. Il y a dix ans que le général de Roailles a quitté l'Algérie. Peut-être chez les colons ne sait-on pas pourquoi, ou a-t-on oublié qui il était. Pas nous. Cela ne se voit pas tous les jours, un général qui refuse de gagner une étoile de plus en exterminant quelques Bédouins dans le Sud. N'aurait-il pas pu composer, laisser cette besogne à un autre, mais rester ici quand même ?

— Pas lui.

— Nous le regrettons.

— Que chante cet homme ? demanda le colonel.

— La gloire des chevaux, la beauté des femmes, le courage des hommes, toujours la même chose, nous sommes des naïfs.

— La Kabylie, peut-être ? dit Hector.

— Pas encore. Du moins 71. Les légendes ont besoin d'un peu de temps pour se former. Puisque vous revenez des montagnes puis-je vous poser une question ?

— Je vous en prie.

— Avez-vous parlé à des Kabyles ?

— Non. Le langage là-bas...

— C'est celui des canons ? Je m'en doute. Dans ce cas vous devez me prendre pour un chien à qui on apprend des manières, ou pour un singe à qui on jette des cacahouètes. J'aurais pu naître Kabyle et alors où serais-je ? Mort aux côtés de Mokrani, dans le maquis avec Bou Mezrag ou en prison ? Mokrani pourtant était votre ami. Nous avons beaucoup de défauts mais nous ne supportons pas l'humiliation. En revanche, quand on nous traite en égaux, nous sommes capables de tous les dévouements. Est-ce possible ? Dieu décidera. S'il y a quelque chose à faire c'est au vainqueur de le tenter. Mais voilà, les Arabes n'est-ce pas ? J'aimerais m'endormir pendant, je ne sais pas, un demi-siècle, comme les tortues l'hiver, elles s'enfoncent dans le sol ou dans la vase, se réveillent au printemps, et me réveiller quand l'Algérie sera, disons, en paix avec elle-même. Cela ne dépend pas de nous.

— Un peu, dit le colonel. Si l'on commence à brûler des fermes dans la Mitidja comme aujourd'hui...

— Où ça ? demanda Hector.

— Je n'en ai pas parlé au capitaine, qui revenait avec sa femme d'un enterrement à Sidi Moussa. Ici non plus ce n'était pas de circonstance.

— Il s'agit certainement d'un accident, dit le bachagha. Sans quoi y aurait-il une fête ? En cette saison, la moindre imprudence...

— Je ne crois guère aux accidents en cette matière, dit Hector. Où ça, la ferme ?

— A Boufarik.

— Chez qui ?

— Je ne sais pas, dit le colonel.

— Je vais vous le dire, dit le bachagha. A la ferme Sidi Ayed. Chez un vieil homme.

CHAPITRE III

1

Le feu s'était arrêté en pleins champs, au milieu des chaumes que la troupe avait battus avec des fouets de brindilles. Des bâtiments d'autrefois demeuraient seulement des pans de murs et des poutrelles qui achevaient de se consumer dans la nuit. Les platanes et les orangers avaient grillé. Un escadron de chasseurs bloquait les chemins. Les meules, l'écurie, les gourbis, en fumée. L'air égaré, une fourche en main, Pierre fouillait les ruines que cernait une compagnie d'un régiment de ligne à peine débarqué de France.

Quand le jour se leva avec un grand éclaboussement de lumière, Hector vit la carcasse du peuplier près du puits d'où les soldats tiraient de l'eau dans des seaux de toile qu'ils jetaient sur les fumerons. Calciné, le peuplier. Un squelette noir, hérissé de rameaux charbonneux, fleuri d'une dentelle de cendres arachnéennes que le vent du matin détachait vers la montagne. Par chance le vent ne soufflait pas quand l'incendie avait pris. Les flammes avaient tout dévoré d'un coup, toutes droites, sinon...

Ce qu'on avait trouvé du vieux avait été transporté sous un hangar de la ferme voisine. Un tronc d'arbre foudroyé, disait-on. Sans chairs. Et près de ça son chien reconnu à sa mâchoire énorme, qu'on avait enfoui dans un trou du jardin en bordure des fèves à peine roussies.

— Vous savez, vous, comment ça c'est passé ?

De tous les officiers rappliqués de Boufarik il ne restait qu'un lieutenant qui ne pensait qu'à regagner son casernement. Il s'ennuyait. Il commençait à avoir envie de dormir.

— Quand nous avons été alertés au début de l'après-midi, les chasseurs étaient déjà là. Ça cramait. Le maire gueulait. Il avait peur que ça gagne. Ça s'est tassé tout seul, quand les meules ont été consumées, mais alors un spectacle. Ça devait se voir de loin. Je vous offre un peu de café ?

Ils ne savaient pas faire le jus, ces gens-là. A peine buvable. Chaud, heureusement.

— Le plus drôle, vous ne me croirez pas, mon capitaine, on a été obligé d'allumer du feu pour le faire.

Qu'y avait-il de drôle là-dedans ? Hector l'avait à peine aperçu, ce lieutenant. Il avait oublié son nom quand il s'était présenté : de Belleville, d'Ormeville, quelque chose comme ça. En l'absence de son capitaine, malade des fièvres, il commandait la compagnie, la corvée était tombée sur lui, il consultait sa montre. De la finesse sur le visage, de la nonchalance dans les manières, un blasé, ce que les femmes appelaient « de la race ». Un nez assez fort, des joues maigres déjà piquées de barbe, il allait se raser ? des yeux de porcelaine bleue, des lèvres sèches un peu ironiques, des oreilles larges, de véritables abat-son sous le képi, des mains longues et fines, le salaud.

— Où étiez-vous en France ?

En garnison à Nîmes. Ils avaient été à peine engagés sur la Loire quand l'ordre de gagner l'Algérie était arrivé. Le pays ne le passionnait pas.

— Les gens ici se plaignent pour trois maisons brûlées. Là-bas...

— Il n'y a pas d'Arabes, mon vieux, là-bas.

— Pourquoi ne les brûle-t-on pas aussi, les Arabes, pour les calmer ?

— Vous croyez qu'on se gêne ? Vous n'avez pas entendu parler de la Kabylie ?

— Il paraît que c'est rasibus tondibus.

— Ça, mon cher, figurez-vous j'en viens.

Le lieutenant se tourna du côté du soleil, eut un regard vers le capitaine, l'examina avec un sourire plein de sous-entendus.

— Ils sont coriaces ?

— Assez. Vous auriez dû y faire un tour. Qu'est-ce qu'on dit pour la ferme ? On croit que ce sont les bics qui ont fait le coup ?

Les avis étaient partagés. Les colons disaient que oui. Les gendarmes venaient de partir en emmenant le gardien. Si encore le feu s'était déclaré la nuit, une nuit sans lune comme en ce moment... En plein jour, avec de la troupe partout. Oui, mais quelle troupe ! Des unités qui se croyaient en France, des officiers incapables de distinguer un Arabe d'un Kabyle ou d'un M'zabite, de fouiller les buissons, de soulever les pierres pour voir ce qui se cachait dessous.

Quelle affaire ! Quand, chez le baron, le capitaine s'était levé d'un bond, le colonel de Saintonge avait voulu les accompagner, si, si, j'y tiens, dans sa calèche et avec une escorte. La générale était restée à la fête. D'abord Marguerite avait crié : « Les enfants !... » Les enfants, Marie Aldabram s'était chargée de les ramener à Boufarik, dans le break avec Pierre et toute la famille, ils ne craignaient rien. Allez donc raisonner une femme ! Elle s'était jetée sur lui en sanglots. Puis ces reproches : « C'est de ta faute ! » Comment de ma faute ? On aurait dit qu'elle se délivrait de quelque chose, du silence gardé toute une journée. Le colonel avait essayé de la tranquilliser : la ferme a brûlé dans l'après-midi, vos enfants étaient en sécurité. Évidemment, une maison perdue, c'est un malheur mais enfin... « Non, non, c'est de sa faute. Il a brûlé des villages, les Arabes se vengent... »

A Boufarik, on avait dirigé la voiture sur la ferme où la famille Bouychou était rassemblée. Les enfants étaient là, naturellement. Marguerite les avait étouffés dans ses bras. Cette robe blanche, éclatante, parmi tous ces gens en noir ! C'est là qu'on avait appris la mort du vieux. Les cris, les larmes, on en avait eu toute la journée. Le capitaine était parti sur le lieu du drame avec le colonel. Ils avaient fait un tour ensemble, il n'y avait plus personne que la troupe et le lieutenant, le ciel s'éclairait, le jour n'allait pas tarder à éclater. Hector avait dit : « Mon colonel, je vous remercie, j'aime autant rester seul pour réfléchir. Rentrez vous reposer... » Il avait répondu : « Et Marguerite ? » On était vraiment de la famille, on ne disait pas « Mme Griès » mais Marguerite. Il fallait prendre ça pour de la gentillesse. « Eh bien, allez la voir, allez voir sa mère, c'est ça... » Plein de sollicitude, ce colonel. Au moment de le quitter, Hector lui avait dit : « Marguerite a raison, c'est de ma faute. Déjà, ici, quand je brûlais les mechtas, ils me voyaient, ils ont dû dresser le compte... »

Dans les ruines fumantes Pierre retournait avec sa fourche des bouts de chaise, des portes de buffet de cuisine à demi calcinées. Il avait mis de côté deux bols, une assiette, des fourchettes et des cuillers souillées, un moulin à café intact. Il devait chercher l'argent des vieux caché dans l'armoire de leur chambre, écrasée sous un amas de gravats et de tuiles brisées, qu'on retrouverait peut-être car le plafond soutenu par des poutrelles de fer avait résisté en partie. Le maire avait dit, paraît-il : « On la reconstruira, la ferme. » Quand ces choses-là arrivaient, on s'y mettait tous, la garnison fournissait des sapeurs du génie, mais la mère aurait-elle le courage de recommencer ? Il fallait envoyer un télégramme à Antoine, qui allait avoir une ferme toute neuve. Dans le fond, la mort du vieux, une bénédiction. Bâti comme il était, il aurait bien vécu jusqu'à cent ans. Mais pour Antoine plus d'Hortense.

On vous a cherchés à Blida, avait dit Pierre. Hector n'avait pas osé répondre qu'ils étaient chez le baron de Tonnerre. Une fête au retour d'un enterrement ! C'est curieux, quand le colonel avait parlé de l'agitation de la plaine, pas un instant d'inquiétude : ici une rengaine, de la routine. Si on avait dû s'affoler chaque fois qu'une ferme était attaquée ! Les colons exagéraient et puis c'était le métier des gendarmes. Sans cette conversation avec le bachagha...

— Moi ça ne m'étonnerait pas, voyez, que ce soit un accident.

Le lieutenant alluma un petit cigare, souffla la fumée vers les ruines.

— Les gendarmes n'y croient pas. Le gardien a eu le temps de faire sortir les bêtes de l'écurie.

2

Hector s'éloigna dans l'allée bordée des squelettes de platanes. Les roseaux étaient cuits, des piques noires, cassées. Derrière le pan de mur de briques adossé à la cour, debout, qui servirait encore, la grande carcasse du peuplier que le soleil frappait, monstrueuse arête de poisson fichée dans le sol, toutes ses épines dressées, toutes ses griffes dehors. Hector revint sur ses pas. C'était par là qu'il avait surgi avec le général, derrière le premier peloton des spahis. Il s'en souvenait, les platanes et les orangers étaient tout jeunes, on ne voyait que le peuplier gigantesque dont la cime se balançait dans le vent au-dessus des toits. Le vieux en chapeau de feutre devant la maison, la mère avec Antoine et les filles sur le seuil, la tente sous le frêne, la table couverte d'une nappe. A la même époque à peu près, en juillet, au début juillet, puis le déjeuner, qu'est-ce qu'on avait mangé ? Ce dont il se souvenait, c'était de la pénombre de l'écurie après, de l'odeur sucrée des caroubes mêlée à celle du fumier, des yeux de Marguerite qui n'avait pas encore de nom pour lui, une fille de colons, du sucre, de la crème, hé mes amis ! Plus tard, la tuile, le grand gueulard au palais de l'Agha, la demande en mariage précipitée, le retour à la ferme, l'abominable chien. « Ce vieux con et ses questions d'honneur... C'est de sa faute, pas de la mienne. S'il n'avait pas eu peur de mal bouffer à l'enterrement d'Hortense ou simplement de ne pas bouffer à son heure habituelle... » Et cet amour du vieux pour le feu, cette manie de tisonner tout l'hiver. Qu'avait donc dit le bachagha en parlant des Arabes ? « Donnez-leur, même aux plus humbles, le moyen de s'élever, ils vous étonneront... » La générale en était toute remuée. Elle découvrait l'Algérie, il était temps, elle qui n'avait jamais voulu suivre son mari dans ses inspections, visiter seulement Boufarik, et à présent elle se livrait à des excentricités, son numéro de fantasia avec le baron, est-ce qu'elle aurait bu par hasard ? Une Roailles comme une danseuse de cabaret ou presque, la nuit de Bach avait passé sur elle comme un nuage ou un rêve, il n'en restait rien, voyons mon petit ami tu ne croyais pas t'installer à Blida entre ta femme et elle, recommencer ta belle vie d'autrefois à Alger, tu ne te souviens pas, tu étais jaloux, mon cher, jaloux de ta femme qui ne t'écrivait pas pendant que tu brûlais Icherridène, tu te demandais si un capitaine de hussards ne traînait pas par là, tu avais des raisons de te méfier, avec toi Marguerite avait été à bonne école. Voyons, une femme amoureuse de son mari ne se commet pas ainsi. Et toi ? Après dix ans de mariage il aurait fallu être un saint pour résister à Sabine, alors elle, pourquoi pas avec un cavalier ? En passant ?

La générale ce n'était pas la même chose... L'aristocratie, le piment de l'aventure, une salle de bains pleine de flacons étranges, des flambeaux encore, tout un mystère de femme huppée, et, à côté, le mari entre ses lumières et ses roses. Quel dommage que, pendant cette voltige sur un rayon de lune, le feu, c'est si vite fait une bougie qui fond mal, n'ait pas pris aussi dans la chambre du général et tout embrasé, il aurait fallu, encore pleins de l'odeur de l'amour mêlée à celle de la forêt, descendre par des draps accorchés à la fenêtre, eh bien non, M. de Roailles était resté sagement étendu sur son lit, les mains nouées dans son chapelet, à sourire au bruit des ruades, les chevaux quand ça s'aime... Il n'avait pas perdu son jugement, Hector, il savait que Marguerite était belle mais quelle beauté résistait à un orage qui éclatait après avoir rôdé si longtemps ? Lui manquaient le charme du péché, l'envoûtement de la fatalité et puis la beauté tient à quoi ? à un éclairage, un regard, un rien. Ce parfum de la nuit de Bach il l'avait retrouvé quand Krieger

lui avait tendu ce brin de lavande dans les rochers d'Icherridène. Un nouveau parfum précédait l'apparition de la générale dans le salon du colonel : un arôme d'œillet si puissant qu'il en devenait provocant, qu'on ne pensait plus qu'à
ça, il envahissait tout, on se demandait comment on pouvait,
en deuil, oser répandre une agression pareille autour de
soi. A cela seulement on se disait que le navire amiral avait
appareillé et voguait en pleine mer...

Il s'approcha de l'énorme mât du peuplier où le vent ne
battait plus. Du tronc fouillé de sillons verticaux se détachaient de longues écailles, des lanières. Il en souleva une,
gratta l'écorce avec l'arête d'une tuile, la perça, atteignit
l'aubier encore juteux. De l'aigrette des rameaux en botte,
il ne restait rien mais l'arbre protégeait la sève et enfouis-
sait la vie sous une épaisseur de cuir. On conduirait la
charogne du vieux au cimetière et le peuplier renaîtrait.
Pendant un an peut-être il allait se perdre dans les saisons,
confondre ce feu avec la glace d'un hiver rigoureux, et se
couvrir de bourgeons au moment où on ne s'y attendrait
plus.

Pourquoi cette haine pour le vieux ? Pour son cœur sec ?
Le cœur des arbres aussi était dur. Un os avec sa moelle.
Une pierre. Hector ne lui avait jamais pardonné de l'avoir
roulé. Lui qui rêvait d'un beau-père riche, ce gros ours
rusé au lieu d'un baron. Eh bien, bonjour beau-père. On
va en finir avec vous. D'ailleurs c'était justice : après le
général, son ancienne ordonnance. Seulement le général
s'était éteint comme une chandelle usée que la guerre avait
soufflée, l'autre s'arrangeait pour avoir une mort glorieuse,
on allait lui faire des obsèques solennelles, bonsoir beau-
père, reposez-vous, dormez en paix. On ne va pas embrasser
votre couenne cramée comme celle des hérétiques de Montségur, un méchoui pour sabbat. Il ricana : « Un méchoui
pour Arabes, le vioc embroché et les bics arrachant des
lambeaux de sa peau pour les donner aux chiens... »

Il revint vers le lieutenant, soulagé, presque heureux. Le
vent de la mer soulevait des cendres qui tourbillonnaient
entre les pans de mur puis les rejetait vers la plaine.

— Je vous laisse. On va venir vous relever.

Le lieutenant consulta encore sa montre en étouffant un bâillement. Sous son képi, il devait avoir des cheveux blonds et clairsemés, ondulés. Il avait une tête à ça.

— J'espère, dit le lieutenant. Je me demande ce que je fais là.

Il claqua les talons, salua.

3

Sous le hangar de la ferme des Berthelot, le vieux était déjà dans un cercueil. Ses restes cachés, il en imposait encore. Un beau cercueil de chêne comme celui d'Hortense, mais plus grand, à sa taille, un cercueil d'homme, que la municipalité offrait à la famille. Le curé était venu bénir le corps et reparti. On avait poussé les outils, des charrues, un tarare dans un coin du hangar, et balayé sous les tréteaux qui supportaient la bière. Devant, une table avec une bougie allumée et, dans un verre, un brin d'olivier.

Assise sur une chaise à côté de lui, un peu penchée comme si elle allait tomber, toute petite, tassée, fondue, cassée, la mère Aldabram, un bras posé sur le cercueil, toute seule sans ses filles qu'elle avait renvoyées, pauvre mère, on avait pitié d'elle. Elle tenait encore, appuyée contre son Marjol, qu'elle était dure cette épaule ! Les yeux fixes, obliques, elle regardait devant elle les poignées, le bois luisant. On avait voulu l'emmener. Elle avait refusé, s'était accrochée à sa chaise. Sans un mot.

— On lui a porté du café, dit Marguerite. Elle n'a rien voulu prendre. Essaie, toi.

Marguerite avait changé de robe. On avait dû lui en prêter encore une. Tout en noir, ses cheveux tirés en arrière serrés dans le cou par un ruban.

Hector s'avança, hésita, on pouvait croire qu'il priait ou qu'il se demandait. Sur les joues de la mère des marbrures qu'il n'avait jamais vues, peut-être parce qu'il ne la regardait pas ou parce qu'elles n'attendaient que l'occasion d'apparaître sur le visage sans larmes, plein de rides, de pattes d'oie, de griffes d'oiseau, de sillons en tous sens, de plis, de lignes, de creux que la réverbération de la lumière éclairait, deux grosses rides horizontales sinueuses sur le front et deux verticales sur chaque coin d'œil, les joues crevassées, mangées, marquées, avec des ravinements et des affaissements dans le bas, la lèvre supérieure toute gercée entre les deux profondes coupures des ailes du nez et deux autres aux coins de la bouche...

Il se pencha.

— Antoine va revenir, dit-il.

Il vit une lueur dans le regard, un frémissement sur la face fripée.

— Vous viendrez habiter chez nous à Blida avec Lætitia.

Elle secoua la tête. Qu'est-ce que ça voulait dire ? Oui ? Non ? Elle n'allait pas rester avec son Marjol, il faudrait bien qu'elle le lâche. « Une vieille carne pour toi, mon vieux, mais elle ? Elle ne le voyait pas comme toi et maintenant il n'y aura plus qu'ombre sous ce soleil dévastateur, pour elle la vie s'arrête là... » Les journaux annonceraient qu'une ferme avait été incendiée. Ils écriraient : on croit à un attentat, le gardien a été appréhendé, une enquête est ouverte.

Elle souleva sa main puis la laissa retomber sur le cercueil. Ses lèvres bougèrent.

— Depuis un certain temps, dit-elle, il entendait des cloches.

Elle se parlait à elle-même, on ne comprenait pas. Depuis des mois rien ne l'intéressait plus, le Marjol. La ferme allait comme elle voulait, il ne demandait plus rien à Pierre. Il était déjà de l'autre côté et on ne le savait pas. Il n'y avait qu'Antoine à lui manquer. Il allait encore à son peuplier avec son chien qui rechignait et préférait rester allongé sous la table de la salle à manger, au frais. Le seul avec qui il parlait encore, en arabe, était M'hammed. Cette brisure en lui s'était produite au départ d'Antoine, il n'y avait eu que sa femme à le remarquer. Il tombait sur le lit comme une souche, ne répondait plus, passait toute la nuit à souffler, se levait, sortait, revenait en se cognant aux meubles. Au retour d'Hector, il avait paru se réveiller, avait repris de l'appétit. Il voulait savoir comment son gendre avait été blessé, si Antoine allait revenir, s'embrouillait dans la mort du général de Roailles et la révolte de Kabylie. Et sa façon de harceler M'hammed et de le combler d'attentions ! Il lui offrait souvent le café à la maison, partagé entre la méfiance et l'amitié. Il voulait savoir ce que M'hammed pensait, il lui donnait du tabac, il le taquinait.

Les cloches il avait commencé à les entendre une semaine avant la mort d'Hortense. Un soir il avait demandé ce que c'était, quelle fête on célébrait. Quoi donc ? « Tu n'entends pas ? » Non. « Tu n'entends pas les cloches ? » Peut-être devenait-elle dure d'oreille. Elle alla sur le seuil, écouta. Rien. Elle feignit d'entendre, revint. Un mariage ou un baptême, je ne sais pas, moi, l'angélus. Il fut rassuré. Tout était dans sa tête où s'envolaient des carillons, et puis ça s'arrêtait. Elle aurait dû se méfier. On l'appelait, Marjol. Il s'en allait déjà vers l'au-delà et elle n'avait pas compris. Ces martèlements d'airain mêlés à ce bruit de chute d'eau et à ces sifflements intérieurs dont il se plaignait parfois, annonçaient des voix qui n'étaient plus des voix d'ici. Ici, c'étaient le vent, les cigales, les chacals, un crépitement d'étoiles en douleur et de ciel craquant sous la chaleur. La plupart du temps on n'entendait pas les cloches de Boufarik, le vent soufflait en sens contraire, et puis ça ne résonnait pas comme en France, il y avait trop de soleil, les ondes n'étaient pas amorties par la brume, l'air n'était pas le même, à Montségur la vibration des cloches cognait contre les rochers, se répercutait, lançait par-dessus les vallées des battements profonds auxquels répondaient d'autres vibrations du bas à l'heure des messes du dimanche. La mère n'aurait pas dû le laisser seul le jour de l'enterrement d'Hortense, mais aussi leur fille Marie, à Sidi Moussa, ce nouvel Antoine qui avait dix-huit mois et l'autre enfant, Mathilde, qui était née en février, tu n'as pas envie de les voir, Marjol ?

4

Hector sentit qu'on le tirait par la manche. Jean-Pierre
Paris le conduisit à la maison où l'aîné des fils Berthelot,
Joseph, les attendait. D'autres hommes aussi, une dizaine,
des fermes d'à côté et du village, qui parlaient, hochaient
la tête. Joseph paraissait commander. A l'arrivée d'Hector
le silence se fit. Hector serra des mains. Des armes partout :
des fusils de chasse, un chassepot sur la table. Les Berthelot semblaient prospérer. D'anciens paysans peut-être, mais
d'une classe supérieure, plus aisée. On ne comptait pas les
chariots, les voitures, une écurie immense. Dans la salle à
manger, de bonnes chaises larges, un buffet de style mauresque, une grande suspension à pétrole et même un sofa.

— Du café ?

Une femme âgée, la mère ? sortit puis disparut. Hector
approcha le bol de ses lèvres, souffla sur le café trop chaud,
but prudemment, puis enleva son képi, le posa à côté du
chassepot, se passa la main sur les joues qui commençaient
à lui piquer. Jean-Pierre venait d'arriver de Sidi Moussa.

— Mon capitaine, dit Joseph, nous pensons qu'il faut
arrêter ça tout de suite. Vous connaissez la région, elle est
tranquille. Vous venez de Kabylie, vous savez comment vous
les avez calmés là-bas. Si nous les laissons faire, demain
ce sera une autre ferme, puis une troisième, puis quand
l'armée sera occupée par-ci, par-là à éteindre les incendies,
toute la plaine. Ici j'ai pris mes dispositions : ils ne viendront pas s'y frotter. Ils iront où on ne les attend pas. Pour
les décourager de recommencer, nous allons brûler les maisons des Sidi-Aïd à deux kilomètres d'ici.

Le fils Berthelot parlait d'une voix saccadée. Les pommettes larges et saillantes, les oreilles plates, les cheveux en
broussaille, le front étroit, les yeux un peu bridés enfouis
sous les arcades sourcilières, un petit nez relevé, la bouche

coupante sous la lèvre supérieure rasée très haut, un cou de taureau avec un petit menton en galoche. Dans la Creuse, d'où venaient les Berthelot, quelles invasions avaient laissé ce type d'homme ? Les Cosaques n'étaient pas descendus jusque-là. Avec ses yeux bleus et son visage doux, Jean-Pierre Paris semblait un barbare du Nord à la parole lente. Un Burgonde à côté d'un Wisigoth.

— On ne touchera pas au marabout, mais les autres... Ils n'y sont peut-être pour rien ? Tant pis. Ils paieront pour la ferme et pour le mort. Après, nous verrons. S'ils ne bougent plus, nous ne bougerons plus. S'ils continuent, nous continuerons. C'est votre avis ? Parce que l'armée, nous ne pouvons pas compter sur elle. Elle est en Kabylie et les renforts de France seraient bons tout au plus à défendre leurs casernes. Quant aux gendarmes, c'est bien en temps de paix.

Un conseil de guerre. Des regards baissés. Des hommes, le plus âgé quarante ans peut-être, bottés, en culottes et vestes de toile à grandes poches, des ceintures de cartouches autour des reins, et qui se passaient du sucre. Les persiennes tirées. Un colon le dos appuyé à la porte d'entrée. Le chassepot appartenait à Joseph. Un silence. On attendait d'Hector une décision. Il se débarrassa de son bol, prit son temps.

— Vous me demandez mon avis en tant que quoi ? Officier ou famille ?

— Les deux.

— Vous êtes libres d'agir à votre guise. Comme officier, je vous dirai que ça ne vous regarde pas, que vous êtes seulement chargés d'assurer l'ordre chez vous.

— La plaine, c'est chez nous.

— Il y a un commandant d'armes à Boufarik, des autorités militaires. Si on ne vous demande pas votre concours, vous n'avez pas à intervenir. Comme officier voilà ce que je pense. Comme gendre, je ne suis pas sûr qu'il s'agisse d'un attentat.

Le fils Berthelot planta son regard sur le capitaine.

— De quoi alors ?

— Un accident peut-être. Je connaissais bien mon beau-père. Toujours en train d'allumer une bouffarde à des briquets. Un jour, la mèche d'amadou avait brûlé son falzar. Il ne dormait plus la nuit, mais chaque après-midi, la sieste, et là... Il a pu mettre le feu par mégarde, être étouffé sans s'en apercevoir.

— Il ne serait pas sorti ?

— Il n'a peut-être pas pu.

— Le chien à côté de lui ne l'aurait pas averti ?

— Le chien restait dans la salle à manger, la porte de la chambre fermée. Il était usé lui aussi, il se traînait. Si vous brûlez les Sidi-Aïd, d'autres brûleront vos fermes plus tard. Ils ont le temps. Ils attendront. Si vous voulez la guerre, ne vous gênez pas. Je sais ce que c'est. Je ne vous la conseille pas.

— On aurait cru le contraire. Si la plaine n'a pas bougé depuis dix ans, c'est qu'on vous voyait brûler la montagne.

— Je viens de la brûler encore, la montagne. Avec le fils Bouychou justement. C'est peut-être pour ça qu'on commence à brûler la plaine. Brûlez à votre tour les maisons des Arabes si vous voulez, je ne vous en empêche pas. Vous avez peut-être raison. Peut-être tort. Tout dépend de la façon dont vous espérez vivre ici. En bonne intelligence avec eux ou le fusil à la main ?

— Vous les connaissez. S'ils nous croient faibles...

Moi je vous dis : mêlez-vous de ce qui vous concerne directement. Pour le reste il y a les gendarmes et, après les gendarmes, l'armée. Mon métier c'est ça justement : tuer et brûler. Quand on me l'ordonne. Pour vous défendre. Votre métier à vous de planter des vergers ou de la vigne et de semer du blé. Je vous le laisse. Laissez-moi aussi le mien ou alors engagez-vous. Nous vous recevrons.

— L'ennui, c'est que vous arrivez toujours trop tard, le mal fait. A Palestro, à Tizi-Ouzou, à Rébeval par exemple, une fois les colons massacrés. Vous réprimez. Nous préférons prévenir. Pour que nos arbres poussent. Vous avez vu ceux de votre beau-père ?

— Je les ai vus.

— Et lui, à côté ?

Hector mit ses mains dans les poches de sa vareuse. Le cœur lui battait. Dans un instant, ce blanc-bec allait l'insulter.

— Ecoutez. J'ai vu beaucoup de morts. La Kabylie en est pleine. On les bourre dans des fosses, ça pue. Et les arbres, là-bas, il n'y en a plus du tout. On les a tous sciés, les figuiers, les frênes, les oliviers, les noyers et même les cerisiers, la terre est noire. Vos colons de Palestro ont été vengés. C'était ce que vous vouliez ? Si mon beau-père a été tué, on le vengera aussi. Pour l'instant vous ne savez pas ce qui s'est passé. Abstenez-vous. Vous me demandez mon avis. Je vous le donne. Là-dessus je n'ai pas fermé l'œil de la nuit. Je vais me coucher. Ayez la bonté de me faire conduire. Je reviendrai. Messieurs je vous salue.

Il se recoiffa lentement et sortit.

Les gendarmes étaient là. Il se détourna. Sous le hangar on apportait des fleurs, on dressait des tentures funéraires, on recouvrait le cercueil d'un drap noir. Assises de chaque côté, Marie et Lætitia avaient remplacé la mère. Marguerite devait dormir dans la chambre des filles Berthelot.

5

Etait-ce la fatigue ? Il éprouvait de la nausée. En Kabylie, les montagnes étaient calcinées, les rapaces guettaient les morts, les arbres étaient coupés, mais c'était propre. Pourquoi avait-il dit que ça puait ? Pour essayer de les écœurer aussi. Pour leur faire sentir d'ici l'odeur qui flottait au-dessus des villages grillés. Dans son mortier d'azur foncé le soleil broyait la fête de la nuit. Tout s'y précipitait : les calèches, les torches, le baron dans sa cape, la générale et son collier de perles, le bachagha, les musiciens, les danseurs, le colonel qui s'émerveillait de tout, Hortense dans sa robe de mariée, le *Requiem,* le charpentier, le cimetière, les enfants de chœur en rouge. Et puis, presque par hasard, la nouvelle. Tout cela le même jour, assez ! Et Antoine qui ne savait

rien, qu'il fallait prévenir. Il chercha dans sa tête la formule
à employer dans un télégramme au bataillon : « Prière
annoncer soldat Bouychou mort accidentelle de son père.
Présence soldat Bouychou nécessaire Boufarik. » Et la chère
générale tout émoustillée par le baron et le bachagha. En
tout bien tout honneur naturellement : qui aurait l'audace
de lutiner une marquise ?

Moi, mes petits amis, elle n'a pas fait la fine bouche
vous pouvez me croire, ni poussé les hauts cris ni... Je
n'irai pas jusqu'à prétendre qu'elle ne désirait que ça. Vous
me direz que passer sa vie près d'un homme âgé et fini,
sans jamais d'autres visites que celles des fournisseurs, dans
un manoir qui a besoin de réparations, beaucoup d'ardoises
des toits se sont envolées et les communs se dégradent,
à quatre lieues de la ville la plus proche et quelle ville, une
fois que vous avez vu la place pavée, les arcades, la collé-
giale, le jardin public et j'oubliais, l'Aveyron en train de
suçailler des cailloux, vous avez beau dire que cette ville
est une bastide, qu'on peut y admirer des remparts et de
belles portes fortifiées, visiter la chartreuse, la nef à triple
travée, les vitraux du XV° siècle, les sarcophages romains et
le grand cloître, est-ce que je sais ? Pour une femme encore
jeune, eh bien... A un moment, elle qui donnait toujours
du « vous » à son mari a osé me dire : « Je t'attendais... »
Je n'étais pas sûr d'avoir bien entendu. Je lui ai fait répéter.
Les hommes sont naïfs. Tout de même... Pourquoi m'avoir
attendu si longtemps ? Sait-on jamais ce qui mijote dans
le cœur des femmes ? Il avait fallu une guerre, une défaite,
que je descende toute la France pour me confesser au général, que je le trouve sur un lit de mort. Et si rien de tout
cela ne s'était produit ? Sur le moment, j'ai cru. J'étais
en plein miracle. J'appelais des consolations et des lumières
spirituelles, elle s'offrait à moi, me serrait dans ses bras,
nous voguions à travers les étoiles sur un rayon de lune dans
le rire des chats-huants. Des chouettes aux grands yeux
écarquillés se rapprochaient, criaient la nouvelle sur les
toits : « Sabi-îne, Sabi-îne... » avec des sanglots comiques.
A l'aube, quand je suis parti avec mon sabre inutile et

ridicule, j'ai commencé à douter. C'eût été par exemple le
colonel de Saintonge, dont le régiment, après un bivouac
dans les bois, aurait fracassé la nuit sous les roues de ses
fourgons et de ses batteries, eût-elle résisté ?... Ce regard
qu'elle a eu dans la calèche, quand le soir tombait et que
nous allions vers la fête du baron, m'en a appris long. Elle
attendait bien quelqu'un, mais ce n'était pas moi.

Il ne savait plus. En Kabylie, par vertu ? il refusait les
femmes que le sort lui offrait, il souffrait parce qu'on ne
lui écrivait pas, il se posait des questions parce qu'il se
demandait s'il serait encore en vie le lendemain, était-ce
sérieux ? A l'exemple de Saint-Arnaud, il était prêt à sauter
sur un cheval comme un jeune marié pour retrouver Marguerite, et quand le ciel la lui rendait, sa flambée de passion
retombait. Parce que la générale était à Blida ? La vérité
n'était-elle pas que, las de tous ces déchirements inutiles, il
avait envie de guérir de cette chiennerie ? Qu'il vieillissait ?
Plus de quarante ans déjà, il était temps de s'occuper de
choses sérieuses, de l'éducation des enfants, d'une carrière.
On jouait avec des croix et des galons, la guerre conduisait
à la mort et la paix n'avait plus d'attrait : des promenades
en calèche, des conversations, des colons qui singeaient les
militaires, mon colonel ne vous gênez pas, je vais vous
laisser, si le cœur vous en dit, vous amuser avec les Arabes
et avec Marguerite, mais peut-être avez-vous fait comme moi
la différence entre une marquise et une fille de colons, et
encore, la marquise vous n'y avez pas goûté, essayez, vous
verrez.

Un moment, à Blida, il eut la tentation d'aller à la villa
du colonel. Pour rien. Pour rire un peu. Pour savoir si la
générale était rentrée. Pour le plaisir d'entrer dans sa chambre comme chez lui, on ne fermait pas sa porte à clé quand
on habitait chez les gens, pour dire : c'est moi, se déshabiller,
se mettre dans son lit sans explication, puis il y renonça.
Les cuivres du jour qui claquait chassaient tout mystère.
Même avec les persiennes tirées il aurait l'air de quoi ? La
nuit, le silence, le cri des chouettes ne se remplaçaient pas.
Il ne pourrait pas dire : j'ai besoin d'oublier l'enterrement

d'Hortense, Antoine l'aimait, elle avait vingt ans à peine, elle élevait des perdrix, et puis je vous ai vue danser avec le baron, et maintenant l'incendie de la ferme, le vieux carbonisé, l'odeur de massacre qui traîne là-bas, j'avais besoin de te serrer dans mes bras, Marguerite ce n'est pas la même chose, depuis mon passage au manoir je ne sais plus, je croyais souffrir de la guerre mais non, elle m'ennuie, je n'avais pas goûté à toi, quel est ce nouveau parfum ? Il chuchotait tout cela, il essayait d'entendre des réponses... La générale souriait seulement, elle ne protestait pas, elle prenait les événements comme ils se présentaient, les hommes ont de ces réactions. Et si le colonel était là ? Et les domestiques ?

Du délire. Dans sa poche il trouva sa clé. Il se fit conduire chez lui. Quel chaos ! L'épaule lui faisait mal.

6

Pas de musique militaire mais un orphéon. La fanfare municipale en casquettes à coiffe blanche de chef de gare gargouillait on se demandait quoi, on finissait par deviner qu'il s'agissait de la marche funèbre de Chopin. dans toute la France on jouait ça aux enterrements, tra... la... la-la... comme la marche nuptiale de Mendelssohn aux mariages, on l'avait jouée au sien, ici même, à l'harmonium, c'était de rigueur. Les musiciens n'étaient pas nombreux, quatre tambours, une grosse caisse avec cymbales, quatre clairons, deux pistons, un saxhorn, un tuba, deux clarinettes, mais quel boucan ! Le chef d'orchestre avait attendu que la bière fût sortie de l'église et chargée sur le corbillard, un des porteurs, un amateur, avait trébuché sur une marche et failli s'étendre, les autres avaient eu du mal à s'agripper au vieux, l'assistance avait retenu un cri d'effroi. Le cortège en place, les curés en tête, ils étaient quatre, tous ceux des environs, trois en chape, un en surplis dirigeant une dizaine d'enfants de chœur derrière l'acolyte portant la croix, la musique sévissait juste devant le drapeau des sapeurs pompiers encadré par une section en casques de cuivre et tout à coup, après le chant du premier verset du *Miserere,* y était allée de ses croassements lugubres, scandés par la batterie.

D'abord on ne l'avait pas entendue, dans le tonnerre de Dieu qui tombait du ciel et cassait les oreilles : la plus grosse cloche à toute volée et le tocsin en tintement précipité de la plus petite, un vacarme, un hourvari phénoménal. Quand on avait atteint les premiers cafés de l'avenue de la République autrefois dédiée à Napoléon III lors de son voyage, les clameurs, les borborygmes et les vagissements de l'harmonie municipale avaient pris le dessus.

Derrière le groupe des femmes, les pleureuses en voile noir, Dolorès, la mère soutenue par ses filles, Hector en grand tenue à épaulettes, sabre au côté, croix sur le cœur et pantalon rouge, entre les hommes de la famille, Pierre, le François enfin venu de Souma, Jean-Pierre Paris, tous dans des jaquettes trop étroites, le gendarme Ezard et son brigadier, suivis des colons qui se dandinaient l'air grave et menaçant, on se demandait sur quel pied marcher, fallait-il écouter la musique ? Après venait le poêle tenu par le fils aîné des Berthelot, le maire avec son écharpe, les adjoints, et deux conseillers indigènes en veste grise, turban jaune et seroual, qui ne savaient où se fourrer. Il y avait même, à cause d'Hector, une délégation d'officiers de la garnison.

Les gens se découvraient, quittaient la terrasse des bistrots pour s'intégrer à la foule, s'y presser en une procession qui s'étendait sur la moitié de la ville et piétinait, énorme, lente, un troupeau formidable et lugubre.

Pour la générale qu'encadraient le colonel et le baron, on s'était posé des questions. D'abord on n'avait pas su où la mettre, puis, pour lui faire honneur, on l'avait placée juste après les femmes, devant les hommes. Elle connaissait enfin Boufarik ! Voilà, ce n'était que ça : des boulevards plantés de platanes, des cafés, des pharmacies, des épiceries qui fermaient et posaient leurs volets, un soleil à vous étendre, des fontaines, des visages qu'on devinait derrière les persiennes, à guetter.

Digne, raide, absent, l'œil chaloupant de la taille aristocratique de la générale au corbillard à deux chevaux blancs avec harnais vernis et pompons partout, au-dessus des colliers et sur la croupe, Hector avançait. Après tout ce n'était qu'une question d'habitude, n'est-ce pas ? Il se disait qu'il allait peut-être se taper des enterrements tous les jours. « Ces deuils qui nous rassemblent, chère Sabine... » Encore avait-il échappé à celui du général. Par décence, car Sabine aurait trouvé normal qu'il y assistât. Le général, on avait dû le conduire à sa dernière demeure à la sauvette, alors que son ancienne ordonnance s'arrangeait pour avoir là son jour de gloire. Rigolait-il ce vieux farceur s'il voyait toute la ville se découvrir devant lui ? Aurait-il jamais pu rêver d'une si belle cérémonie ? Regrettait-il son chien ? On faisait suivre le corps des généraux de leur cheval d'armes, pourquoi pas lui de son molosse ? Et quand on savait à quoi il jouait, quand il mimait le photographe, s'amusait-il de celui qui opérait ici, s'empêtrait dans son trépied et se hâtait sur les flancs du service d'ordre pour fixer le défilé sur la place Mazaghran ? Tu ne respectes rien, Hector. Tu tournes en dérision les choses les plus sacrées. Si tous ces gens-là savaient ce qui te passe par la tête à un moment pareil, toi un capitaine de zouaves, un père de famille.

Si cela continuait, les enfants allaient aussi se demander s'il n'y avait pas une saison vouée aux enterrements. On aurait pu les laisser chez les Berthelot mais une sorte de panique s'était emparée des femmes : elles ne voulaient plus se séparer de leur progéniture. Alors ils étaient là, ça les intéressait. Seulement la filleule de la générale commençait à poser des questions de plus en plus embarrassantes, ce long sommeil dont on lui parlait pourquoi s'entourait-il d'un cérémonial si macabre ? Et cette atmosphère de drame parce que la ferme avait brûlé ? Alexandre, en revanche, rien. Il ne quittait plus son père, marchait à ses côtés avec fierté, la tête droite. Que pensait-il, celui-là ? Un fils et déjà un étranger. Une petite brute qui traitait les Arabes

à l'exemple des militaires. Et sa sœur, avec ce nom qui devenait d'une indiscrétion...

Hector avait bien dormi. Il était passé à l'infirmerie
montrer sa blessure au major, il était guéri. Un tout petit
pansement pour la forme. Il avait mis ce qu'il avait de plus
fin et expédié le télégramme à Antoine. Le colonel l'avait
fait conduire dans une voiture. Il faisait chaud mais on
sentait les remous du vent de la mer qui butait sur les maisons. Un petit cigare, que c'eût été parfait. C'était drôle de
suivre le cortège du patriarche derrière ses filles, Marguerite
avait de l'allure et, entre ses deux chevaliers servants, la
générale portait de temps en temps un mouchoir de batiste
à ses lèvres pour marquer son émotion ou à cause des odeurs ?
Pas celle du vieux, il ne sentait rien, mais celle de ces
hommes en sueur sous leurs habits noirs, et puis les rues
de Boufarik n'étaient pas très bien nettoyées, c'était l'époque où les charrois de grains encombraient les routes, tout
un groupe de camions attendait sur le boulevard Saint-Louis
que leurs conducteurs eussent fini de casser la croûte. Les
mouches pullulaient. A un certain moment les femmes s'écartèrent brusquement devant un tas de crottin tout frais, tout
doré, tout luisant qu'un cheval du corbillard venait de lâcher.
On aurait dit que c'était le mort. Le baron avait vivement
pris le bras de la générale pour lui éviter de marcher dedans,
il était aux petits soins, le colonel avec son nez en l'air ne
voyait rien et quand le soleil lui tapait sur le crâne, car tous
les hommes étaient nu-tête, à part les musiciens, les pompiers, le service d'ordre et le clergé, son front paraissait
joliment déplumé en comparaison de la chevelure abondante
et bouclée du baron, un vrai poète.

« Tu ne respectes rien... » Hector se sourit à peine. La
réflexion qu'il venait de se faire lui rappela celle du général
de Roailles le jour de la demande en mariage. Ces choses-là
ne s'oubliaient pas. Pour faire honte à son aide de camp,
il avait tiré à boulets rouges sur lui avec des expressions
de ce genre : « Vous ne manquez pas de culot, vous avez
des mœurs de goujat... » Quel esclandre pour une fille un
peu chiffonnée ! Quel scandale ! Et chez l'aide de camp, mon

Dieu qu'il était jeune à l'époque, quelle naïveté ! On voulait de la moralité, de la tenue, du mérite, de l'honnêteté ? Eh bien il en avait prodigué ! Dix ans de bonne conduite, un mari parfait, un officier sans reproche à peu de chose près. La conscience incarnée. Un exemple : lui, le crottin, il l'enjambait comme par hasard, avec délicatesse, pour en laisser la surprise à tous les flambards qui suivaient, finiraient par le piétiner et s'en souiller. Sous ses tentures, le vieux devait être content de son gendre.

7

A la porte de Chebli, le cortège ralentit et se serra. Le cimetière était à un kilomètre après une bonne trotte sans ombre, à faire à pied. Aux enterrements ordinaires, le curé montait avec son goupillon dans l'une des calèches qui suivaient, mais là, non. Il s'agissait d'une manifestation de masse avec musique et drapeau. *Tra... la... la-la...* L'orphéon n'était même pas capable de s'arrêter en même temps : un couac effroyable du tuba. Le chef d'orchestre se retourna avec un regard furieux, et il y eut un moment de flottement.

Libera me de sanguinibus Deus, Deus salutis meae...

Depuis que la fanfare s'était tue, le chant de détresse du *Miserere* se détachait, désolé, lamentable.

La mère refusa la voiture qu'on lui offrait. Elle irait jusqu'au bout. Entre Marguerite et Marie qui la soutenaient, ses pieds touchaient-ils seulement le sol ? Elle ressemblait à une silhouette de champ de tir, toute petite, soudain ratatinée, pitoyable sous le long voile de crêpe qui la recouvrait. En revanche on poussa le père Paris et les petites filles dans une calèche avec un dais bordé d'une dentelure effrangée. Le colonel et le baron se penchèrent sur la générale. Elle parut hésiter un moment sous sa capeline puis céda et monta dans un cabriolet. Après un assaut de civilités, le baron s'installa entre le conducteur et elle. Le colonel revint près des hommes.

— Et vos enfants ? demanda Hector à Jean-Pierre.

— Ma mère les garde. Elle est chez des voisins. On ne sait jamais.

Libera me de sanguinibus... Cela voulait dire : délivrez-moi des hommes de sang. Finalement, il n'y avait pas eu d'expédition contre le douar parce que les gendarmes avaient trouvé l'argent dans les débris de l'armoire. Un miracle. Les billets serrés dans un coffret n'avaient pas brûlé. L'or était là. Antoine pourrait reconstruire la ferme. Peut-être même plus belle qu'avant.

— Et le gardien ?

— On l'a relâché, dit Jean-Pierre avec un geste vague d'impuissance. Il est en train de remonter son gourbi. Il voulait venir à l'enterrement, quelle idée !

Le cortège s'ébranla de nouveau, déboucha peu à peu sur la route blanche, où les fondrières secouaient les pompons du corbillard. Les hommes se couvrirent. Ça tapait trop, on ne pouvait risquer une insolation. Il était dix heures à peine. Dans les broussailles et sur les frênes qui bordaient la route de loin en loin, friture de la plaine dans son huile bouillante, les cigales sifflaient, grésillaient par-dessus les chaumes ras et les champs de tabac aux longues feuilles sombres.

— Elle voulait continuer, dit le colonel. Une femme comme elle, vous pensez !

— Vous auriez dû l'accompagner.

— Elle a choisi la voiture du baron. Laissons-la à ce galant homme.

— Vous avez tort.

— Mon cher vous savez, les femmes...

Hector n'osa pas lui demander où elle avait passé la nuit. A la villa sans doute. Le baron avait dû la raccompagner à l'aube, lui baiser la main.

— Vous ne croyez pas, mon colonel...

— Quoi donc ?

Hector pensait : vous ne croyez pas que vous devriez la
chambrer comme une fine bouteille, ne pas la laisser s'éven-
ter ? Si toutefois vous avez des intentions à propos d'elle.
Si vous ne savez pas non plus où vous en êtes, si ce pays
vous tourne la tête, si vous aspirez avec délice cet air chaud
qui fleure l'eucalyptus, si vous rêvez de tirer des coups de
canon dans la montagne, on dirait qu'elle danse dans les
vapeurs de l'été, c'est sa fantasia de tous les matins, si vous
vous mettez à aller de fête en fête et d'enterrement en enterrement... A quoi bon se mêler de ça ?

— Rien. Je me demandais si la fanfare va jouer aux
champs tout à l'heure.

— Pourquoi pas puisque votre beau-père est un ancien
soldat de l'expédition d'Alger ? Ce n'est pas rien. Nous
sommes des jeunots. Quarante ans déjà.

Pas un Arabe. Rien. Le vide. Les escadrons battaient la
plaine. Pourquoi le baron n'avait-il pas amené son ami le
bachagha ? On arrivait déjà. Le corbillard se rangeait. Le
clergé lui faisait face. On descendait la bière. On entrait
dans le cimetière. Hector surprit un regard indiscret du
colonel sur Marguerite.

8

Juvenes et virgines, senes cum junioribus... Que les jeunes
gens et les jeunes filles, les vieillards et les enfants chantent
le nom du Seigneur...

— Viens ici, Alexandre !

Hector fit passer son fils à sa gauche pour lui masquer
les chevaux. Ah ! les salauds, qu'est-ce qu'il leur prenait ?
Le baron, dont la voiture venait de déboîter, se plaça aussi
en écran devant la générale. Trop tard. Elle avait vu. Un
rayon de jubilation toucha son visage, atteignit les pommettes, la bouche. Ce n'étaient pourtant pas des chevaux

entiers qu'on attelait aux corbillards. Le colonel poussa
Hector du coude. A cause de cela peut-être ils avaient des
réflexes bizarres, ils s'embêtaient, ils se faisaient des idées,
des odeurs les troublaient, alors en toute candeur, sans se
cabrer, sans un hennissement, vers quoi ? il n'y avait pas
une jument dans les environs sinon très loin dans les escadrons de chasseurs, à des distances pareilles on réagit quand
on est un cheval ! Et puis ça leur passait comme ça leur
venait, tristement. Un plaisir solitaire, pathétique, qui semblait les prendre aux entrailles et les quittait. Ou encore
c'était leur façon à eux de rendre hommage au vieux sacri-
pant qu'on portait en terre ?

Impassible sur son siège dans son habit et son bicorne, le
conducteur avait peut-être bu ou donné la veille trop d'avoine
à ses bêtes, ou bien il les connaissait, ça devait être un rite.
La chaleur ? Le monde ? Il aurait pu au moins écarter son
attelage... Il ne voyait même pas ce qui se passait.

— A la foule accourue de partout porter un dernier
hommage à M. Bouychou...

Le maire lisait ses feuillets d'une voix aiguë, il paraissait
congestionné.

— ... il n'est pas nécessaire de demander ses raisons.
Boufarik, cette terre de héros...

Sous le voile de la mère, ce visage perdu, ces yeux qu'on
ne baiserait plus, cette bouche où la bouche de Marjol
avait bu. Mes filles, votre tour viendra. Qui sait si le vieux
dans sa boîte, au souvenir de ses ardeurs défuntes ?... Ce
cimetière-là, il ne s'y sentirait pas seul. Bourré, avec des
chapelles, des tombeaux de marbre, de belles croix puissantes. La fosse était creusée dans le carré des pauvres.

— ... Je le dis solennellement en face des autorités militaires et religieuses, de nos collègues musulmans dont la
présence nous est un réconfort, puisse cet incendie être
vraiment un accident et non un crime. Puissions-nous continuer à croire que le respect du bien d'autrui ne s'exerce pas
à sens unique...

La voix du maire tremblait. Il se sentait le défenseur de
ses administrés. Sur son crâne déplumé la sueur brillait.

Un voile de brume noyait les hauteurs de Chréa, au-dessus de Blida. « Il y aura du sirocco ce soir », pensa Hector. Quelle occasion pour le colonel ! Savait-il que le vent du sud brisait la résistance des femmes, qu'elles se sentaient défaites, alanguies, qu'elles étouffaient ? La générale aurait des vapeurs. Elle resterait dans sa chambre, allongée sur son lit avec un éventail. Il suffirait de lui demander avec délicatesse l'autorisation de lui rendre visite, de lui porter des fleurs, de la limonade fraîche, et attendre près d'elle la tombée du jour, Blida ferait le reste.

Artilleurs, mes chers frères...

Ces jours-là, l'appel du muezzin semblait plus lourd, le battement des tambours du quartier réservé provoquait des rixes, on se battait pour un rien malgré les patrouilles de police doublées, les hommes sortaient des couteaux. En temps de paix, on consignait alors les troupes dans leurs casernes, mais les nouveaux commandants d'armes manquaient d'expérience. La générale dirait : « Je ne sais pas ce que j'ai... » Je le sais, moi. Vous vous sentez flotter, très chère. Vous ne respirez plus. Le feu du ciel vous incendie les moelles. Vous vous demandez ce que vous faites sur la terre, vous soupirez : Mon Dieu, mon Dieu... Comme c'est simple ! Mon colonel, montrez-vous bon. Dites-lui : détendez-vous, je vais vous mettre des compresses d'eau vinaigrée sur le front. Et voilà. Vous vous approchez, vous multipliez les attentions, elle vous admire, toute résistance l'abandonne ou bien elle fait semblant, vous pouvez jeter des amarres sur le beau vaisseau qui ne gouverne plus, le prendre à l'abordage. Dans un gémissement, elle protestera : « Vous abusez de ma faiblesse... » Abusez, mon colonel, abusez ! Ne vous laissez surtout pas arrêter par un sentiment chevaleresque, elle ne vous le pardonnerait pas, et ce serait votre perte. Le baron s'y connaît. Il a du sang de cavalier dans les veines, il chargerait...

Malgré la bataille
Qu'on donne demain...

Hector se surprit à fredonner.
— ... La générosité a des limites. Que notre adieu à notre
vénéré compatriote soit le serment solennel sur une tombe
de conserver notre Algérie à jamais française pour la cause
du droit et de la civilisation...
Pouvait-on souffrir des infidélités de la générale ? On ne
s'était rien juré.

Çà, faisons ripaille
Charmantes catins...

Une chanson de guerre, le géniteur qu'on allait descendre
dans la fosse eût préféré cela à des prières et des discours.
Hector sentit brusquement un attendrissement le rapprocher
de lui. Le vieux brigand était venu combattre en Afrique
par amour pour Marie Aldabram. A présent, il allait la
laisser au soleil avec ses filles pendant que lui... Hector pensa
que les rôles auraient pu être renversés, qu'on aurait pu
l'inhumer à sa place, pas au cimetière de Boufarik bien
entendu ni au milieu des colons, mais à Fort-National peut-
être. Marguerite aurait fait une belle veuve, avec pension.
Les partis ne lui auraient pas manqué. Qui sait ? La générale
l'aurait peut-être accompagnée en Kabylie avec le colonel.
Personne n'aurait deviné pourquoi elle aurait pleuré. On
aurait mis son émotion sur le compte de la sensibilité fémi-
nine. De la mort on se faisait des idées fausses. Tout autre
chose. Un appel déchirant de clairons sur les cimes, une
grande paix, le goût des cerises d'Icherridène dans la
bouche, le miaulement des balles dans le ciel, les renifle-
ments du capitaine Denef et, à la popote, des gueulantes.

9

Le maire se tut, le curé récitait les dernières oraisons en
aspergeant le trou d'eau bénite. A présent le sifflement
des cigales semblait partir des arbres poussiéreux qui bordaient l'enclos, on sentait presque l'odeur des cyprès, une
odeur chaude, capiteuse et mielleuse de baume. On souffrait
des bottines vernies qui serraient, on était tenté de dégrafer
son col. Quel soulagement d'en finir avec la compagnie de
ces bouffeurs d'Arabes ! A Fort-National il n'y aurait pas eu
les brassées de fleurs d'ici, simplement du feuillage, des
rubans tricolores. On n'aurait pas fait la queue pour jeter
une poignée de terre sur le cercueil. Marguerite serait arrivée
trop tard, elle n'aurait pas eu la peine de défaillir au moment
suprême comme cette vieille femme au nom d'étoile que ses
filles emmenaient. A l'entrée du cimetière, la famille se
rangeait pour recevoir les condoléances. Les Paris se hâtaient
d'embrasser les Bouychou, sortaient, cherchaient leur voiture. Ils allaient continuer vers Chebli. Sidi Moussa n'était
pas tellement loin. La générale serrait Marguerite sur son
cœur et se laissait entraîner par le baron.
    Le colonel se recoiffa.
    — Dites-moi, mon cher, vous la connaissez bien ?
    Hector tourna un peu la tête.
    — J'ai surtout connu son mari.
    Pas de confidences impulsives. Encore moins à un colonel
si mal averti des usages d'ici.
    — Comment était-il ? Pas de taille ?
    — Si, si. Seulement...
    — Je comprends...
    Cette prude qui se barricadait autrefois dans ses appar-
tements, fuyait le soleil et la mer, s'ennuyait, qui l'aurait
reconnue ? Comment Hector avait-il pu croire un instant
qu'elle était venue à Blida pour le retrouver ? Pour elle la
vie commençait. Il avait été l'initiateur qui lui avait ouvert

les portes des grands entendements. Puisque vous comprenez, mon colonel, hâtez-vous de l'arracher à ce hobereau.
Après tout, elle est chez vous, vous lui avez offert l'hospitalité, elle ne peut rompre avec certaines convenances, vous
êtes un aristocrate vous aussi, vous avez sur le baron l'avantage d'être comte. Pour moi je vous la laisse. Je préfère
Icherridène. Vous me direz qu'Icherridène, c'est fini, que la
Kabylie s'est soumise, que le feu reprend ici, qu'il faut
garder notre conquête. Un mois de convalescence, je ne
vais pas m'embêter avec ça. Si ça vous chante, je vous laisse
aussi Marguerite, sa mère, Lætitia et les enfants.

— Bonjour, mon capitaine. Vous ne me reconnaissez
pas ?

Ça me dit quelque chose, ce petit homme en noir et en
panama. Où l'ai-je vu ?

— Je suis M. Bacri. Nous nous sommes rencontrés à la
ferme.

Parfaitement. Et à Blida. Nous avons même parlé des
Arabes, de la ville, du pays. Serviable, poli, empressé. Je
vous présente le colonel de Saintonge dans son bel habit
bleu à bande rouge.

— Quel malheur n'est-ce pas, mon capitaine...

— Oui, oui.

— Pourvu que ça s'arrête là.

— Vous qui les connaissez, vous croyez que ça peut
continuer ? demanda le colonel.

— J'en ai peur.

— Pour vous, ce n'est pas...

— Un accident, si bien tombé ? Ça m'étonnerait. La
Kabylie n'est pas un accident non plus. Ils attendent. Quand
ils croient l'occasion propice...

— On dit que c'est à cause de vous, la Kabylie.

— Nous vivons depuis des siècles avec eux. Nous parlons leur langue. On nous offre la citoyenneté française
comme à eux. Nous acceptons. Qui les empêche d'accepter

aussi ? Venez me voir à Blida. J'en serai heureux. Si je peux vous aider...

Il y aura du sirocco. On dirait déjà qu'il bascule de la montagne vers la plaine, commence à brûler les vergers. Sur les hauts plateaux, on a l'habitude du brasier. A cette époque de l'année, il ne reste que des chaumes, des pierres et ces buissons d'épineux qui résistent à tout, même à la dent des chèvres. Le vent du sud n'attend lui aussi qu'une occasion pour se précipiter. A votre place, mon colonel, je dirais à la générale qu'elle est fatiguée, je m'emparerais d'elle, je la ramènerais chez elle. Baron, bonjour chez vous.

— Qu'est-ce que c'est que ce petit juif ? Un parent des fameux Bacri de l'affaire de l'expédition ?

— Je ne sais pas. Il serait riche. Celui-là, la gentillesse l'étouffe. Et puis je vous dirai que je m'en f...

Plus de corbillard. Plus de musique. Un train, qui approchait en crachant de la fumée, allait couper la route à un kilomètre à l'est pour gagner la gare de Boufarik.

— Les femmes, mon cher, les enterrements les troublent comme les chevaux. Moi, ça me donne faim.

Le clergé montait dans des voitures, tout se débandait.

— Il y aura du sirocco ce soir, mon colonel.

L'air des adieux de *la Tulipe* l'obsédait. Les yeux des femmes et leur beauté servaient à quoi ? Tout s'usait.

> *Gloire tu commandes...*
> *Adieu mes amours...*

— Qu'est-ce que vous chantez ?

— Rien. Je pensais à mon bataillon.

Ce qui ne s'usait pas ou alors il fallait des siècles et des siècles, c'étaient les montagnes, les rochers, les rapaces à l'affût qui tournoyaient au-dessus des crêtes, la mer. Où était la patrie ? Le lieutenant Kossaïri s'entendait-il avec Krieger ?

— Je vous laisse. Je vais emmener la marquise. A moins que vous nous accompagniez ?

— Merci, je reste. La famille...

Hector se redressa, salua, regarda le colonel s'éloigner, enlever la générale au baron.

La mère écrasée par le soleil et la douleur sortait au bras de ses filles. Elle voulait retourner à la ferme. Elle avait oublié que sa maison n'était plus que décombres.

TROISIÈME PARTIE

LA GUELÂA

Au bruit des cavaliers et des archers
Toutes les villes sont en fuite ;
On entre dans les bois, on monte sur les rochers
Toutes les villes sont abandonnées
Et toi, dévastée, que vas-tu faire ?
Tu te revêtiras de cramoisi, tu te pareras de vêtements d'or,
Tu mettras du fard à tes yeux.

JÉRÉMIE, IV, 29-30.

J'ai, capitaine, fait fusiller les campagnards épouvantés,
J'ai laissé violer la fille de tous les pères ligotés à des troncs
    d'arbre,
Et maintenant je vois que c'est à l'intime de mon cœur que tout
    cela s'est passé,
Et tout brûle et suffoque et je ne puis bouger sans que tout
    recommence identiquement.
Dieu, aie pitié de moi qui n'ai eu pitié de personne !

FERNANDO PESSOA, Ode martiale,
traduite par Armand Guibert.

1

— Il ne va tout de même pas neiger...

Dans l'averse oblique des gouttelettes, le capitaine croyait voir par moments flotter des flocons, des plaques de neige fondue, de la criblure de grésil. Ce froid comme en plein hiver, et on était en août. Cette pluie qui coulait dans les bottes par les genoux et glaçait les jambes. Ça n'allait pas durer. La veille encore, dans la journée, on étouffait. Et puis le temps avait brusquement changé. Des masses de nuages avaient enseveli les crêtes. Près des gourbis de Souk el Krémis, où l'on avait campé, la pluie s'était mise à tomber. On glissait sur des écailles de schiste et sur la glaise gorgée d'eau. On pataugeait dans la boue.

Le capitaine se retourna.

— Vous m'entendez, Krieger ?

Krieger vint se placer à sa droite. Il avait jeté sur ses épaules une capote de zouave dont il avait rabattu le capuchon sur ses yeux. On avait du mal à avancer par deux, de front. Il marchait tête baissée, attentif à ne pas trébucher, crotté, mouillé, moulu, trempé, fourbu.

— Je me demande moi aussi. Quel pays ! Avec ces forêts de pins on se croirait dans les Vosges. A la chasse. Un mauvais jour de novembre, quand l'hiver n'est pas encore établi, qu'il se cherche, qu'il hésite. On vient d'apprendre qu'au mois de mai dernier, dans les montagnes de Bougie, un bataillon de chasseurs qui essayait de gagner la vallée de la Soummam a été englouti dans une tempête de neige. On vient de retrouver les corps. C'est vrai qu'on est à plus de douze cents mètres.

Ils dépassèrent une araba embourbée. Quelle idée aussi d'avoir risqué des voitures, même légères, à travers ces montagnes ! Pour montrer aux Kabyles qu'ils étaient battus, qu'on les possédait ? Quand les Kabyles voyaient les convois de fourgons serpenter dans les vallées puis s'élever sur les crêtes, quand ils entendaient grincer les essieux qui supportaient les charges, craquer les carrosseries et chanter le fer du bandage des roues sur les pierres, l'espoir les abandonnait. Ces routes taillées chez eux, c'était la honte, le contact d'une main impure, l'insupportable douleur d'une sangle sur leurs flancs. Chevaux libres et indomptés, ils devenaient bêtes de charge et de trait. Cette fois on avait dû renoncer. Seuls les mulets de bât en file indienne pouvaient continuer derrière les hommes.

— Vous aviez chaud dans la Mitidja, mon capitaine ?

— Du sirocco.

Le mot qui lui avait échappé le poignarda. La générale avait-elle succombé ? Dans les bras de qui ? du colonel ? du baron ? Il s'étonna de la douleur, la réduisit. Un coup de poignard, n'exagérons pas, ça vous tue. Juste la pointe. Pour sentir qu'il est là, que si on voulait... Je ne vais pas me mettre à souffrir. Une simple piqûre d'amour-propre. Cette garce. Une femme du monde, mon cher, tu ne les connais pas. Tu n'avais fréquenté jusqu'à présent que des rosières. Ça t'apprendra.

Des nuages roulaient sur les arêtes, dévalaient les versants, s'entassaient dans les gorges, bouillonnaient, remontaient en vapeurs écumantes, se perdaient. De chaque côté de la piste, des pentes abruptes, des gouffres dont on ne voyait pas le fond, tout hérissés de fûts de sapins noirs émergeant du brouillard. Il n'était pas question d'aller à cheval, même au pas. Les chevaux bronchaient. Les ordon-

nances les tenaient par le mors en les rassurant par des
paroles. Quelquefois, ils s'immobilisaient, droit sur leurs
membres. Il fallait les flatter. Ils tremblaient, poussaient de
courts hennissements de terreur, prêts à tourner bride et
à s'enfuir au galop en sens inverse. L'un d'eux avait glissé,
culbuté et disparu, happé par le vide.

— Et ce vent, reprit Krieger, vous entendez ce vent ?
On l'entendait mal avec le bruit de la marche, les jurons,
le clapotement des semelles. Par moments il giflait. On se
mettait de biais pour l'empêcher de gonfler les capotes. Si
on s'arrêtait un instant, il semblait posséder le massif, gémissait, donnait des coups de bélier, poussait de longues lamen-
tations, des sifflements, des bramements. Une tempête en
mer. Parfois, pareils à des mâts avec leurs hunes, leurs
vergues et leurs étriers, se dressaient des arbres morts autrefois frappés par la foudre et restés là, squelettes noircis et
calcinés, toutes leurs griffes dehors, témoins des grandes
colères du ciel. Un orage, il ne manquerait plus que ça pour
affoler les mulets. Un ouragan de cette taille en plein mois
d'août ? La guerre avait changé les saisons. Ce déluge d'obus
prussiens tombés l'été d'avant dans l'est de la France, et
tous les désordres qui avaient suivi, les armées en débandade,
Paris incendié, les fusillades. Le ciel s'occupait de ça ? A
moins que ce ne fussent les conséquences des insurrections,
tous les villages brûlés, tous ces vergers rasés qui retenaient
jadis les cavalcades des nuées.

Brusquement, le sentier tournait après avoir dépassé une
paroi de roc, partait en sens inverse, on croyait revenir en
arrière, il tournait encore, repartait. En principe on avançait
vers le nord, en zigzag, le long d'une crête incertaine, entre
des ravins à pic, d'autres pentes dont la cime apparaissait
un instant dans les déchirures pour s'engloutir aussitôt après.
Le chef de la colonne avait hésité entre cette piste et la vallée
encaissée de l'oued Oulad Aïssa, tiens on se retrouvait en
famille, Aïssa ou Ichou c'était Jésus en arabe et en hébreu,
on en avait assez parlé avec le général de Roailles, dommage
qu'Antoine ne fût pas là, un Bouychou à la poursuite des
Oulad Aïssa. Mais à hauteur de la citadelle des Mokrani

il aurait fallu alors escalader des falaises. La piste conduisait à l'épaule de la pyramide tronquée sur laquelle la ville était bâtie. Du moins savait-on cela par les récits des officiers qui l'avaient visitée et les mauvais croquis de mémoire qu'ils en avaient rapportés au temps où les Mokrani imaginaient qu'on n'oserait jamais les en déloger.

En pleine insurrection c'eût été folie. Après Icherridène, l'effondrement de la résistance et la soumission des Aït Hichem, c'était de l'insolence. Le commandant en chef voulait porter le coup de grâce. On avait grimpé sur les reins du Djurdjura, atteint, malgré les ruades désespérées de quelques bandes, des glacis semés de rocs au-dessus des abîmes. L'assaut du col de Tirourda avait duré cinq heures et demie. Jusqu'au bout les Kabyles s'étaient défendus. Les derniers à coups de pierres. Vaincus, ils s'étaient évanouis dans la montagne. Aussitôt, deux bataillons du génie s'étaient mis à découper une chaussée. Pour refuser l'humiliation et se révolter encore il n'y avait plus que le ciel.

On disait que les Kabyles allaient envoyer des otages et ouvrir leur citadelle : l'inviolable, l'inviolée Guelâa des Beni Abbas, où se nouaient toutes les conjurations, où dormaient les dynasties des chefs rebelles, où les minarets lançaient, à toutes les heures, des prières, l'appel à la haine des infidèles, le siège de la foi, le nid des aigles, le repaire des loups où jamais des troupes étrangères n'avaient osé se hasarder avec armes et bagages. Le corps de Mokrani était enterré là. On foulerait sa tombe. On raserait son fief. Alors, la révolte serait écrasée sous les ruines. Brisée une fois pour toutes. Anéantie dans le feu et les larmes. Réduite à son squelette, comme les pins frappés par la foudre. On pourrait enfin parler de paix. Et ça se saurait. Dans toute l'Algérie, dans tous les douars, sur tous les marchés. Les poètes loqueteux qui colportaient les nouvelles auraient de quoi pleurer le cœur de la Kabylie percé pour des siècles.

2

— Ainsi vous n'avez pas vu Mme Krieger ?

— Je n'ai pas eu le temps, mon vieux.

Quand elle était allée à l'hôpital du Dey, il était déjà
parti. Ensuite il avait eu bien trop à faire et n'était pas
repassé par Alger.

La décision de fuir l'avait pris dans la nuit après l'enterrement du vieux. La mère ne voulait pas quitter la ferme,
elle rassemblait des débris, elle ne disait rien, on ne l'entendait pas mais on voyait qu'elle appelait son Marjol, ses
lèvres bougeaient. Elle priait ? Elle essayait de remuer des
pierres. Elle croyait son mari enseveli sous les ruines. Ses
filles l'avaient emmenée chez les Berthelot.

Saint-Arnaud galopait vers sa femme, escaladait son
balcon. A Icherridène, Hector avait failli l'imiter. Quelle
pitié ! Quelles ardeurs de jeune homme ! Une femme, ça se
remplaçait. Et si on lui volait son bataillon ? A la pensée
qu'un autre commandait à sa place, que Krieger, Kossaïri,
Sauvemagne ou Allaire montaient son cheval, que Delfini
obéissait avec zèle à un autre et le trahissait lui, Hector,
il ne tenait plus en place. On était si vite oublié ! Est-ce que
ça existait, les femmes ? On en avait autant qu'on voulait,
il suffisait de leur faire les yeux doux, de leur consacrer du
temps, de leur raconter des balivernes, elles croyaient à tout,
se précipitaient sur cette flamme, s'y grillaient. Un bataillon
ne se donnait pas à n'importe qui. Perdu, on ne le retrouvait
plus. Même si la guerre était finie, l'aventure avec lui continuait.

L'imbécile ! Avoir tant d'expérience et tomber dans ce
piège ! Etre jaloux, puis se laisser troubler par une femme
enlevée à son mari mort, parce qu'elle sentait bon, qu'elle
était le fruit défendu, enfin tout un bric-à-brac de conven-
tions, d'œillades, de chiennerie, de galanterie, de jalousies

secrètes, pour être trompé à son tour par un colonel ou un baron ! Parlez-moi de la fidélité des femmes. Elles appartiennent à qui les veut. Vous n'avez pas le dos tourné qu'elles s'ennuient, moins de vous que de l'amour. Si elles n'ont pas d'amour elles meurent, si elles en ont elles en veulent davantage. Ou bien vous ne leur plaisez plus, vous n'êtes pas assez empressé, assez délicat ou assez vigoureux. Les étoiles et le vent ont tourné, la lune ne se lève jamais à la même heure, vous revenez, votre ciel a changé, il est vide. Sauf chez les gens simples, l'amour de la pauvre Marie Aldabram pour son Marjol, de sa fille Marie pour Jean-Pierre Paris, d'Hortense pour sa perdrix.

L'idée lui avait sauté dessus. Il avait regagné Blida, rangé sa belle tenue, bourré quelques affaires dans une sacoche, dormi un peu et, à l'aube, était allé prendre un cheval à la caserne. Et là, en route, seul, vers la Kabylie. Sans un mot à personne. Sans escorte. Le soir il était à Tizi-Ouzou. Qui disait que la paix était conclue ? Les convois de matériel, les déplacements de troupes n'arrêtaient pas. Le lendemain à midi, à Fort-National, il apprenait que son bataillon participait à une opération sur les Beni Abbas. Il avait failli rater ça. Comme un ouragan, il avait rejoint la colonne qui dévalait le col de Tirourda vers l'oued Sahel, et rencontré Dupuis. Ils étaient descendus de cheval tous les deux, tombés dans les bras l'un de l'autre. Les grandes retrouvailles, le bonheur qui étouffe. Vous oserez parler des femmes après ça ? Antoine était parti la veille seulement. Hector avait dû le croiser. Le télégramme qui le rappelait avait mis du temps à arriver.

Dupuis ne voulait pas le lâcher, l'accompagnait auprès du colonel. On lui rendait son commandement confié en son absence à un officier de l'état-major. Il reprenait ses habitudes, remettait tout en ordre, notait ce qui avait changé, un certain laisser-aller, son intérim était un mou et manquait d'ascendant. Krieger jouait les importants. On avait traversé le bordj des Aït Mançour, celui de Tazmalt où Bou Mezrag en fuite vers les Aurès était passé un mois plus tôt, le bois d'Ichou, grimpé les pentes des Aït Saïa, atteint le nid d'aigle

d'Ighil Ali sans un coup de feu. Les gens de cette région
semblaient plus sauvages. La première fois qu'ils voyaient
un tel déploiement de forces, tant d'artillerie. Les femmes
se bouclaient dans les maisons, les hommes disparaissaient
dans la montagne, il ne restait que les vieux, accroupis le
dos contre des pierres, les enfants. Les instructions ordon-
naient de se montrer distants mais bienveillants. On ne
brûlait plus, on respectait les marabouts. Les Kabyles
voyaient bien vers où la colonne se dirigeait, la terreur se
lisait sur les visages. On avançait sans précaution, sans perdre du temps à visiter la pouillerie des hameaux disséminés
dans la montagne, on faisait un foin du diable pour dire :
ne vous gênez pas, si vous voulez vous jeter sur nous, vous
apprendrez ce qu'il vous en coûtera si vous nous mordez.
On violait avec une sorte d'insouciance l'orgueilleuse confédération des Beni Abbas établie sur ce massif énorme et
redoutable où l'armée n'était jamais passée. Et ça n'arrêtait
pas : les bataillons succédaient aux bataillons, les batteries
aux batteries, les escadrons aux escadrons. On ne demandait
rien à personne. On avait des guides. Ce qui effrayait le
plus les Kabyles, c'étaient les compagnies de turcos encadrés
par des officiers français, ces processions d'Arabes en armes
qui marchaient en chantant des chansons arabes et les nar-
guaient. Pour les Kabyles, l'annonce de la fin des temps.
Les tirailleurs leur faisaient des gestes ignobles, leur promet-
taient de revenir. Les Kabyles comprenaient que ce qu'on
disait était vrai, que les terres allaient être prises par des
Espagnols, des Maltais ou des Alsaciens, qu'on allait s'emparer des cimetières et des communaux, qu'ils ne sauraient
même plus où attacher un âne, que pour eux une grande
nuit commençait, que les abîmes ne pourraient être comblés
que par des cadavres, mais quand ? La haine s'enfonçait
dans la terre, elle allait lever comme des chardons.

Le chemin descendait dans les ravins, remontait, redes-
cendait. Après Ighil Ali, on avait bivouaqué en contrebas,
au pied d'un groupe de villages, les Oulad Ahmed. De là,
on ne voyait plus les cimes du Djurdjura, cachées par les
crêtes plus proches. Une avant-garde était partie vers la

Guelâa réclamer des otages. C'est là que le temps avait changé brusquement. Le ciel s'était couvert, les nuages avaient roulé. A l'aube, il pleuvait. Et après Bordj Boni, un ancien fort turc, ce vent, ces bourrasques hivernales, cette piste à peine dégagée par le génie entre des précipices, sous les rafales. Le froid, les bottes pleines d'eau, les chevaux qui tremblaient, le brouillard qui noyait tout, la neige non, il n'y avait pas de neige, mais on ne pouvait même pas allumer un cigare, il fallait se contenter de le mâchouiller, telle était la pauvre gloire qui manquait lorsqu'on en était loin, et qu'on revenait disputer à Dupuis. Mme Krieger avait dû recevoir les cerises d'Icherridène, gâtées peut-être.

— Qu'est-ce qu'on dit là-bas ? demanda Krieger.

Où ça, là-bas ? Dans la plaine, à Alger. Les mêmes rengaines. Qu'il fallait se montrer sans pitié. Et puis les bals reprenaient. Pas chez le gouverneur, ce bon vieil amiral presque puceau avec des principes, mais au cercle militaire où les officiers s'ennuyaient.

— Vous savez, je ne suis pas tellement au courant. J'ai employé mon temps à des enterrements.

— A votre place, mon capitaine, j'aurais un peu profité de la vie.

Entendre Krieger dire ça ! Imaginer qu'il se voyait au café concert avec Mme Krieger à siroter un punch. Hector se remit à penser à Blida. Les enfants avaient dû demander où il était. Depuis Fort-National, il se laissait pousser la barbe en collier, il prenait peu à peu une gueule de forban.

— Quel dommage qu'il n'y ait pas de neige !

Krieger lui jeta un regard inquiet. Eh bien oui, il avait envie d'entendre ses semelles crisser dans la neige. Même quand on est seul, le bruit que ça fait, on dirait que toute une compagnie marche du même pas que vous. Pour se laver dans la pureté, aussi. Des choses qui se formaient dans le secret du cœur et qu'on n'avouait pas, pendant que la générale avait ses vapeurs et se défendait mollement du colonel. En dehors du vent et de la rumeur de la marche, rien. En France, on aurait distingué d'autres bruits, un grignotement, un trottinement d'insectes, un chant de harpe :

la forêt qui s'égouttait, des appels de troupeaux. Ici, on avançait presque à l'aveuglette, comme dans un cauchemar. Les hommes devant vous disparaissaient subitement, on était surpris, on avait envie de pousser un cri. Devant soi le vide, une falaise de roc, des aigrettes de sapins dans le brouillard. La piste tournait et plus loin, des cris, on reconnaissait la voix de Kossaïri en colère, on le voyait arrêté en train de taper à coups de pied contre un de ses tirailleurs à quatre pattes et de l'insulter.

— Qu'est-ce qu'il y a, mon vieux ?

Le type ne voulait plus avancer. Il disait qu'il préférait mourir.

— Laissez.

Les chevaux aussi éprouvaient ce genre de terreurs. L'abîme les aspirait. Il aurait fallu leur bander les yeux. Le type claquait des dents. Il avait froid peut-être. De grands frissons le secouaient. Il s'accrochait aux pierres.

— Aidez-moi.

Hector le releva, se mit devant lui, lui prit la tête dans ses mains, comme à la générale la nuit où les chouettes lançaient leurs chuintements sarcastiques sous la lune parce que la générale se pâmait d'amour et que la porte fermée sur la chambre funéraire la rassurait. En elle-même elle devait déjà le tutoyer. Elle devait lui dire : « Emporte-moi, je suis à toi... » Il avait goûté ce moment. Il s'était conseillé d'attendre un peu. Pas trop cependant. Les femmes, si on ne se pressait pas, étaient capables de se reprendre. Enfin les novices. Chez Sabine de Roailles il y avait un étrange mélange d'expérience et de pudeur, de savoir et d'ingénuité. Tout le contraire de l'innocence : une sublime rouerie naturelle, un art accompli. Pour elle aussi, c'était l'attrait du gouffre. Elle s'y jetait avec lucidité, ses bras sur les épaules du capitaine. Non, non ne baisse pas les yeux, regarde-moi, je veux, puisqu'il paraît que je n'ai été qu'une avant-garde, que tu saches avec qui tu vas faire ce grand saut. Mais là, une tête d'Arabe on ne pouvait pas confondre, d'où venaient à Hector des idées pareilles ? Il était obsédé. Ça n'arrive pourtant pas souvent de tenir un visage d'homme entre les paumes. Encore si celui-là avait été barbu ou ensanglanté. Un jeune, glabre, avec du duvet sur les lèvres et sur les joues éclaboussées des embruns de la terre, et des paupières aux longs cils dont des femmes auraient pu être jalouses. En passant, les hommes ricanaient. L'un d'eux imita même le bruit d'un baiser. Les mœurs des gens dans l'armée. Il ne savait pas deviner si juste celui-là. Pas avec ce pauvre enfant des plaines à qui la montagne donnait le vertige. C'était d'un autre vertige qu'il s'agissait, avec une marquise aux épaules nues et aux joues humides de larmes. Le vertige de l'amour vous saisit, regardez bien de quoi c'est fait : de rien. En temps normal personne n'y songerait. Ajoutez le mystère et le piment du péché, vous n'avez plus la même sauce, le tour de main du cuisinier dilate les papilles. Le vertige vous inspire des gestes, toute votre vie bascule.

De petites claques.

— Delfini, occupez-vous de ce type-là. Et que ça suive, hein... Kossaïri, vous avez tort de brutaliser vos hommes.

— Mon capitaine, si vous êtes trop bon, ils vont tous s'arrêter à quatre pattes comme des chiens. Ils vont dire qu'ils ne peuvent plus marcher. Les Kabyles sont là avec des fusils. S'ils m'attrapent moi... Celui-là, il n'est pas un homme.

Ah ! ça c'est une raison, Kossaïri. On ménage les chevaux et les mulets. Les hommes ont besoin qu'on les comprenne. Mais s'il s'agit d'une femme, alors je vous approuve, pas de pitié. Douces, tendres, aimantes, à d'autres ! Mon colonel, montrez-vous galant comme je le fus. Encore faut-il des circonstances. J'avais pour moi la mort du général, la pleine lune, les chouettes, mes pas d'homme dans la nuit, mon odeur d'homme, la misère d'une défaite, les souvenirs du bal des adieux. J'avais changé aussi, elle me l'a répété, elle imaginait peut-être quelqu'un d'autre, je n'étais plus l'aide de camp de son mari, elle ne se croyait pas infidèle, ne trahissait personne. D'ailleurs a-t-elle seulement voulu me voir ? Le chandelier est resté sur la fenêtre. Dans la chambre il n'y avait qu'un rayon de lune. Se retrouver

un an plus tard en plein jour dans la lumière de Blida... Il
faut de l'ombre pour se cacher de Dieu.

3

On buta presque sur la compagnie qui précédait. La tête
de la colonne devait être arrivée au débouché de la forêt, pour
la pause, devant le cirque de montagne où la citadelle se
nichait. Il semblait que la pluie faiblissait. Les nuages s'élevaient, roulaient des scintillements confus, on sentait que le
soleil n'était pas loin, que le boulanger qui tournait cette
pâte pouvait le ramener du fond de son pétrin. Sur le lacet
d'en face, les tirailleurs chantaient en battant des mains :

Takh el-lill ouïne inbathou...

« La nuit tombe où nous nous arrêtons... » Krieger sortit
de sa sacoche des sandwiches, en offrit un à Hector. On
disait qu'il y avait trois villages aux Beni Abbas : celui des
Oulad Aïssa où se trouvaient les maisons des Mokrani, celui
des Oulad Haroun et celui des Oulad Hamadouche, que les
femmes tissaient des vêtements de laine, des burnous, des
gandouras et des tapis qu'on vendait dans toute l'Algérie,
que beaucoup d'hommes travaillaient la soie dans les villes,
et qu'on venait aussi de toute l'Algérie confier ici de l'argent
et des bijoux. Il y avait des banquiers partout, parfois des
gens de rien, des serviteurs, qui recevaient les dépôts. La
Guelâa avait une grande réputation de probité. On allait
pouvoir faire une razzia formidable, rafler autre chose que
des couvertures et des moutons.
— Vous verrez, mon capitaine, ils auront fichu le camp.
Ils auront tout caché dans la montagne. Les femmes aussi.
Il avait l'air déçu d'avoir fait tout ce chemin à pied pour
rien. Une femme ici n'avait pas le même goût qu'ailleurs.

— Vous avez dû pourtant vous en taper, Kossaïri, un peu partout. Vous croyez que ce ne sont pas les mêmes, ici ?

Non, ici, on disait que c'étaient les plus belles de toute la Kabylie. A cause de l'argent peut-être, de la pureté de la race, de ce refuge qu'était la citadelle pour l'or et le sang.

— Et alors, Kossaïri, quelle différence avec les femmes d'Icherridène, par exemple ? Moi j'aurais préféré Icherridène, à cause de la bataille.

— Il y aura peut-être une bataille, dit Krieger. Ils ont des canons.

— Je ne crois pas. Quelques irréductibles qui nous lâcheront des coups de pétoire de loin et se tailleront. Leurs canons ? On dit qu'ils en ont quatre qui datent de Louis XIII, je me demande comment ils ont pu les trimbaler. Ils ne s'amuseront pas avec ça. Des boulets, vous pensez, quand ils savent que notre artillerie de montagne porte à quatre kilomètres et qu'on peut les écraser sous les obus. Souvenez-vous de tous les villages que vous avez traversés : les notables nous attendaient, la corde au cou, nous offraient des moutons, du lait, des figues. Vous auriez insisté, ils vous auraient donné des femmes. A la pensée des corrections infligées à leurs copains du Djurdjura, ils tremblaient. Et ils ne possédaient rien. Ici, vous dites qu'ils sont riches. Ils ne vont pas risquer de tout perdre. Ils s'aplatiront.

Krieger mastiquait rêveusement. Hector regarda le ciel, rejeta son capuchon sur les épaules.

— Ça s'arrête. Et vous, Krieger, avouez-le. Combien de fois avez-vous trompé Mme Krieger depuis que je vous ai quitté ?

— Ça ne s'appelle pas tromper. Mme Krieger serait la première à m'encourager.

— Aux Aït Hichem, elles avaient quel goût ?

Non, aux Aït Hichem il ne s'était rien passé. On s'était montré dignes. Un moment pareil, où le fils du marabout qui avait proclamé la guerre sainte s'était rendu. Le général Lallemand avait joué au maréchal Randon quand il avait reçu la soumission de la Kabylie en 1857 et posé la première pierre de Fort-Napoléon. Une grande tente pavoisée, tout l'état-major en épaulettes, son fanion de commandement tenu par des spahis. Si Azziz, parti la veille des Amoucha, était venu porter une lettre de son père le vieux Cheikh el Haddad, le général Lallemand y avait glissé un coup d'œil sans même prendre la peine de la faire traduire puis avait laissé tomber le papier sur une pile de tambours.

Le lieutenant Kossaïri fit le geste de se serrer la ceinture.

— Aux Aït Hichem, rien du tout. On s'est rattrapé après. C'était facile. A Tiferdoud, à Tazerout, à Ichellibane. Mais là, ce n'étaient pas des femmes. Des chèvres plutôt. Elles étaient maigres. Elles sentaient fort.

La colonne s'ébranlait de nouveau. A présent, des lames de nuées cognaient contre les arêtes de rochers, s'y déchiraient. Un pan d'azur se découvrit puis se referma. Tout à coup des cris jaillirent en avant, une longue acclamation de joie qui gagna peu à peu les bataillons. Dans un gigantesque entonnoir de pierre sur lequel un couvercle de nuages était posé, la citadelle apparut sur sa pyramide. Les parois de la roche étaient couvertes de longues dorsales d'écailles de crocodile. On devinait l'entassement des toits, des minarets. Elle était là, l'inexpugnable forteresse des Mokrani, la bien-cachée, la ville sainte ! On allait la renverser sur des tapis, fouiller ses vêtements, la dépouiller ! Un rayon de soleil la toucha, fit briller des tuiles, et, sur l'autre versant éclaira des pentes dénudées, tachetées de broussailles, griffées de ravins minuscules qui plongeaient dans des solitudes désolées. Une terre de complots, de trahisons, de meurtres, où les cris devaient s'étouffer, à pic de tous les côtés sauf du col dont on débouchait. L'escalade par la dépression des Oulad Aïssa eût été impossible.

A l'ouest, sur les hauteurs que le ciel dégageait, on devinait Ighil Ali sur son éperon, et, très loin au-delà, les flancs lourds du Djurdjura avec des traînées blanches, il avait neigé sur les sommets, une croupe de bête monstrueuse, un dos noir qui pouvait se mettre à bouger, tout écraser. On devait manquer d'eau, c'était peut-être la sécheresse, et la colonne surgissait un jour de pluie, les mares aménagées dans le creux des rochers se remplissaient, des oiseaux de proie inquiets se mettaient à tournoyer, il allait faire beau, on chantait partout, des chevaux hennissaient.

Sur la crête de l'est, au-dessus du dernier village des Hamadouche, des cavaliers brillèrent : les chasseurs d'Afrique.

— Elles auraient f... le camp par où, les femmes ? demanda Hector. Tout est bouclé. C'est la seule route.

— Des escaliers dans la montagne, dit Kossaïri. Pour ces gens-là, il y a toujours moyen, s'ils ont peur. Ou alors, ils se laissent glisser en bas avec des cordes.

Des genévriers rabougris, des touffes de lavande sauvage. Des champs d'orge moissonnés. Les otages étaient là. Les Kabyles avaient dû hésiter longtemps, et puis... Le corps de Mokrani avait été ramené en hâte par une longue procession haletante, au chant des versets du Coran. La guerre était perdue. On annonçait la punition. Pour payer le tribut imposé par le vainqueur il faudrait vendre tous les troupeaux à quel prix et à qui ? Qu'il était loin le temps où la poudre partait dans les fusils, où les corbeaux et les chacals poussaient des you-you de victoire ! Vent, neige et grêle, quel ennemi eût jamais osé affronter cela ? Les hommes libres se levaient pour venger la première bataille d'Icherridène, les Français pouvaient s'apprêter à verser des larmes. Et puis le sort tournait, les malheurs s'abattaient, la mort pleuvait. Dieu mettait la hart au col, les croyants devaient se soumettre et alors les grands déchirements se produisaient qui fendaient les âmes, détruisaient les résolutions, faisaient éclater les cœurs. Ces cinq bataillons aventurés dans le maquis, il aurait suffi d'une attaque sur leurs arrières pour les détruire. Personne n'osait plus. Ah mon Dieu, à quoi nous avez-vous réduits, comment sommes-nous tombés dans ces abîmes, écrasés sous cette meule ? C'était ce que les otages, qu'on avait peut-être sacrifiés pour mieux attirer les Roumis dans un piège, devaient se dire dans leur gandouras raidies par la pluie ; sous le capuchon leurs visages ressemblaient à des pierres.

Derrière eux des taches de soleil, des trouées vite comblées par des lames de brouillard s'écrasant sur la citadelle, s'éboulant sur ses remparts de roc, rejaillissant, s'étalant, enveloppant soudain des corbeaux qui croassaient en vols incertains, un troupeau de chèvres suspendu sur une falaise, puis une averse d'or frappait en oblique, se fichait sur la terre, basculait dans l'ombre. Deux batteries s'apprêtaient à faire feu tandis que les bataillons se massaient. « Ça va être une belle nouba », pensa Hector.

4

Le capitaine était revenu changé. Pourtant il avait revu Alger, couché dans un vrai lit avec des draps frais, il avait dû se saouler d'amour. Un homme comme lui ne vivait pas sans femmes.

— Vous verrez, mon capitaine, dit Kossaïri, on ne trouvera rien. *Oualou*. Les gens d'Ighil Ali ont dû les avertir. C'est trop tard.

Il pensa aux bijoux berbères, aux lourds colliers d'argent sertis de corail rose sur la poitrine des femmes, aux diadèmes cachés dans des coffres et se sentit frustré. Quinze jours de marche pour la peau. A quoi avaient servi tous les combats dans la montagne, les cerises d'Icherridène, les incendies qui faisaient rougeoyer la nuit, cette peur de recevoir un mauvais coup qui vous tenait éveillé quand l'heure de dormir était venue, qu'on entendait encore des tirailleurs parler et des mulets mâcher une dernière poignée d'orge ? Une femme des Beni Abbas aurait été la récompense ?

Quand le lieutenant Kossaïri s'était mis à cogner sur le jeune soldat qui ne voulait plus avancer, de quoi se vengeait-il ?

— Qu'est-ce que vous avez fait du type, adjudant Delfini ?

— Je l'ai remis sur ses pattes, mon lieutenant. Je lui ai dit : tu marches ou tu crèves. Il avait tellement peur, il croyait que le capitaine voulait lui couper la tête, il a marché, il est là. Le vertige, vous pensez. Trop facile.

Krieger revenait avec le dispositif de la colonne. Un bataillon par village. Le bataillon Griès pour le village des Oulad Aïssa. Deux bataillons, celui du 80° de marche et le 21° de chasseurs à pied en réserve. Le colonel voulait voir le capitaine.

— Une chance, dit Hector. Kossaïri, je vous laisserai les maisons de Mokrani, mais je veux de la discipline. Personne ne touchera à une femme. S'il y en a, vous les mettrez sous ma garde. Et ne croyez pas, hein ? Je m'en f... des femmes.

Surtout de celles-là, des tigresses capables de vous égorger.

— C'est clair ? demanda le colonel. Votre village à vous, celui de gauche. Vous irez jusqu'aux dernières maisons. Vous me nettoierez tout. Vous rassemblerez les hommes. Je ne crois pas que vous trouverez grand monde ni la moindre opposition. Si on vous tue quelqu'un, nous fusillerons dix otages. Si on se bat, la ville sera brûlée. Ils ont une heure pour transmettre partout les instructions du général. Vous démarrerez à mon signal. Je m'installe à la mosquée.

Hector appela ses commandants de compagnie, donna ses ordres. Il marcherait derrière la compagnie de tête, distribuerait les secteurs. Il faudrait boucler vite.

Tout à coup le ciel chassait les nuages, coiffait la forteresse d'une crinière bleue, une mer immense s'étendait par-dessus les toits gris, dévalait dans les abîmes, faisait miroiter la vallée de la Soummam. Le front du Djurdjura plantait ses cornes dans un orage. Des écharpes de neige sur ses flancs, la croupe fumait comme l'échine des bœufs de labour en hiver, une haleine chaude échappait de ses naseaux. La montagne, quel soulagement ! Des villages qui avaient une heure pour choisir entre la mort et la soumission, des commandants de compagnie qui voulaient tous être les premiers à sauter sur leur proie, ce brave colonel qui se prenait pour un Turenne et le général qui rêvait de décrocher son bâton de maréchal... Après une guerre perdue il fallait donner de la gloire au pays, lui laisser croire à des victoires

en Kabylie. Ce départ de Blida n'était-ce pas du dépit ?
Hector haussa les épaules. Si la générale était tombée de
nouveau dans ses bras, s'il avait osé la surprendre à son
retour de la fête, la forcer au besoin, elle n'attendait peut-
être que ça. Même les citadelles imprenables se rendaient
quand toute lutte devenait inutile. Celle-là il l'avait déjà
occupée une fois par surprise ? Elle avait ouvert ses portes,
ses rues, ses trésors. Elle était sa conquête. Si elle l'oubliait,
un ultimatum, comme pour les Beni Abbas. Marguerite, je
m'en moque, elle est avec sa mère et ses enfants, c'est de toi
que j'ai faim et soif. Il avait manqué d'audace, il était rentré
chez lui, cet imbécile ! Je déraisonne, la nuit de Bach m'a
rendu fou. Je ne savais pas que tu sentais si bon, pourquoi
as-tu changé de parfum ? Je préférais l'autre. Ou alors c'est
que je t'ai mal respirée.

Antoine avait de la chance : il allait reconstruire une
autre ferme tout seul, sans Hortense, il pleurerait un peu,
se croirait seul, c'est quand les hommes sont seuls qu'ils
sont forts.

Regarde-moi, Antoine. Pendant dix ans j'ai dormi avec
ta sœur aînée, j'ai cru coucher avec les étoiles de ses yeux,
ces lumières blondes dans un ciel d'émeraude pâle, ces
palmes des cils, quelle rigolade, je me sens toujours plus
heureux quand je m'étends dans le lit d'un oued à sec, que
les zouaves allument des feux et me portent du café sous ma
tente. A mon retour de 70 j'avais déjà constaté que ta sœur
avait pris de mauvaises habitudes, elle se recouchait après
mon départ pour la caserne. Hortense, c'était un rêve, elle
t'aurait préféré sa perdrix, tu aurais souffert, moi j'ai perdu
dix ans par la faute de mon général, de son intégrité, je
m'étais conduit comme un goujat, ah ! mon Dieu, je me
souviens d'une colonelle à qui j'étais allé porter des nouvelles de son mari, elle me disait : que faites-vous ? je l'avais
prise dans mes bras, je ne sais pas ce qui m'avait poussé,
j'avais hésité, bien à tort. Après, je me suis demandé si elle
ne se plaindrait pas. Penses-tu. Elle attendait que je revienne.
Elle m'a relancé. Les femmes ne vous pardonnent pas de
se passer d'elles. Non, l'intégrité du général, mon cher, et la

malice du vieux, voilà l'explication. Sans moi, les Bouychou seraient restés les Bouychou dans leur ferme de Boufarik, leurs filles auraient épousé le facteur, les gendarmes ou le cantonnier, à présent Marguerite tourne la tête au comte de Saintonge, de la petite aristocratie de province, quand même... Je me suis vengé du général en lui volant sa femme. J'avais le droit. Il était mort. Au dernier moment elle a voulu enlever son collier de perles de l'héritage des Roailles, elle se croyait plus libre, j'aurais préféré qu'elle le gardât.

— Lieutenant Kossaïri, les Kabyles doivent chanter leurs malheurs. Vous devez savoir ça.

— Ils chantent, oui. J'ai des hommes qui comprennent. Depuis la mort de Mokrani, les femmes se sont déchiré les joues, elles pleurent la poutre de chêne qui s'est écroulée, elles insultent Bou Mezrag, elles l'accusent d'avoir menti, elles l'appellent le chacal des broussailles, elles reprochent à la France de taper sur la Kabylie comme sur un tambour. Rien. Du vent. Ces gens-là ont toujours trahi.

Hector grimaça. Il souffrait d'un point dans le dos sous l'omoplate gauche, derrière sa blessure cicatrisée, il avait de la peine à respirer à fond. Après le déluge de la nuit et de la matinée, cet air léger, tiède déjà, cette lumière qui guérissait de tout, ces trilles d'alouettes ivres. Les hommes faisaient sécher les capotes. Quel dommage cette fois qu'on n'eût pas emmené la musique ! Elle aurait joué des marches, les cuivres et les cymbales devaient claquer dans ces rochers, il y avait à peine un clairon par bataillon pour les sonneries réglementaires et un trompette par escadron de chasseurs d'Afrique.

Il regarda Krieger. Le poil lui mangeait le visage. Quelle tête avec ses sourcils en pinceau ! Et ses joues, quelles étrilles !

— Dites donc, mon vieux, quand vous n'êtes pas rasé, le matin, Mme Krieger doit hésiter à se frotter à vous ? Trouvez un peu d'eau, savonnez-vous et raclez-vous.

Toute une vie à côté de Mme Krieger, il y avait de quoi
se suicider. Eh bien non. Mme Krieger était dévouée, elle
lui portait son déjeuner au lit, lui brossait sa tenue, le
bichonnait, lui racontait les potins de la garnison. Quel
ménage uni ! Hector pensait à ce nouveau parfum entê-
tant de la générale, de l'œillet, du jasmin peut-être acheté
chez le sieur Bacri, qui vendait de tout. Rien n'était meilleur
à respirer que l'odeur des chevaux et l'odeur des feux de bois
dans un creux de rocher, sous une grande gamelle de café.

Des rapaces tournoyaient, les corbeaux s'étaient posés ou
enfuis, on ne les voyait plus. Le général avait demandé un
ravitaillement en eau et les gens de la Guelâa revenaient
avec des outres. Entre le village des Oulad Aïssa et les
autres, il y avait une sorte de ravin taillé à vif dans la roche,
avec des bassins pour les troupeaux.

5

Kossaïri ne s'était pas trompé. Il n'y avait plus personne.
Les zouaves avançaient en s'appelant, enfonçaient les portes
à coups de crosse, débouchaient dans les cours vides,
refluaient.

Hector revint vers la mosquée à arcades. Ses pas sonnaient.
Une des pièces de canon était là, à demi enlisée dans le sol,
inutile, marquée d'une fleur de lis fondue dans le bronze,
avec une date, 1639, sur un L couronné. Il posa le pied
sur le tube, alluma un cigare de vainqueur. Où était la
victoire quand on ne se battait pas ? Les compagnies
envoyaient leurs comptes rendus que Krieger lisait tout haut
et classait. Elles avaient toutes atteint leur objectif sans
casse.

— Plus facile qu'à Icherridène n'est-ce pas ?

Krieger ne répondit pas. A Icherridène aurait-on seulement imaginé qu'on escaladerait le Djurdjura, qu'on des-
cendrait le versant de l'oued Sahel pour s'aventurer hors

des voies reconnues en pleine Medjana à travers le massif inviolé qui séparait de Bougie les plateaux de Bordj bou Arreridj ? Il suffisait d'oser. Ces Kabyles qui avaient envoyé des compliments à l'empereur Guillaume pour le supplier d'intervenir en leur faveur...

On savait à présent qu'il y avait un autre canon à fleur de lis sous un arbre des Hamadouche, un troisième à l'autre mosquée, un dernier brisé dans une mare, ils devaient provenir de navires échoués sur les côtes. Deux étaient du calibre 36, un autre plus petit. Ils tiraient des boulets pleins pesant dix-huit kilos. Cette manie, à peine arrivés, de tout mesurer, de tout peser. Avant 70, on savait tout, les magasins regorgeaient d'armes, de poudre, de boutons, de galons, de passementeries et la première armée du monde s'était fait culbuter. Il suffisait d'oublier quelque chose, un article de nomenclature ou de se tromper d'un zéro, et les obus ennemis pleuvaient sur les états-majors, fauchaient les régiments de cavalerie, flanquaient la pagaille partout. Les théories s'effondraient, les villes tombaient, on se précipitait sur les routes, personne ne savait plus de quel côté se diriger pour échapper à la défaite. A la nouvelle que les Français approchaient, les Beni Abbas avaient tous décampé.

— Savez-vous comment on attrape les rats, mon capitaine ?

Hector regarda son adjoint avec étonnement. Ce n'était pas difficile. Il y avait des pièges. On avait beaucoup parlé des rats en 70. Les Parisiens en avaient mangé. Le rat se vendait. Il sortait des égouts, montait dans les maisons en quête de nourriture, se faisait assommer.

— Je ne sais pas, moi. Avec des ratières...

— Détrompez-vous. Votre ratière, d'abord il faut la rendre inoffensive. Ça se croit rusé, le rat. Ça examine les machines où on le prend, ça les flaire, ça raisonne, ça discute, ça réunit la djemaâ. Si vous bouclez le piège, vous y cho-

perez un jeune, entré sans réfléchir, que les vieux aban-
donneront à son triste sort quand ils le verront enfermé. Les
rats, il faut être plus malin qu'eux. Vous garnissez la ratière
de ce qu'ils aiment, vous la cachez sous un vieux sac pour
qu'ils se figurent l'avoir dénichée et surtout vous la laissez
béante. Les petits y entrent, dévorent l'appât, ressortent,
reviennent, s'amusent à basculer sur la trappe, alors seulement les vieux les imitent. Vous leur offrez un vrai festin
pendant une semaine, et puis un jour vous fermez la ratière.
Le lendemain vous trouvez toute une famille furieuse et
humiliée, que vous noyez. Nous sommes entrés dans les
ratières de l'Algérie, de l'Italie, de la Chine, du Mexique.
Nous nous y sommes gobergés. On ne risquait rien. Devant
la Prusse, nous nous sommes aussi précipités. Cette guelâa,
c'est trop beau. Si les Kabyles nous bloquent... Je vous
avoue qu'il me tarde de revoir Bordj Boni. A la place du
général, je me dépêcherais. On me payerait cher pour rester
ici.

Kossaïri revenait. Il avait trouvé un vieil homme, une des
veuves du bachagha et deux filles.

— Venez les voir, mon capitaine.

Dans le redan du village qui avançait sur le roc au-dessus
de l'abîme, une belle maison crépie à la chaux avec une
porte en marqueterie grossière peinte en rouge et en vert
qui ouvrait sur une cour plantée de deux figuiers et d'un
grenadier. Le vieux était là, debout, immobile, son capuchon rabattu sur les yeux.

— Demandez-lui qui il est.

L'interprète traduisit et attendit la réponse.

Un parent du bachagha. Un oncle. Il n'avait pas voulu
partir. Il était trop fatigué.

— Demandez-lui s'il sait comment Mokrani a fini.

— Mokrani a mis pied à terre pour faire la prière du
dhor, à midi, après il inspectait le terrain. Quand la balle
l'a frappé il a prononcé la chehada : *Yallah illallah...* il s'est
prosterné le front sur le sol. D'abord on a cru qu'il priait
encore et puis comme il ne se relevait pas, on a approché,
il était mort, touché entre les deux yeux. On l'a emporté

avec trois de ses moghazenis. Bou Mezrag était là. Il s'est échappé.

Le vieil homme parlait d'une voix blanche, cassée.

— Dis-lui qu'il relève son capuchon.

Le visage apparut, usé, pareil à la montagne, sec, avec une barbe grise en broussaille, des joues ravinées, des yeux noirs, un front strié de roche. Plus d'âge.

— Il dit qu'il est dans les mains de Dieu, qu'il fait ce que tu veux. Tu es le chef. Tu commandes.

Le vieil homme se baissa brusquement, saisit les mains du capitaine, les baisa.

— Dis-lui qu'il n'a rien à craindre.

— Il dit : c'est comme Dieu veut. Ma vie finit dans le malheur.

— Où sont les femmes ?

— A l'étage. Il y a une des veuves du bachagha, Zohra Bent Keloudji, avec une de ses filles et une autre de Bou Mezrag.

— Je veux les voir.

— Il dit : tu peux voir la femme si elle veut. Elle est vieille. Les filles non. Notre religion l'interdit. Même les hommes du village ne regardent pas les filles.

— Et encore, ajouta Kossaïri, elles ne sont pas voilées comme les nôtres.

— Je sais. Chez les Kabyles les femmes, sauf celles des marabouts, vont à visage découvert. L'œil de l'étranger ne doit pas plonger à l'intérieur des maisons. On ne va pas non plus à cheval dans les rues pour ne pas risquer de voir par-dessus les murs, on regarde devant soi, jamais chez les autres. A la guerre, tout change. Les Beni Abbas ont voulu la guerre. Ils ont perdu.

— Il dit : nous sommes vaincus, nous nous soumettrons pour tout ce que Dieu voudra.

— Je sais aussi que lorsqu'il a soif, l'étranger a droit d'arrêter une femme qui revient de la fontaine. Elle lui donne de l'eau. Je ne demande pas plus. Avec moi les femmes ne risquent rien. Si d'autres viennent à ma place, je ne sais pas.

— Il dit : entre chez moi, je vais t'offrir du café, mais empêche les hommes d'enlever ce qu'ils prennent à côté.

— A côté, ce sont encore les maisons des Mokrani. Les Mokrani sont vaincus. Vainqueurs ils auraient pris tout ce qu'ils auraient voulu dans nos maisons à nous. C'est la loi. Je ne peux pas empêcher mes hommes d'observer la loi, n'est-ce pas lieutenant Kossaïri ? Ce sont vos tirailleurs qui font la razzia et chargent les mulets ?

— C'est juste, mon capitaine. Vous pourriez exiger beaucoup plus.

6

« En toi-même, lieutenant Kossaïri, mon salaud, pensa Hector, tu espères bien que je vais exiger davantage. Tu les as déjà vues, les filles. Quand tu m'entends dire : avec moi les femmes ne risquent rien, tu dois ricaner. Krieger aussi. Et Denef s'il était là... Une chance qu'on ne l'ait pas emmené ou qu'il se soit arrangé pour ne pas nous accompagner. Il joue probablement les chefs de bande quelque part... » Le souvenir de Denef l'amusa et l'inquiéta. Denef n'était pas homme à comprendre les subtilités de ce genre. Il entendait profiter des avantages du métier, il se vengeait des civils qui témoignaient une certaine condescendance à l'égard des militaires, ou des officiers qui le considéraient avec un peu de dédain. Le général de Roailles, Denef avait peut-être raison de le détester. Peut-être valait-il mieux ne pas être trop intelligent pour exercer le métier des armes. On se contentait d'exécuter les ordres sans se poser de questions. On éprouvait de la sérénité à forcer les autres à obéir. S'il avait été là, Denef aurait chargé Kossaïri d'enfermer les femmes et il en aurait violé une avec tranquillité d'esprit. Les usages des Kabyles, quelle plaisanterie ! Il y avait les usages de la guerre. On était vainqueurs ou vaincus. Denef n'aurait peut-être pas été jusqu'à exterminer les Kabyles et leur faire partager le sort des Peaux-Rouges comme le souhaitaient certains colons à l'exemple des Yankees, mais sur qui se venger des humiliations de 70 ? Comment montrer autrement qu'on ne pouvait pas tolérer une insurrection ? Ou alors on était perdus.

« N'accablons pas Denef, se dit Hector. Quand Kossaïri m'a annoncé qu'il y avait des femmes, je me suis mis en route aussitôt. » Il pensa aux rats de Krieger. Krieger avait une façon à lui de prononcer le mot « rats ». Il l'écrasait dans sa bouche avec dégoût. On se dérangeait pour voir une portée de ces bêtes étranges prises au piège, qui s'agitaient dans la cage. Les femmes, il fallait observer aussi la tête qu'elles faisaient. Ne pas se laisser impressionner par ce vieillard qui retenait les Français, tentait de les apitoyer, feignait de baiser les mains du capitaine pendant que les femmes guignaient derrière une ouverture.

Hector se tourna vers la galerie de l'étage, rajusta son képi.

— Dis-lui : j'accepte la tasse de café.

Le vieil homme grimpa lestement l'escalier, parla à l'intérieur de la maison, revint, fit le geste d'inviter à monter.

— Delfini, vous restez là. Vous placez une garde devant la porte. Si quelque chose ne va pas, vous appelez.

Une demeure de notable. Sous la galerie à colonnes, une pièce sans fenêtres. Des murs blanchis à la chaux, vides. Des nattes roulées sur des tapis. Des plateaux de cuivre. Une petite table basse. Une femme, nu pieds, dans une robe noire à fleurs, une large ceinture à la taille, un foulard autour de la tête, un lourd collier d'argent sur la poitrine. Le visage portait des marques qu'on distinguait mal dans la pénombre : du henné, des coups de griffe ? Elle posait la cafetière devant le vieux qui emplissait les tasses minuscules de l'épais liquide noir et sucré.

On les attendait depuis longtemps. Le café était prêt. Dans la ruelle, les cris des tirailleurs ressemblaient aux croassements des corbeaux. De crainte qu'on ne les arrêtât, ils se dépêchaient de charger les mulets avec les tapis, les armes, les poignards, les aiguières, les vêtements, les bijoux. Non ce n'était pas du henné, le henné c'était la fête, et

depuis que le corps d'El Hadj Mohammed ben El Hadj
Ahmed el Mokrani reposait sous la maigre terre de la Guelâa
il n'y avait plus que deuil. Les ongles avaient déchiré ces
joues, les larmes et le sang avaient coulé en ruisseaux sur ce
masque flétri, usé, raviné comme la montagne, nu comme
elle, éraflé, entamé, écorché, houé : Marie Aldabram sous
son voile de deuil, ce bec d'oiseau de proie, cette bouche
pareille à un coup de couteau, ces longues rides qui partaient
du nez jusqu'au bas du menton, ces yeux semblables à un
creux de rocher avec une trace luisante tout au fond, cette
grande lèvre supérieure couverte de griffures.

Krieger semblait inquiet, Kossaïri s'étalait sur les coussins, calait son dos, le sergent interprète sirotait son café
comme le vieux en l'aspirant avec bruit.

— Dis-lui : j'aimerais que la veuve de Mokrani chante la
mort de son mari.

Le vieux parut surpris, hocha la tête, parla en kabyle.
Quelles drôles de gens, ces Roumis ! Ou alors, ils savaient ?
Ils foulaient le patrimoine sacré, leurs canons qui crachaient
la mort étaient pointés sur la citadelle, ils ne partageaient
pas la peine des autres, ils souillaient tout, leurs soldats
pillaient et violaient, quel meilleur moyen de leur jeter le
malheur en pleine face que de chanter ? Et cet interprète
qu'il écoutait sans jamais le regarder, un Kabyle, un homme
des Beni Djennad ou des Ameraouas qui s'étaient livrés à la
France par amour du butin et servaient comme des chiens
policiers dans les régiments de tirailleurs ou de spahis. Ne
pas adresser la parole à ce traître, ne pas même lui demander de quelle tribu il était, des Aït Adas, des Aït Kodhia
ou des Aït Iz'rer.

La femme s'accroupit face à l'est du côté où elle priait.
Le dos tourné aux hommes, elle prit ses joues dans les mains
et presque aussitôt sa voix coula. Etait-ce une voix ? Une
plainte sans volume, fragile, un filet d'eau sans éclat ni
violence glissant entre les pierres son rayon de soleil fris-

sonnant, la voix de Rachel pleurant ses enfants et ne voulant pas être consolée parce qu'ils n'étaient plus, la voix qu'on entendait à Rama par-dessus le malheur des Hébreux, une modulation qui n'en finissait pas, avec des sanglots et des cassures, où la douleur planait pareille à un vol de vautours au-dessus des crêtes pelées, dans un ciel vide.

La femme se dandinait, s'inclinait, comme prise de vertige.

— Qu'est-ce qu'elle dit ?

— Elle dit : Passants qui êtes venus dès l'aube en quête de nouvelles, halte ! Mon cœur déborde de peine. Il n'y a plus pour moi d'appui protecteur... Il montait sa jument grise, l'homme au cachemire, il était le faucon qui déploie ses ailes sur la cime du Messahdir. Où sont les villages qu'il commandait ? La seigneurie de la Medjana est aux quatre vents. Je l'appelle et le tambour de la tristesse fait entendre le son lugubre et strident de ses grelots...

Le traducteur hésitait, se reprenait, il se laissait emporter lui aussi, il bredouillait, il réfléchissait puis toute une phrase lui échappait :

— Dans la smala plus de feu, les visages sont déchirés, la beauté des femmes est ternie, les gémissements durent jusqu'à l'heure où le soleil noie les étoiles. Bent el Hadj sa mère a les joues en sang, ses yeux interrogent ceux qui arrivent. Où est Ahmed, mon fils Ahmed ? O vous qui venez de loin, m'apportez-vous de ses nouvelles ?

Krieger se leva, disparut. On l'entendit descendre dans la cour, parler à Delfini.

— Les tentes se dressent, tout enflammées de couleurs vives, on y met de jeunes beautés pour fêter l'homme au sabre recourbé, mon fils Lakhdar galope à ses devants et revient dans le deuil, son père n'est plus... Hélas, hélas, une des colonnes de la religion s'est écroulée...

La voix de silence et de vent parut se saouler de douleur, les mots qu'elle jetait roulaient à travers les montagnes, les ravins, les falaises, se bousculaient dans la vallée blonde qui descendait vers la mer, butaient contre l'énorme bosse du Djurdjura, jaillissaient vers les crêtes, retombaient pour s'achever sur ce qui n'avait pas de terme.

— O toi qui oublies, souviens-toi...

Krieger revint, resta debout.

— C'est fini ?

La femme se releva. Elle souriait. Elle parla au vieux.

— Qu'est-ce qu'elle dit ? demanda Hector.

— Elle dit que tu ressembles à son mari, que tu n'es pas comme les autres Roumis.

— Elle en a vu beaucoup ?

— Elle les connaît à travers la description qu'on lui en a faite.

— On peut se tromper quand on n'a pas vu de ses yeux. Moi aussi c'est la première fois que je vois de près une femme kabyle. Elle ressemble à... Je ne vais pas lui raconter nos histoires de famille. Ça l'étonnerait si je disais qu'elle ressemble à ma mère ?

« Je dis ma mère et ce n'est pas ma mère. Je n'ai même jamais pensé à Marie Aldabram de cette façon. Toutes les femmes de la plaine rejetées par-dessus mon épaule dans leurs fermes de Boufarik et leurs villas de Blida, je les laisse aux barons et aux colonels. Englouties, escamotées, en fumée. Et il faut que je vienne ici pour qu'une vieille me rappelle une autre vieille, la vérité éternelle des hommes, qu'est-ce que je dis ? Je m'embrouille, je m'échauffe, je cherche des jeunes et une vieille me prend dans son filet. »

7

Il se leva, embarrassé de sa taille, la vieille était toute petite devant lui, elle le regardait d'un drôle d'air, elle devait être la première épouse, celle de la jeunesse, la mort de Mokrani avait dû la casser, la foudre était tombée sur elle ou bien le feu l'avait ravagée, ses yeux étaient secs, avec une lueur d'ironie ou de curiosité, à son âge elle n'avait rien à craindre, tant de fêtes et maintenant l'épreuve suprême, les Roumis brûlaient la Kabylie, ils emmenaient les hommes et les troupeaux, pour leur résister il n'y avait plus que les chansons qu'on chanterait pendant des générations pour endormir les enfants, qu'on glisserait dans leurs oreilles et dans leur sommeil jusqu'à ce qu'ils comprennent, que les filles répéteraient jusqu'à ce que les paroles se mélangent à leur chair, deviennent le sang des combattants à naître, alors les forêts brûlées reverdiraient, les hommes deviendraient de nouveaux arbres, il fallait leur donner le temps de pousser des racines et de grandir. Moi, se dit Hector, j'arrive comme les légions du prophète Ezéchiel dont on m'a parlé au catéchisme, je ravage Babylone et Jérusalem, je détruis les princes d'Israël, j'entre dans une maison où j'ordonne je ne sais pourquoi à une vieille femme de chanter son malheur. Elle chante et je ne sais plus rien. Est-ce que le traducteur m'a tout livré ? Est-ce qu'il comprend assez la langue pour pénétrer le sens des mots et des cris ? Tout ce qu'on trouve à se dire, moi c'est que cette vieille femme ressemble à ma mère, et elle que je ressemble à Mokrani.

Il avança, prit les mains de la femme, les porta rapidement à ses lèvres comme il l'avait vu faire à ces gens-là entre eux. Les embrassades chez eux, les baisers d'affection, quel rite compliqué, quel cérémonial ! Entre hommes, entre femmes ou entre hommes et femmes de même parenté, on se baisait les mains, le front, le cœur, l'épaule, les vêtements, on baisait les doigts qui avaient touché l'être aimé, on prononçait les formules qui nouaient les grands attachements. Pas dans l'amour. L'amour restait le domaine inviolable, le secret. Et le péché alors, l'homme qui volait la femme d'un autre ou la fille promise à un autre, le crime qui ne pouvait se laver que dans le sang. Comme il était difficile pour un étranger de dire à une vieille femme qu'on avait de l'affection pour elle ! Etait-ce même permis ? Est-ce que le vainqueur ne commettait pas une abomination à l'égard du vaincu ? En France on se livrait à toute une débauche de gestes amoureux. Quelle barbarie ! La liberté des femmes les mettait à la portée de toutes les entreprises, le mari trompé devenait la risée de tous. En terre d'Islam le baiser s'échangeait en public, se chargeait de noblesse, de symboles, de

grandeur. Les Prussiens, s'ils étaient descendus vers le Rouergue, s'ils avaient occupé le manoir du général, leurs officiers auraient-ils osé baiser la main de Mme de Roailles ?
Mme de Roailles le leur aurait-elle permis ? Ils auraient
claqué les talons devant elle, se seraient inclinés avec un
geste brusque de la tête. Hector qui affectait de ne jamais
baiser la main des femmes... Il avait pourtant baisé celle de
la générale à Blida.

— Où êtes-vous allé, Krieger ?
— Voir si tout se passe bien pendant le concert.
— Vous ne comprenez pas, mon cher. Si vous aviez
assisté à l'enterrement de mon beau-père, le concert c'est
là que vous l'auriez eu. Je préfère ça.
— Tout de même...
— Vous voulez dire que quand on est le vainqueur... Je
ne crois pas m'humilier. Nous pouvons tout leur enlever,
on ne se gêne pas. Kossaïri a chargé ses mulets. Il ne les
comprend pas non plus. Et pourtant il est musulman comme
eux, il récite les mêmes prières qu'eux, il boit leur café et
il les tond sans pitié parce qu'on ne sait pas d'où ils viennent, ce sont des Puniques, des Crétois, des Chananéens,
des Grecs ? Ils étaient là avant lui, il y avait des Mokrani
en révolte contre les Romains, contre les Arabes et contre
les Turcs, ils ont servi aussi de mercenaires, les zouaves
c'est à eux que nous les devons, il y avait des Kabyles dans
les régiments des tirailleurs de l'armée Mac-Mahon, ils se sont
fait tuer pour la France et maintenant nous les tuons. A
Icherridène, Kossaïri et vous avez goûté à leurs femmes. Vous
me reprochez de traiter cette vieille comme une princesse ?
Hé mon cher, figurez-vous, je me trouve bien ici. Je me
dis que moi, un gendre de colons, un fils de notaire du
Gers... Vous n'avez pas entendu ? La vieille prétend que je
ressemble à un Kabyle. A cause de ma barbe probablement.
Faites demander au vieux pourquoi il a été battu...
Le vieux désigna le fusil de l'interprète. On ne pouvait

pas résister au feu de cette arme-là. Elle semait les balles comme un semeur le grain. Les fusils kabyles portaient deux fois moins loin.

Hector emprunta l'arme, la tendit au vieux qui la prit dans ses mains osseuses, la soupesa, la caressa, manœuvra timidement la culasse, l'ouvrit, admira en hochant la tête, parla à la femme de sa voix cassée.

8

— Qu'est-ce qu'il dit ?

— Que si les Kabyles avaient eu des fusils pareils, ils n'auraient pas été vaincus.

— Nous avions ces fusils-là, des mitrailleuses, les mêmes canons que les Prussiens et nous n'avons pas su nous en servir. Il y a autre chose, Krieger. Les Kabyles qui se battaient avec nous n'ont pas tous été tués. Il en reviendra bien quelques-uns. Ils auront beaucoup appris. Ils s'interrogeront. D'autres Mokrani se lèveront.

— Justement, dit Krieger en reprenant l'arme, il ne faut pas leur laisser de chance. Vous me faites peur quand je vous entends soupirer que vous vous trouvez bien. Ça me rappelle ce que le curé m'a raconté quand j'étais gosse. Cette montagne, vous vous rappelez, où je ne sais plus quel personnage de la Bible se sentait bien aussi et proposait d'y dresser trois tentes, l'une pour je ne sais plus qui, pour Dieu peut-être, l'autre pour Moïse, la dernière pour Elie. Vous plaisantez ?

— Mon cher, mon cher si vous disiez cela au lieutenant Kossaïri, il vous répondrait qu'il est chez les sauvages, qu'il n'aspire qu'à revoir la plaine, les minarets, les eaux et le ciel de Tlemcen. Je suis passé à Tlemcen, nous ne l'aurons pas vue des mêmes yeux. Tlemcen a beau être l'ancienne capitale d'un royaume arabe et posséder la plus belle forêt d'oliviers d'Algérie, les gens m'ont paru misérables, la ville un monceau de vilaines ruines. Et si vous parlez de Tlemcen aux Beni Abbas, ils vous diront que c'est l'ancien gouverneur arabe de cette ville qui menaçait les Berbères de faire d'eux des fagots pour les bûchers, de les rouer de coups comme les chamelles qui s'écartent du troupeau, de vendanger leurs têtes pour que le sang ruisselle sur leurs turbans et sur leurs barbes. Nous avons fait comme lui à Icherridène, eh bien ça ne me gêne pas. Je ne me sens pas l'ennemi des Kabyles. Mokrani, un traître ? Il a été notre ami, il a régné sous notre suzeraineté, nous l'avons humilié, il s'est vengé, nous l'avons tué, nous sommes quittes. J'honore sa veuve. Elle aurait pu fuir. Elle nous a attendus. Je salue son courage. Vous voyez, je me suis assis de nouveau comme chez moi, je n'ai plus envie de bouger.

Il tendit la main à Krieger.

— Aidez-moi à me relever. Allons inspecter nos compagnies et dire au colonel que tout va bien.

Il fit un signe d'adieu à la vieille, lui sourit et s'en fut. Kossaïri promenait partout un regard soupçonneux. Le teint foncé de sa peau n'était-il pas le signe qu'il avait quelques gouttes de sang noir, qu'il descendait d'une arrière-grand-mère esclave ? Chez les Kabyles, les Noirs vivaient à part, ils se mariaient entre eux. Jamais une famille noble ne s'alliait à eux. On citait le cas d'un marabout qui avait égorgé sa fille parce qu'elle aimait un Noir.

— Vous auriez dû demander à voir les filles, mon capitaine.

Si on avait été à Tlemcen, Kossaïri aurait caché toutes les femmes. Ici, pour se venger de quoi ? il cherchait à humilier les Kabyles, il en prenait à l'aise avec la religion. Depuis son retour Hector ne l'avait pas aperçu une seule fois en prière, un vrai païen comme eux, Kossaïri. Jamais le mot de Dieu dans sa bouche.

— Je vais vous étonner, Kossaïri : les filles, je m'en f...

Ça, pour la galerie, pour impressionner. Il l'avait déjà dit. Il le répétait, pour insister. Depuis son retour de la Mitidja, il avait son comptant des femmes. Quand Krieger parlait des rats dans la ratière, Hector pensait que lui, dans une certaine mesure, s'était laissé piéger par les femmes. Sans grand danger, la preuve, on s'échappait de cette cage. La générale pouvait se demander pourquoi il était parti et le traiter de mauvaise tête, Marguerite lui écrivait peut-être pour se plaindre, elle pouvait toujours attendre des réponses, le colonel de Saintonge avait dû faire une enquête et lancer des télégrammes, c'était la mode, dans ce cas on savait qu'il avait rejoint son bataillon. Pour le retrouver au fin fond des Beni Abbas, en train d'écouter une des veuves de Mokrani chanter le malheur de la famille, puis baisant les mains de cette vieille... Hommes de Kabylie, si vous m'attaquez, je vous briserai, j'incendierai vos villages, je couperai vos arbres, j'empoisonnerai vos sources, je violerai vos femmes, je salirai vos filles, vous serez obligés de les égorger pour les empêcher de donner le jour à mes bâtards, mais si vous me laissez passer je me conduirai avec honneur, vous retrouverez vos montagnes et vos réputations intactes.

Avant de franchir le seuil de la maison, le vieux arrêta l'interprète.

— Il dit que si vous voulez rester ici ce soir, la femme de Mokrani vous reçoit, vous et le lieutenant roumi. Pas l'Arabe. Ce soir, vous pourrez manger et dormir sous ce toit.

Le capitaine hésita. On l'invitait dans l'espoir de la protection que sa présence apporterait. Mais cette insulte à Kossaïri le pillard ? N'était-ce pas parce qu'il avait du sang noir que la vieille l'écartait ?

Il inclina la tête vers le vieux.

— J'accepte.

9

Il alla tout au bout du village. Il faudrait installer des postes pour la nuit, organiser la garde, les commandants de compagnie préféreraient peut-être s'établir hors des murs. Krieger semblait contrarié.

— Ne faites pas cette tête, mon vieux. On vous invite aussi.

— Si ça vous amuse de vous faire bercer par les chuintements de cette vieille chouette, mon capitaine. Parce que les jeunes, les colombes... Ou bien alors, pendant ce temps, ils reviendront nous égorger, et leurs femmes danseront devant nos cadavres.

— Cinq bataillons d'infanterie, deux escadrons de cavalerie, quatre batteries d'artillerie pour vous garder, Krieger, une compagnie du génie pour tracer des routes devant vous, que craignez-vous ? Si on me laissait ça, je me ferais volontiers seigneur des Beni Abbas. Pas vous ? Mme Krieger vous manque ? Vous êtes un petit-bourgeois, mon cher. A Alger je suis sûr que Mme Krieger va vous acheter de la brioche à tremper dans votre café du matin. Je préfère la galette de semoule un peu brûlée qui sent le beurre rance. Est-ce que les Arabes ont aussi colonisé le Gers ? N'aurais-je pas comme ma femme des ancêtres d'au-delà de la Méditerranée ? Vous, avec votre tête, vous êtes un matamore, mais l'une de vos aïeules a dû être violée par un Kossaïri de Tlemcen. Dites-moi, si nous épousions les filles, vous celle de Bou Mezrag et moi l'autre, quelle fête !

Le vent du Sud se leva tout à coup en tourbillonnant. Il remuait de la poussière, de longues vagues douces et tièdes qui s'épuisaient, repartaient, entraînaient avec elles des odeurs ignobles. Hector renifla avec dégoût.

— Voilà ce que je n'aime pas ici, cette puanteur, ces lisières de village avec leur ceinture de latrines et de fumiers, cette barrière fétide. Je ne vois pas non plus...

Il se tut. La générale avait partout besoin d'une salle de bains avec des sels parfumés. On n'imaginait pas la générale ici, tirant l'eau d'une peau de bouc, se lavant dans une tasse !

— Il faudrait s'habituer. Quelle tempête de you-you, hein ? Nos noces avec les filles de Mokrani, quelle alliance ! Les rois n'ont pas fait la France autrement. Les armées, nous les avons. Ce sont les mariages qui nous manquent, Krieger.

Vous prince des Aurès, je vous laisse un désert de cailloux, moi duc de la Medjana, avec ces montagnes et ce ciel.

Au-dessus du village où le pas des bataillons sonnait dans les rues vides, de hauts nuages effilochaient leurs traînes de soie accrochées à un moutonnement laineux. Derrière les murs de pierres sèches, du bois grinçait, un petit cri de mouette, une plainte de bête, des arbres secs, des figuiers ou des poutres ? Il faudrait rendre compte au colonel, qui devait déjà le savoir par les renseignements, qu'une veuve de Mokrani était là. Songerait-il à l'emmener avec les filles ? A son tour il rendrait compte au général, qui déciderait. Les Kabyles ne savaient pas s'organiser : il fallait creuser des citernes dans le roc pour recueillir les pluies, forer des puits profonds, établir des barrages pour retenir le courant des oueds, on pouvait transformer ces maigres terres, faire pousser des jardins. Mais non. Les Kabyles se grisaient de leur liberté ombrageuse, ils préféraient se montrer rebelles à tout, se dérober devant tout comme ils étaient partis devant l'envahisseur en laissant flotter derrière eux l'ombre d'une vieille reine déchue et deux princesses, des laiderons peut-être.

En France aussi, après les tempêtes d'automne le ciel avait de ces tendresses, cette lumière de cristal, cette brume mauve sur les forêts, ces lointains vaporeux. Ici les figues n'allaient pas tarder à mûrir. Il faudrait encore près d'un mois pour qu'elles se rident et s'emplissent de miel. Vers le 15 août le crieur public annoncerait la *dâoua,* on les cueillerait, on les étalerait sur des claies pour les faire sécher dans les cours des maisons.

En haut de la montagne, à l'ouest, les toits d'Ighil Ali brillaient comme un casque d'or.

CHAPITRE II

1

Les commandants de compagnie étaient divisés. Le capitaine Allaire et Kossaïri préféraient bivouaquer hors des murs, le jeune et fringant Sauvemagne camper dans le village. Hector trancha : Sauvemagne s'établirait autour de la maison Mokrani, les autres à la sortie du village, puis il redescendit avec Delfini seulement vers le colonel. Sur un terre-plein les ordonnances avaient construit un petit parc pour les chevaux.

— Baron !

Le cheval quouaillait sans nervosité, par habitude, un coup à gauche, un coup à droite, régulièrement, fouettait ses flancs des crins qu'on évitait de couper trop court comme en France. Des mouches qui se collaient sur son poitrail, il se défendait du naseau et des lèvres. Ça l'amusait, Hector, d'appeler son cheval ainsi. Il pensait chaque fois à l'autre, à celui de l'Arba. Ce nom de Tonnerre était-il le sien ? Son père ne l'avait-il pas inventé, arrangé ou sorti des fontes d'une vague généalogie de hobereaux pour impressionner ? Quelle naïveté chez les colons ! Il suffisait qu'on arborât une particule, qu'on se donnât pour baron, qu'était-ce qu'un baron ? pour qu'aussitôt, pas le vieux Bouychou, il était plus fier, ils fussent aveugles à tout le reste. Leur atavisme

de paysans soumis pendant des générations à la petite aristocratie des campagnes les poussait à faire leur cour, ils
donnaient du « monsieur le baron », ils s'enorgueillissaient
d'une amitié qu'ils voulaient illustre, en tiraient des exem-
ples pour leurs fermes, singeaient des manières, rêvaient
d'un mariage avec leurs filles, rapportaient chez eux une
poignée de main, un mot, une façon, s'en délectaient pendant des jours. Une attention du baron, quel sujet de vanité !
Et la générale qui se laissait courtiser par lui ! Une marquise de Roailles, tombée si bas ! Le colonel encore, si
misérable comte qu'il fût, qui avait jamais entendu parler
des Saintonge, sinon comme d'une province que rien n'illus-
trait que le siège de La Rochelle et un petit vin blanc ?
le colonel c'était l'armée, et dans l'armée cette artillerie
qui secouait les villes du bruit de ses prolonges et de ses
fourgons avant de casser les oreilles du fracas de ses feux,
un bel uniforme pas tout à fait bleu roi, entre le bleu roi
et le bleu marine, et rouge, un képi noir et or, des bottes
et des éperons, une langue savante, ça ne parlait que d'azi-
muths, d'angles de tir, de fourchettes, de charges, de gar-
gousses, de contre-pentes, de calibres, de fusées, de rayures,
de tourillons, de flèches, de bourrelets, de tubes, de freins
de bouche, de tranches de culasse, de berceaux de pointage,
de télémètres, de goniomètres, ils en ajoutaient, ils affectaient entre eux d'employer un vocabulaire hermétique pour
épater les fantassins et même les cavaliers, car eux aussi
prétendaient s'y connaître en chevaux. Les artilleurs, mon
Dieu, on pouvait éprouver un certain plaisir à les fréquenter,
à condition qu'ils n'exagérassent pas dans la technique. En
général, ils étaient bons garçons, reconnaissaient qu'ils avaient
le beau rôle, toujours les fesses sur une selle, des popotes
où l'on mangeait solidement et où l'on chantait, des manières
franches, pas comme ces prétentieux de chasseurs qui
ouvraient nonchalamment leurs vareuses sur des gilets rouges à petits boutons d'argent.

Le cheval pointa les oreilles, reconnut la voix, se tourna,
approcha en mâchonnant une poignée de fourrage qui sentait la menthe sauvage, du fourrage kabyle.

— Viens, mon beau...

Hector avança la main, lui flatta les naseaux, puis l'épaule et les bras, tout le poitrail. Un Arabe. On le voyait à sa taille plutôt petite, à sa tête pas très fine, à l'encolure large, à ses reins longs, à ses crins grossiers, à ses humeurs, à son agilité, à son poil luisant, à ses grands yeux noirs et à ses longues oreilles. Pommelé, sa robe couverte de taches rondes où se mêlaient le gris et le blanc, il avait besoin d'être pansé, il avait dû s'amuser à se rouler dans la poussière, retrouver les instincts de sa race nomade.

— Il vous aime, mon capitaine, voyez.

Le baron frottait son chanfrein contre la poitrine du capitaine, le poussait un peu pour appeler les caresses.

— C'est parce qu'il n'est pas intelligent, Delfini. Alors il s'attache.

— Comme moi.

— Vous non. C'est différent. Vous, vous avez choisi, vous savez. Vous auriez pu tomber sur pire que moi. Vous en avez connu d'autres, vous pouvez comparer. Lui me préfère à un Arabe, non parce qu'il mange mieux, plutôt parce qu'il est du côté des vainqueurs. Tel quel, il me plaît. Je ne sais pas s'il m'aime, mais moi...

Hector n'était-il pas revenu en Kabylie pour retrouver son cheval autant que son bataillon ? Son bataillon et le baron. « Si Krieger savait qu'il m'a moins manqué qu'un cheval... Ils se ressemblent l'un et l'autre, je ne vais pas dire ça à Krieger. Ils m'ont fait l'un et l'autre les mêmes fêtes des retrouvailles, chacun à sa façon. Le baron m'a reconnu de loin, il a presque fichu par terre l'adjoint du colonel, il est venu à moi, Krieger qui le repoussait semblait jaloux et m'a tout de suite demandé si j'avais faim et soif, m'a tendu un bidon, a sorti un sandwich de sa sacoche, s'en est peut-être privé pour moi. Maintenant Krieger me fait la gueule parce qu'il m'a vu baiser les mains de la vieille. Mais non, mon vieux, je ne vous trompe pas, la preuve, je vous ai offert de vous nommer prince des Aurès, ce n'est pas rien, enfin comte plutôt, pour que vous dépendiez de moi duc de la Medjana... »

11

— Ce que je voudrais savoir c'est ce que les chevaux des officiers se disent entre eux quand ils sont ensemble. Le baron, je lui dis : « Mon beau... » Est-ce qu'il l'est ? Vous allez me répondre oui. Vous êtes comme moi, vous n'en savez rien. Les cavaliers ne nous donnent pas la fleur des haras. Ils doivent nous refiler les carnes. Un défaut minuscule déshonore ces messieurs : pour rien au monde ils ne monteraient un cheval avec une balzane de trop ou de moins. Le baron en a combien ? Trois ou quatre ? Avec la couleur de sa robe, difficile à définir. Balzanes trois, cheval de roi... Ils l'auraient gardé pour eux. Alors il a autre chose : un poitrail trop court, le jarret légèrement cagneux ou bien il est mal culotté, ou encasté, serré du devant, pinçard ou solbatu, vous n'imaginez pas ce qu'ils vont chercher. Jamais contents. Ou bégu. Bégu, une subtilité : quand la cavité des incisives persiste après dix ans d'âge. Ça suffit pour les dégoûter. Tu es bégu, baron, ou jarreté ? Si tu es là en tout cas, c'est qu'on n'a pas voulu de toi dans les escadrons. Oui, que se disent-ils ? Et encore, un cheval de capitaine, vous me comprenez ? Un cheval de général de division, ça se croit, ça invente que les musiques et les honneurs sont pour eux... Ne te laisse pas faire, baron ! Si tu m'aimes je t'aime aussi malgré tous les défauts qui doivent sauter aux yeux de ces seigneurs, tu dois avoir les boulets trop gros probablement, les pâturons tordus ou quelque chose comme ça, qui m'échappe. Ça ne fait rien. Si tu es fier de moi comme je le suis de toi... Je te laisse. Tu m'as ramené sans le savoir dans la Mitidja...

Il lui colla une claque sur l'encolure, lui tourna le dos et s'en alla.

— Ne faites pas attention, Delfini. J'ai rencontré là-bas un autre baron, qui me plaisait moins.

2

Il pensa encore un temps à son cheval, se dit qu'il n'avait
même pas maigri depuis le début de la campagne, que la
chaleur ou la disette ne l'affectaient pas comme ces bour-
rins d'artillerie, justement, qui débarquaient de France, à
qui il fallait leur ration d'avoine pour continuer à tirer leurs
canons : le baron se contentait de ce qu'il avait, broutait
ce qu'il trouvait. En récompense, Hector le ménageait. Ici,
on avait renoué avec les bonnes habitudes, les officiers
supérieurs et les capitaines se déplaçaient à cheval. Hector
allait à pied chaque fois qu'il pouvait et surtout n'exposait
jamais le baron inutilement. Au moindre engagement, à
l'abri. Par affection pour le cheval ou pour ne pas se désigner lui-même aux coups ? Il n'était pas de ces officiers
qui comptaient les chevaux tués sous eux : ces gloires-là
auraient dû être réservées aux généraux podagres ou aux
maréchaux. En échange, quand il y avait un effort à fournir,
le baron ne rechignait pas : il était toujours prêt à s'élancer
dans une sorte de furie où il trouvait sa délivrance : il
buvait l'air, mais suffoquait vite. C'était là son défaut majeur :
un galop sec, trop dur, et, dans les poumons, ce halètement
de soufflet de forge. Il n'était pas non plus très bon sauteur.
Non qu'il manquât d'audace, mais de coup de reins.

Delfini avait raison de se comparer à un cheval. Sans les
fougues. Ce côté résigné et vaguement ironique de canasson d'infanterie, trop souvent à la peine, gueulant, ou se
faisant engueuler, veillant à tout, brisé par les besognes
subalternes, sans cette joyeuse légèreté des officiers dédai-
gneux de s'intéresser de trop près aux dépenses de l'ordinaire et à tout ce que coûtait une bataille, sans quoi ils
n'auraient plus osé réclamer un tel effort aux hommes. Il
se contentait d'une bonne parole de son capitaine ou de
l'adjoint, d'un cigare offert de temps en temps, heureux

de son sort. Sans l'armée, il serait quoi ? Petit fonctionnaire
de l'enregistrement ? A condition de ne pas récolter un mauvais coup, il finirait adjudant-chef et prendrait sa retraite
en plaignant ces abrutis de pékins obligés de s'échiner jusqu'à leur mort. Quand Griès se montrait imprudent, Delfini
le rappelait discrètement aux règles de la sécurité. « Vous
finirez par l'avoir, la croix, mon capitaine. » Oui, mais
laquelle ? Il avait décroché la bonne, attention à l'autre.
Avec les officiers on ne savait jamais, ils étaient insatiables.
On aurait pu croire Griès assagi. Pas du tout.

En parlant en lui-même de son capitaine, Delfini disait
« Griès ». Les grades, les titres, dans le langage officiel,
pour la galerie. Les hommes aussi entre eux désignaient
les officiers par leur nom. Pas devant Delfini qui les rappelait à l'ordre et au respect de la hiérarchie. Un chien de
quartier, plutôt qu'un cheval, aboyant beaucoup, laissant
aux autres le panache, on savait que c'était fait de toute la
modestie des autres que les coqs ignoraient quand, perchés
sur un tas de fumier, ils lançaient leurs cocoricos. Au retour
à Alger, une bonne nouba couronnerait la campagne de
Kabylie. Le pécule servirait à passer quelques jours à l'hôtel
avec deux ou trois bons copains, à se taper le restaurant
et le café-concert, à se nipper et même à visiter ces dames
pour oublier un célibat qui commençait à peser, car les
mouquères de ces montagnes ne l'inspiraient pas. Le danger
des maladies ne compensait pas le plaisir, quel plaisir ? De
l'imagination.

Se marier ? Il faudrait bien s'y résigner. Delfini n'était pas
pressé. Pour lui une femme coûtait cher, exigeait beaucoup
et ne valait que des ennuis. Quand on était marié, trop tard,
on l'avait, on la gardait. Delfini se montrerait plus avisé :
il ne promettrait rien. Avant de connaître les femmes, on
leur prêtait toutes les qualités. Sous ces robes qui leur descendaient jusqu'aux talons, leur donnaient une taille de guêpe
et gonflaient leur gorge, comment les juger ? Il aurait fallu
pouvoir les essayer au manège, en campagne, en obstacles,
en course. Griès devait avoir agi de cette façon avec la
sienne, c'était la réputation qu'il avait, il ne devait pas se

plaindre des femmes. Mais aussi, un officier, ces dames se
pâmaient. Sans l'épaulette tout devenait plus difficile.
Qu'était cet autre baron dont parlait Griès ? Etait-ce pour
cela qu'il était revenu tout embué de tristesse, parfois féroce ?
Les propos qu'il tenait à son cheval, combien de femmes
s'en seraient délectées ! Peut-être se laissait-il aller parce
qu'un cheval ne comprenait pas ? Griès n'était pas homme
à se livrer facilement, encore moins à gâter les femmes.
Une femme ne se conduisait pas comme un cheval. Ça se
défendait, ça griffait, ça mordait, même ici certainement,
ça exigeait des soins, des attentions, des cadeaux. Le célibat,
quelle liberté, quelle grâce !

3

Près de la mosquée où le colonel avait installé son état-
major, Griès reconnut la tente du capitaine Dupuis, une
merveille, deux marabouts coniques accolés, l'un aménagé
en cabinet de travail, l'autre en cellule de repos. Il s'approcha.
— Tu es là ?
Quelles effusions depuis l'affaire du coup de revolver !
Personne n'en parlait plus, on n'avait jamais su exactement
ce qui s'était passé, Dupuis essayait son revolver sous la
tente de Griès, pensez ! Delfini avait relevé son chef, pour
un peu il aurait pris la balle en pleine poitrine, à sa place.
Ces choses-là arrivaient à la guerre, on avait la gâchette
légère. Delfini avait bousculé Dupuis, l'avait même engueulé :
« Mon capitaine, ce ne sont pas des choses à faire... »
L'autre avait pu penser ce qu'il voulait. Appelé à témoigner devant le colonel, Delfini s'était contenté de parler d'un
coup de revolver, sans plus. Un sous-officier aurait été traduit devant un conseil de guerre. Pour des officiers,
un accident, et la croix pour chacun. A présent quelle comé-
die ! les deux chefs de bataillon ne juraient l'un que par

l'autre, s'idolâtraient. Leurs deux unités, autrefois à couteaux tirés, s'épaulaient. Griès, qui brocardait Dupuis, tombait dans ses bras, lui faisait mille compliments, l'autre
renchérissait.

— Entre. Je me rase. Je peux même t'offrir un tub. Je
me fais chauffer de l'eau parce que moi, l'eau froide...

Dupuis écoutait Griès lui parler de la maison des Mokrani,
de la vieille, des filles...

— Tu les as vues ? Elles t'ont fait des avances ?

Pas jusque-là. Sous le masque de mousse dont il se
barbouillait les joues, Dupuis souriait, indulgent. Pourquoi
cette morgue, ce mépris, comme s'il sortait de la cuisse de
Jupiter ? Rien de mirobolant : un fils d'épicier peut-être
ou de bourgeois, oui mais Saint-Cyr, alors quelle aristocratie ! Que d'efforts, celui-là, pour le dérider ! Toujours
à quatre épingles, plus que réglo, soigné, lustré, baigné,
quand il pouvait il se faisait la barbe deux fois par jour,
morose, l'œil toujours prêt à saisir les travers des autres, ses
subordonnés ne s'amusaient pas avec lui, sa popote une
église, il fallait le voir raide sur sa chaise, les coudes collés
au corps, tenant son couvert du bout des doigts, portant
sa fourchette à sa bouche comme à regret, un pisse-froid,
ne chantant jamais, regardant les gens du haut de sa grandeur car il était d'une belle taille, mince, élégant, avec une
voix qui détachait les mots, monsieur se croyait un bel
avenir, grinçait, ricanait, condamnait, personne ne trouvait
grâce à ses yeux, sauf maintenant Griès, à qui il reconnaissait des mérites d'entraîneur d'hommes, on voyait ce
qu'il voulait dire, et Griès, pourtant si ombrageux, se laissait
prendre.

Sous la serviette qui lui protégeait le cou et les épaules,
sa croix toute neuve lui battait la poitrine, encore que le
ruban commençât à passer avec cette lumière et la pluie,
alors que Griès avait remisé la sienne pour ne la sortir que
dans les grandes occasions.

On avait du mal à aimer Dupuis. Non qu'il fût sans mérites : il s'en reconnaissait trop pour en laisser trop peu aux
autres, il critiquait trop, montrait trop qu'il possédait du

bagage. Il chiadait le concours d'entrée à l'Ecole de guerre, seuls les événements l'avaient empêché de se présenter, il attendait la fin de cette campagne et la reprise du cours naturel des choses pour être reçu. Il faisait déjà figure de breveté d'état-major, ne parlait que de divisions, encore avec un certain ton protecteur, de corps d'armée, d'armées, préparait la revanche. On sentait qu'en appartenant à une simple colonne en Algérie, il lui faisait beaucoup d'honneur. Une servitude des temps, un amuse-gueule, un moyen d'occuper l'esprit. Le commandant de régiment le consultait, Dupuis ne cachait pas qu'il s'arrangerait pour sauter l'échelon de chef de bataillon, qui n'avait plus de secret pour lui, pour bondir sur le grade de lieutenant-colonel. Sa cantine bourrée de bouquins, il parlait l'allemand, passait pour intellectuel. Chaque courrier lui apportait des livres qu'un libraire de Marseille lui expédiait et qu'il lisait sous sa tente avec application, des traités d'économie mais aussi de l'histoire et même des romans. Si on admirait, il rappelait que Mac-Mahon rayait du tableau d'avancement tout officier trouvé en possession d'un ouvrage même sérieux, *a fortiori* d'une fantaisie, et que l'armée de la défaite se vantait de ne rien connaître en dehors de son métier. « Voilà où cela vous a conduits », disait-il. Ce qui laissait entendre que l'armée lui devrait un jour son salut.

Sa femme était restée chez ses parents en Normandie. Pourquoi faire les frais d'une installation provisoire en Algérie alors qu'il n'allait pas tarder à rentrer en France ? On ne s'expliquait pas comment un officier si distingué et si maître de lui avait risqué de briser sa carrière par un accrochage avec Griès. De cet accident, il avait lui-même tiré toutes les conséquences, n'arrêtait pas de donner à la bataille un caractère de violence où toutes les passions se déchaînaient. Une telle disproportion entre l'homme et la mésaventure avait aidé à déguiser l'acte. Dupuis était bien venu attendre son camarade sous sa tente pour lui demander une explication. D'un geste machinal il avait sorti son arme pour l'examiner, il s'en était servi pendant le combat, elle était chargée, il avait le doigt sur la détente quand Griès était entré brusquement. On ne comptait plus les accidents provoqués par les revolvers. Le coup était parti. Par chance, la blessure de Griès n'était pas grave. Une menace de malheur se transformait en fortune, la haine entre les deux officiers en amitié de choix. On pouvait se féliciter.

— Elles t'ont fait des avances ? reprit Dupuis en se passant un doigt sur les lèvres pour les dégager du savon. Les filles des Mokrani ça m'étonnerait. Si tu les vois ce soir et si, comme je le suppose, comment dire ça avec distinction ?...

Il se détourna de son miroir, commença à aiguiser son rasoir sur le cuir, lentement, méthodiquement.

— ... tu noues de tendres liens avec elles, ce que je comprendrais, mon cher, ce que j'approuverais même en te suggérant toutefois de te montrer prudent, tu devrais leur faire préparer un bain. Le Moyen Age, ces Kabyles ! Des gens qui vivent comme des bêtes...

— Pas les Mokrani.

Il releva la tête, s'arrêta de manœuvrer son rasoir, parut réfléchir.

— Un château ?

— Presque. On m'offrirait de rester là, je ne dirais pas non. Pas toi ?

— Il faudrait me bâtir un palais, et encore. Cette vermine partout...

Il pencha la tête, se remit à aiguiser, avança sa lèvre inférieure avec sa morgue habituelle.

— Et puis je t'avouerai que ces gens-là ne m'inspirent pas. Je ne parle pas des femmes, je me demande comment vous faites, mais les hommes, rebelles à tout. Ça leur sert à quoi d'avoir toujours tout refusé ? Leur Jugurtha a donné du fil à retordre à Scipion, il a quand même fini enchaîné derrière le char de Marius. « Rome, une ville à vendre », s'écriait-il après avoir essayé d'acheter des témoins et égorgé des rivaux.

Il suspendit un instant son rasoir en l'air, puis reprit l'affûtage. Il allait tout au bout de la lanière, relevait la

lame d'un petit geste vif, la retournait, revenait en sens
inverse, recommençait.

— Il est mort en prison, leur Vercingétorix ! Nous avons
oublié le nôtre, élevé des statues à Jules César et au génie
latin. Sans quoi nous en serions encore à boire de l'hydromel
et à dormir dans des cavernes. Ils se dérobent à tout, se
battent entre eux, se tuent pour un champ pillé, une charrue volée, des chèvres qui ont brouté où il ne fallait pas,
ne parlons pas de l'amour, un geste, un mot, c'est la souillure. L'honneur de la famille et du village, leur fameuse
horma je crois, est en jeu. On lapide des femmes sur la place,
on tue les séducteurs, méfie-toi. Tout cela pour rien. Ils
ne parlent que de paix et ne font que la guerre. Ils ont adoré
tous les dieux, le Minotaure, Baal et Tanit Astarté, Zeus, le
Christ, dit-on, maintenant Allah, le vrai dieu de ces hérétiques c'est l'esprit du mal, leur culte la magie, les envoûtements, les philtres, ou peut-être eux-mêmes et leur orgueil.
Je n'ai pas d'illusions sur eux. Ton Saint-Arnaud avait raison
de vouloir les briser. « Qu'on me donne cinquante mille
hommes, je brûlerai tout et je rejetterai ces sauvages de
l'autre côté de l'Atlas... » Il n'en a pas eu le temps. Tu
devrais achever son œuvre. C'est dans tes cordes. J'applau-
dirais.

— Figure-toi...

— Tu ne vas pas me dire que tu es, si peu que ce soit,
séduit par ces gens-là ?...

4

— Je ne sais pas, dit Hector. Ils n'ont rien, je te l'accorde,
mais ils sont attachés à ce rien, ils ne veulent pas qu'on
le leur enlève et en même temps ils sont prêts à tout donner
si on leur dit les mots qu'il faut.

Dupuis se mit devant son miroir, remonta sa tempe de

la main gauche, descendit délicatement le rasoir sur sa joue.

— Tu les connais si bien ?

Cet esprit critique ! Hector convint en lui-même qu'il s'avançait beaucoup, qu'il n'avait abordé les Kabyles que pendant les batailles, les armes à la main, qu'il ne les avait vus de près que morts ou vieux, cassés, soumis, terrorisés, quant à leurs femmes elles ressemblaient à des panthères prêtes à mordre. La vieille les avait reçus sans haine, semblait-il, elle avait chanté devant eux, pouvait-on en tirer une conclusion si aventurée ?

— Ils ont parlé toutes les langues, continua Dupuis, la leur n'est même pas écrite. On ne peut donc pas leur faire signer quoi que ce soit. Ils prétendent qu'on les a trompés, qu'ils ne connaissent pas assez bien l'arabe. Quant à leur parole, on sait ce qu'elle vaut.

Un coup de rasoir crissant. Une petite phrase. Un coup d'œil oblique dans le miroir, il se pinçait le nez, un nouveau coup de rasoir sous les lèvres. Des mimiques.

— Souviens-toi de ce qu'ils écrivaient à Bugeaud... « Nous ne tolérerons jamais... que des étrangers fassent la loi chez nous », ou quelque chose comme ça. Personne n'a pu les apprivoiser ni les soumettre. Ils n'ont pas changé.

— Peut-être. J'ai pourtant l'impression que je m'entendrais mieux avec eux qu'avec certains camarades. De nous deux, par exemple, qui était le Kabyle ? Toi ou moi ? Et nos propres femmes ? Je ne sais pas comment tu fais avec la tienne...

Dupuis se retourna, essuya minutieusement son rasoir sur une feuille de papier.

— Je ne lui demande pas plus qu'elle ne peut me donner. C'est l'erreur que tu commets. Tu attends trop des autres, tu donnes trop aussi.

— Alors, l'amour ?

Il se frotta de nouveau avec son blaireau, se cacha le visage jusqu'aux yeux.

— Tu crois encore à ça ? Des convenances, mon cher, des appétits. Tu as besoin qu'on t'aime et qu'on t'admire. Faiblesse, illusions, billevesée.

Dupuis lui assenait ces mots en le regardant du coin de l'œil avec ironie. Le même manège. Un doigt débarrassant la mousse des lèvres, puis le rasoir, sans bruit cette fois, une petite phrase.

— Fais-toi craindre ou rends-toi nécessaire. L'amour à l'état brut doit encore exister chez les Kabyles. On doit encore trouver ici des gaillards... qui risquent leur vie pour rencontrer une femme... des femmes qui ne craignent pas de se faire égorger... pour s'offrir à un homme, des hommes qui distribuent de la viande aux chiens... pour les empêcher d'aboyer quand ils approchent la nuit de leur bien-aimée, ou qui... s'ils ont été repoussés... vont planter des clous dans les portes... ou enterrer sous une pierre du cimetière des cheveux de la cruelle mêlés à des poils de porc.

Il essuya encore son rasoir, le replia, le glissa dans son étui, versa de l'eau chaude dans la cuvette, s'y plongea le visage.

— Voilà le véritable amour, gargouilla-t-il la tête basse, les envoûtements, la sorcellerie, le fameux enchantement des poètes, et pas seulement chez les Kabyles. Dans toute la Méditerranée. Les femmes, l'amour, tu me fais rire.

Il se redressa, s'épongea.

— En Méditerranée on a une certaine idée du sexe. On tue pour un rien. J'avoue que sur ce terrain-là je ne vous suis pas. Entre homme et femme toute faiblesse est mortelle. Si tu ne dévores pas tu es dévoré. Une fatalité.

— Il m'arrive de me reprocher des pensées de ce genre. J'aimerais être un militaire comme toi.

Quel beau nécessaire de toilette, en argent, en cuir et en cristal ! A présent, l'eau de Cologne dont il imbibait un mouchoir, se tamponnait les joues, le cou.

— Notre métier est le moins féroce de tous. Quand je rencontre en France un ancien condisciple du lycée qui s'étonne de me voir devenu officier, je lui demande ce qu'il est : professeur, avocat ou industriel. Il vit avec des agneaux ? On ne lui cogne jamais dessus ? On n'essaie jamais de le démolir ou de ruiner sa réputation ? Chez nous tout est clair parce que nous avons des armes. On sait ce que nous voulons et nous ne le voulons que contraints par la nécessité ou la politique. Pas de notre propre chef. Si nous ne sommes pas d'accord avec nos supérieurs hiérarchiques, nous pouvons le leur dire, respectueusement ou pas. Que peuvent-ils contre nous ? Nous coller aux arrêts ? Si nous n'avançons pas au choix, nous avançons l'annuaire sous le bras. Le métier militaire est le plus libre. Un professeur, un avocat ou un industriel, s'il déplaît à son proviseur, à son bâtonnier ou à son patron, le voilà brisé. Chez nous les fortes têtes comme toi et moi ont toutes les chances. Et avec les femmes, le prestige de l'uniforme. Comment as-tu séduit ? La Mokrani elle-même n'a pas résisté à ton charme. Après tout, elle n'est peut-être pas vieille, ces gens-là se marient avec des filles de douze ans. Il est vrai qu'à vingt-cinq... Pas trop faisandée, la comtesse ?

— Si tu veux y goûter...

Dupuis boutonna son col, s'épousseta.

— Merci. Je suppose que tu es un type à lire dans le regard des femmes des choses comme : celui-là s'il est officier c'est parce qu'il est courageux, pur, désintéressé, donnons-nous à lui. Tu as dû en attraper quelques-unes avec ça. Quand tu étais aide de camp avec tes aiguillettes, avoue... Il y a du vrai d'ailleurs. Le poisson quand il se jette sur le chènevis ou la sauterelle, tu ne le trompes pas : tu lui offres une vraie graine de chanvre ou un vrai criquet qui cachent l'hameçon. Tu m'accompagnes chez le colonel ? Sortons. Je crois qu'on s'enferre toujours sur quelque chose. L'amour n'en parlons pas. Même si tu as choisi un métier pour le courage, le désintéressement ou la pureté, tu finis par trouver l'acier qui te perce. Les gens de la Guelâa, tu vois, ils ont fichu le camp en laissant derrière eux quelques vieillards et quelques femmes. Attention.

Delfini au-dehors claqua les talons devant Dupuis.

— Ou alors c'est la déception qui t'inspire de la pitié pour eux. On sent que tu n'es pas revenu heureux. Ce n'est pas votre avis, Delfini ? Votre capitaine, on nous l'a changé.

Delfini se tut. Il n'allait pas répondre au capitaine Dupuis, qu'il n'encaissait pas. Par discrétion, il s'écarta. Quand les officiers échangeaient des confidences, il convenait de les laisser. Pas de familiarité déplacée avec eux. Griès avait des défauts : il se méfiait, grognait, se taisait, accablait ses subordonnés de reproches ou les couvrait de compliments, naviguait entre des ardeurs, des contradictions et des injustices, mais il était quelqu'un, il savait vous défendre et quand il n'était pas là, tout manquait. Quand Dupuis partirait personne ne le regretterait, peut-être parce qu'il était né dans un pays de brumes basses, de plaines tristes et noires à betteraves, les corons du Nord où les lumières brillaient dans des halos de vapeur. Son abord glaçait, il condamnait les fautes, qui aimait-il ? les haines et les amours devaient cuver longtemps chez lui. Un homme sans autre passion apparente qu'une carrière, un intraitable, qui ne consacrait sa peine qu'à se mettre en valeur. Il aurait souri s'il avait entendu ce que Griès disait à son cheval. Pourquoi parlait-il avec tant de mépris des Kabyles ? Les mêmes animosités existaient entre bataillons : c'était à qui tromperait l'autre.

5

Assis à l'entrée de la mosquée derrière une table pliante, le colonel vérifiait le plan de la citadelle qu'un officier du génie venait de dresser. Il leva sa grosse tête blondasse que la guerre semblait alourdir, passa une main potelée sur sa moustache puis repoussa un peu son képi posé sur des papiers.

Le général venait de prendre la route vers Bordj Boni avec un escadron de chasseurs en lui laissant le commandement de la colonne, quelle occasion de se distinguer ! Quand on était général on n'avait aucune peine pour assurer son autorité : les étoiles suffisaient. Un froncement de sourcils, un silence et tous tremblaient. Le fanion qui flottait avec sa queue de cheval galvanisait les troupes. Chacun cherchait à briller devant le dieu. Le simple appareil d'un lieutenant-colonel devait suppléer à tout ce décorum. A la moindre anicroche, on l'accuserait d'incapacité.

Cette décision du général de ne pas passer la nuit à la Guelâa intriguait. L'expédition réussie, on comprenait que le commandant en chef manifestât de la hâte à rentrer pour coordonner l'action de ses forces dispersées, les regrouper, envoyer un rapport à Alger, connaître les nouvelles politiques et les intentions de l'amiral gouverneur. A la place du général, le colonel eût été soucieux, non pas des citadelles de Tizi-Ouzou, Fort-National et Bougie, mais de la colonne Cérez repartie pour Dra-el-Mizan, de la colonne Barachin nettoyant la forêt d'Akfadou, de Thibaudin qui remontait la vallée de la Soummam, de Goursaud qui descendait d'Aumale vers Beni Mansour, de Trumelet qui devait marcher vers M'sila et Bou Saada. Tant d'unités aventurées à travers les montagnes, presque sans liaisons, à la merci d'un hasard et d'une infortune ! Toute erreur pouvait se payer cher. Le gouverneur général donnait des ordres de son côté : où étaient Saussier et Ponsard, la colonne Deplanque ? Une nouvelle insurrection avait éclaté dans le cercle de Cherchell, des fermes avaient été attaquées près de Médéa. Le colonel avait beau se dire que son propre itinéraire de retour était connu, que des éclaireurs le couvraient, que la soumission des chefs insurgés avait répandu dans toute la Kabylie le sentiment de la défaite et l'épouvante de la répression, il savait que les cavaliers de Bou Mezrag le suivaient, il lui tardait de quitter ce coupe-gorge où quelques arbres tombés sur la piste pouvaient bloquer tout passage, de remonter sur les pentes d'Ighil Ali et de voir briller la vallée au bout de laquelle se hérissaient les remparts de Bougie. Une nuit à passer dans le piège de la Guelâa l'inquiétait. On en était au dernier quartier de la lune : la première moitié de la nuit serait noire. Les batteries avaient repéré des tirs sur les contreforts qui dominaient la citadelle d'où l'ennemi pouvait surgir, l'escadron de cavalerie laissé par le général camperait sur les hauteurs de l'ouest, le 27ᵉ bataillon de chasseurs bouclerait le débouché du sud.

« Aurions-nous commis une sottise en venant jusqu'ici ? se demanda Hector. On a l'air de fouetter. Ce déploiement des flancs-gardes serait normal en tout pays occupé. Ce ne sont pas ces précautions qui m'intriguent. J'agirais avec la même routine sans l'appréhension que le colonel essaie de cacher. Cet homme n'est pas tranquille. Il va nous faire veiller toute la nuit. Demain nous serons crevés... »

Le colonel leva la tête, posa les mains sur la table et regarda Hector.

— Les femmes Mokrani, il paraît que c'est vous qui les avez. Le général consent à les laisser ici. On nous accuse assez. Je les aurais volontiers données aux tirailleurs car la magnanimité ne paie pas. Quand on a vu comment les Kabyles ont massacré, égorgé et violé, on a un compte à régler avec ces messieurs. Vous ferez comme vous voudrez, Griès. Deux batteries sont pointées sur votre village et sur le fief des Mokrani. Demain matin en nous en allant nous f... tout par terre. Quatre salves seulement pour ne pas gaspiller les obus. Tant pis pour ceux ou celles qui se trouveront dessous. D'un autre côté, ça soulagera d'autant les mulets. C'est votre avis, Dupuis ?

— Moi, mon colonel... Je crains seulement que vous ne heurtiez les sentiments intimes du capitaine Griès. Ces dames l'ont invité ce soir à dîner. Je ne vois pas d'inconvénient à le laisser se divertir un peu et goûter aux délices de la cuisine kabyle.

L'avis de Dupuis ? C'était normal. Le colonel prenant le commandement de toute la colonne, le commandement des deux bataillons du 4e zouaves revenait au chef de bataillon le plus ancien. Hector se trouvait placé sous les ordres de Dupuis. Autrefois, l'animosité entre les deux officiers eût créé des difficultés. Leur réconciliation arrangeait tout. Cette bonne entente était l'œuvre du colonel.

— Vraiment ? Eh bien, mon cher, amusez-vous, mais soyez ici à l'aube. Ne risquez pas de vous faire aplatir par l'artillerie. Je serai bon prince. Naturellement, pour déclencher le tir, j'attendrai de vous savoir en sécurité parmi nous.

— Et les femmes, mon colonel ?

— Laissez-les où elles sont. Elles finiront comme le bachagha. Héroïquement. Que peut-on leur offrir de mieux ?

6

L'adjudant se précipita sur les traces de son capitaine qui remontait vers le village à grands pas rapides, par le sentier taillé dans le roc. Il eut du mal à le rattraper.

Le visage fermé, flanquant des coups de botte dans les schistes, Griès semblait labouré par la colère. Dans la bouche de Saint-Arnaud le langage du colonel eût passé. On le connaissait, le pacificateur des Aurès et du Constantinois ! On pouvait détester ce taureau furieux, cet animal de guerre qui semait derrière lui la ruine et la mort. Quelle mouche avait piqué ce bœuf de colonel ? Quelle ambition l'entraînait soudain à jouer les terreurs et les soudards ? Il n'y avait personne pour lui inspirer de la mansuétude ? Le gros capitaine des mitrailleuses eût été là, on aurait pu soupçonner qu'une idée pareille venait de lui, mais on avait renvoyé les mitrailleuses à Fort-National. Les massacres des colons, d'autres massacres les avaient ensevelis depuis longtemps sous des monceaux de cadavres encore gras. C'était la faute de son conseiller Dupuis, la rage flegmatique, austère et distante ou quelque jalousie de Dupuis, mais laquelle ? Que le capitaine Griès, sorti du rang ou presque, brillât dans le comandement d'un bataillon, eût décroché comme lui la croix ? « Le salaud, pensa Hector, j'avais raison de le détester. A moins que ce ne soit un ordre supérieur. C'est ce prétentieux analyste, ce théoricien méprisant qui a dû pousser le colonel à écraser les Mokrani sous les pierres en nous retirant. Il prendra son tub bouillant à l'aube, se fera servir son café sous sa tente et assistera au bombardement le sourire aux lèvres. Avec nos bons vœux et notre meilleur souvenir. Et qu'a-t-il lui aussi à me

trouver changé ? N'en ai-je pas le droit ? D'ailleurs en quoi
ai-je changé ? Les Arabes, Marguerite a raison, c'est pour se
venger de moi qu'ils ont incendié la ferme de Boufarik. J'ai
razzié leurs troupeaux, emmené leurs filles dans les bordels
de Blida et leurs fils dans les bureaux de recrutement où on
les obligeait à s'engager dans les turcos, ce fumier tourne
en dérision ce qu'il appelle mes sentiments intimes... Ce geste
de Judas qu'il a eu quand le colonel lui a demandé son
avis. " Moi, mon colonel... " Oui, toi tu es d'accord n'est-ce
pas ? Tu es pour la répression sans pitié, le dressage de
cette chiénaille, " mais vous savez, mon colonel, il y a un
chevalier parmi nous, le capitaine Griès, qui inclinerait vers
le pardon des injures, l'alliance des peuples et des sangs,
il ne faut pas blesser des sentiments aussi nobles. C'est notre
Galaad, le capitaine Griès, un vrai paladin de la Table Ronde
devenu je ne sais comment le défenseur de la veuve et de
l'orphelin... " De quoi te mêles-tu ? Je vais vous le dire, mon
colonel, devant tout le monde, devant les officiers de votre
état-major, l'artilleur, le cavalier, le nouveau commandant
du 4ᵉ zouaves et les médecins, où sont-ils ceux-là ? Il n'y a
pas longtemps encore Saint-Arnaud était mon saint patron.
J'allumais des cierges devant son icône, sous ma tente. Il
y a à peine un an nous étions la première armée du monde,
nos chefs invincibles ne savaient plus où mettre tous leurs
crachats de diamants rapportés de Mexico et de Shanghaï.
Pour l'Algérie, on était plus modeste : on se méfiait des
campagnes de presse, des interpellations à la Chambre et
des procès, on se contentait d'enfumer, de piller et de liquider en douceur. Quand il y avait des excès, on les mettait
à la charge de nos troupes indigènes, ces barbares que nous
n'avions encore pas eu le temps de civiliser. Nous partions
régler son compte à la Prusse. Derrière la science de nos
chefs, le jugement sans défaut de nos chefs, l'art incompa-
rable de nos chefs, les ordres du jour de nos chefs, nous
sommes allés recevoir une correction. Vive la République,
mon colonel... »

— Ne faites pas attention, Delfini. Je me parle à moi-
même. Non, je ne suis pas fou. Je dresse un bilan. Et puis

rengainez-moi votre revolver. Je ne suis pas en danger, vous voyez bien qu'il n'y a pas de Kabyles ici, qu'ils se sont tous débinés. Ne jouez pas avec ça. Un coup est vite parti. Tranquillisez-vous.

« Après, pour moi, ça a été les femmes. Le capitaine Dupuis ne peut pas vous en parler. Le seul témoin de mes victoires est ce brave Denef, resté à Fort-National. A Denef il faut de bonnes routes, des fourgons avec des attelages puissants. Ses convois ne peuvent pas suivre des colonnes comme la nôtre. Je ne vous cacherai pas que, sans lui, je n'ai plus mon ravitaillement en cahors. Denef pourrait vous conter par le menu le chevalier que je suis, mais il ne sait pas tout. A mon retour de guerre, ma chère et tendre épouse n'y a rien compris. Vous ne la connaissez pas ? Ce n'est pas un petit pot à tabac comme la vôtre ni une personne de qualité comme Mme Dupuis, j'imagine. Un prodige, Marguerite. Mais la beauté n'est-ce pas ? Une femme si elle n'est que belle, on ne la voit plus. Il faut qu'elle vous donne autre chose : de la tendresse, de la finesse, de la bonté, de l'amitié en somme. L'amour c'est quoi exactement ? Des convenances et des appétits dirait le capitaine Dupuis. Je suis plus modeste, je n'en sais rien, sinon que je ne suis pas homme à vivre avec une femme sans l'aimer, que Marguerite m'a manqué, que je l'ai quittée pourtant pour la Kabylie, mais qu'à Icherridène j'en ai eu marre de vous voir traiter toutes les femmes comme des putains et que mon excellent ami et camarade Dupuis m'a aidé à me retrouver à l'hôpital du Dey. Bref, messeigneurs, ces chères créatures m'ont enseigné l'indulgence. Quant aux Prussiens, regardez le nouveau commandant du régiment. Quelle allure il aurait avec un casque à pointe ! La crainte des uhlans jetait les campagnes de Lorraine sur les routes : ils arrivaient, ils allaient tout brûler, tout violer, tout tuer. Comme nous. Partout sur notre passage, des villages vides avec des otages qui nous offraient du lait et des œufs. On est toujours le Prussien de quelqu'un. »

Hector s'arrêta brusquement devant les murs de pierres sèches des premières maisons.

— Dites-moi, Delfini, quel âge a la vieille Mokrani ?

— Je ne sais pas, mon capitaine. Quarante ans peut-être.

— Elle paraît vingt ans de plus. Pourquoi n'a-t-elle pas fichu le camp ?

— Elle aimait peut-être le bachagha. Elle n'a peut-être plus peur de rien. Elle préfère mourir là. Ou bien elle n'a pas eu le temps.

— Et les filles ? Elles existent, le lieutenant Kossaïri les a vues.

— Ah ! ça... Elles ne veulent peut-être pas quitter un berger. Je me demande. Un chacal caché dans les rochers. Un voleur de poules. Un gardien de chèvres qui vient le soir.

7

D'en haut, on voyait les pièces braquées sur le village, le parc des chevaux, les guitounes des bataillons, l'agitation autour du poste de commandement de la mosquée. Des jouets. L'animation heureuse des camps. Le vent était tombé, il faisait chaud, le soleil s'apprêtait à basculer derrière les montagnes et les grandes plaines à blé de Sétif avant les chotts de sel et les sables. Du déluge du matin il ne restait rien qu'une incroyable limpidité de la lumière, une douceur triste, des taches d'azur sur les collines : les tuniques des chasseurs qui préparaient les feux pour la nuit. Il y aurait peut-être un orage, peut-être pas. Delfini avait raison : la Mokrani voyait le fantôme du bachagha partout. Parce qu'il se laissait pousser la barbe en collier, elle osait dire qu'il ressemblait à son mari. Elle avait dû en parler aux filles : il y a un chef roumi, on dirait le bachagha quand il était jeune, l'homme au cachemire, au sabre recourbé, à la jument grise, le faucon déployant ses ailes sur la cime du... Que chantait-elle encore ? « Les gémissements durent jusqu'à l'heure où le jour noie les étoiles... O toi qui oublies souviens-toi... » Etre appelée comtesse par un officier aussi distingué que le capitaine Dupuis, un fils d'épicier en gros qui se consumait de la rancœur de n'être pas né et à qui il faudrait bâtir un palais si l'on voulait qu'il reste ici...

L'humble présence de l'adjudant l'apaisait. Il rejeta Dupuis et le colonel par-dessus son épaule. En même temps il s'en voulut de s'être tu. Des discours à soi-même, facile. Il aurait dû leur cracher celui-là en pleine face. Ce n'était ni le lieu ni le moment, ils n'auraient pas compris.

— Je leur dirai demain, Delfini. Ça vous amusera.

— Quoi mon capitaine ?

— Patientez. Croyez-vous que...

Quatre salves de huit pièces sur les Oulad Aïssa, trente-deux obus ce n'est pas terrible, un mauvais moment à passer quand ça tombe, il suffit de ne pas se trouver dessous. Il lui tardait de retrouver Krieger, la grosse moustache d'Allaire et le petit Sauvemagne. Il allait les emmener dîner chez la Mokrani, un chef ne se déplaçait pas sans compagnons.

— Croyez-vous que la comtesse nous a préparé un couscous ?

— Ils n'ont guère que ça ici. Mais quel couscous ? Vous savez comment ils appellent ça ? Le *seksou*. Ou encore le *tâam*. Pour un hôte comme vous, il faut égorger un mouton, et ils n'en ont plus. Alors quoi, à la viande sèche, au poulet ? Le poulet c'est la deuxième catégorie. Et pas de la semoule d'orge. Du froment. La semoule d'orge c'est pour les pauvres types.

Un couscous de froment et au beurre, pas à l'huile. Après quoi, en remerciement, quatre salves. Je le dis à Delfini ou pas ? Non, ni à lui ni à personne. Je garde ça pour moi. D'ailleurs pourquoi s'indigner ? Dupuis a raison : il faut éduquer des gens qui ne veulent pas se soumettre. Pour-

quoi avoir honte d'être sans pitié ? L'Allemagne est devenue un grand pays. Dans la galerie des glaces au château
de Versailles, les princes confédérés ont chanté un cantique
et offert la couronne impériale au roi de Prusse. Le nouvel
empire français sera signé à Icherridène et à la Guelâa.

— On ne va pas s'amener les mains vides. Faites porter
tout de suite mes rations de sucre et de café, plus un sac
de blé pris sur le boni. Dans dix minutes on se pointe.
J'ai faim.

Son épaule le faisait souffrir de nouveau. C'est étrange
les blessures. On dirait aussi que ça vit, que c'est un animal
que vous avez en vous. Il y a des moments où ça dort,
d'autres où ça ronronne comme un chat, d'autre où ça se
réveille et ça griffe. On a beau refuser d'y penser, ça vous
déchire.

— Un moment, Delfini.

Il enleva son ceinturon, déboutonna sa tunique et sa
chemise.

— Regardez si ça saigne.

— Je ne vois pas, mon capitaine. Penchez-vous... Non,
rien.

Il sentait même de l'humidité sous la cicatrice. L'imagination : Dupuis venait de lui tirer un autre coup de revolver.
Par hasard, n'est-ce pas ? En nettoyant son arme. Il se
rajusta, se remit à avancer. Il pouvait se permettre ces fai-
blesses devant Delfini, qui l'aimait sans se demander s'il
était digne de son attachement. Il y avait des cas où comparer un homme à un chien était un honneur. Est-ce qu'un
chien se posait des questions ? Pour Antoine c'était différent : l'ardeur, l'innocence, le garçon qui ne pouvait plus
vivre parce que la France subissait une défaite. Il devait
travailler sauvagement à reconstruire la ferme, serré dans la
douleur d'avoir perdu Hortense. Quel beau rêve, Antoine !
S'il avait vécu le vieux n'aurait jamais pu supporter ta petite
femme, La Fleur aurait mangé ses perdrix, Pierre et Dolorès
se seraient dit que tu leur prenais leur pain, il aurait fallu
que tu te bâtisses un logement à l'écart. A présent, tu te
crois seul. Tu sens toi aussi s'ouvrir une blessure. Le soir

avant de t'endormir, tu appelles Hortense qui ne te répond
plus. Tu t'es enferré sur une ombre, moi sur quoi ?

Sous le toit de la djemaâ, les officiers du bataillon buvaient
du café. Ils se levèrent. Kossaïri achevait de visiter le village
et de fouiner. Pour se venger de la vieille, il avait fait briser
tous les métiers à tisser qu'on trouvait dans les maisons.

— Vous rentrez demain matin, messieurs. A Bougie. Et
de là, par bateau, à Alger.

Le regard de Krieger s'éclaira. Il habitait sur le boulevard
devant la mer. Il s'appuyait déjà au balcon, contemplait
le port, cherchait à distinguer les montagnes de Kabylie, les
montrait à Mme Krieger, lui parlait d'Icherridène et de la
Guelâa, du capitaine Griès aussi. « Ah ! c'est un type... »
Il s'étirait, se répétait qu'il était bien, sentait un vague ennui
se glisser dans ses os, songeait à aller dîner le soir à la
Pêcherie, il était revenu avec des économies, allait toucher
sa prime de fin de campagne, on pouvait se payer quelques
fritures de rougets et quelques soirées à l'Opéra...

— Vous êtes de meilleure humeur, mon vieux ? Vous
ne m'en voulez plus ? Je vous emmène tous, messieurs. Le
lieutenant Kossaïri assurera la permanence pendant ce temps.
Vous voulez bien ? Et vous Sauvemagne ? Ça ne vous heurte
pas trop ?

Le jeune officier se redressa, sur ses gardes.

— Pas du tout.

— Je ne crois pas que chez nous on ait jamais invité
des Prussiens.

— Je n'en jurerais pas, dit Allaire. On a bien dû trouver
des châtelains pour leur offrir l'hospitalité. Un peu la même
chose ici. Chez les aristocrates on sait se conduire. Et si
j'ai bien compris, on nous présentera des jeunes filles ? Sauvemagne, mon cher, un beau parti.

— Pas mon genre.

— Attendez de voir ces demoiselles, dit Hector. Interrogez le lieutenant Krieger.

— Moi, dit Krieger d'un air entendu, je ne dirais pas non. Mais vous, mon capitaine ? Vous nous avez dit : vous rentrez. Vous ne nous accompagnez pas ?

— Où voulez-vous que j'aille ? Je vous suis. Autrefois je serais revenu comme vous avec un bracelet de pied, un *khelkhal* en argent de mariée, un collier, des boucles d'oreilles de corail. A présent non...

Il faillit dire : j'aurais honte, vous ne savez pas ce qu'on leur mitonne demain à l'aube... Tais-toi mon vieux. C'est de ta faute, tu les as dressés. Ils se rengorgeraient, ils penseraient qu'on sait enfin se faire respecter.

Delfini surgit.

— On vous attend, mon capitaine.

8

Le vieux les guettait devant la porte. Dès qu'ils entrèrent une odeur fine, chaude, embaumant la cannelle et le miel, mêlée à celle des sauces, flatta les narines. En bas, près de la mosquée, on avait allumé des feux. Le bois que des corvées avaient ramené de la forêt ne devait pas être sec, il produisait beaucoup de fumée qui montait droit dans les montagnes, puis était aspirée vers l'ouest par des courants invisibles. Tout près on entendait chanter les tirailleurs de Kossaïri.

« Ils célèbrent leur pillage, pensa Hector. Dans la crainte d'être volés à leur tour, ils vont garder les mulets toute la nuit. Demain au camp je ferai vendre leur butin aux enchères... Kossaïri en fera une maladie, menacera de quitter l'armée, il dira que ce n'est pas juste, qu'il n'est venu chez nous, comme ses hommes, qu'à la condition qu'on leur laisserait le produit des razzias. Comme au temps de Scipion, d'Hannibal et de Bugeaud. Il tirera aussi argument de l'artillerie : on ne pouvait pas non plus laisser tout cela sous les obus. En 70, les Prussiens vidaient les châteaux avant de les incendier... » Vous avez raison, Kossaïri, cependant la Mokrani n'était pas forcée de nous inviter à dîner et elle nous reçoit avec les dernières mesures de froment et les derniers morceaux de viande qui lui restent. Ah ! vous êtes naïf mon capitaine, vous ne savez pas tout ce que les Kabyles cachent dans leurs maisons, ils ont des silos dissimulés dans les murs, dans le sol, sous les toits, dans la campagne, sous les rochers, ils peuvent manger toute une année sur leurs réserves. C'est qu'ils ont à se défendre, lieutenant Kossaïri, de tous ceux qui veulent les déposséder : nous, vous, eux-mêmes quand leurs tribus se dressent les unes contre les autres pour des affaires d'honneur. Moi, quand on me donne de l'amitié, je la rends. Vous connaissez la loi musulmane de l'hospitalité, vous l'observez chez vous. Tout étranger qui se présente est envoyé par Dieu, c'est Dieu que vous recevez. Nous arrivons avec des bataillons, des escadrons et des canons, la Mokrani nous ouvre sa porte et ne nous maudit pas. De l'hypocrisie ? Il y a des stocks de haine emmagasinés sous les pierres ? Peut-être. Vous lisez dans le cœur des hommes ? D'abord vous n'étiez pas avec nous ce soir-là. Vous ignorez tout.

C'est cela que vous ne pardonnez pas à la Mokrani : qu'elle ne vous ait pas invité aussi. Pour elle, comme l'interprète, vous, des musulmans, combattez, détroussez et tuez d'autres musulmans. L'interprète, on est obligé de le subir mais on lui fait boire la honte d'une autre façon. Vous, Kossaïri, avec votre goutte de sang noir... Chez les Kabyles, l'esclave n'est pas reçu à la table des maîtres. Leur marabout des Aït Aïdel, Sidi Kala, prétend que celui qui se lie d'amitié avec un nègre mange de la charogne. Comprendrez-vous si je vous raconte cela par le menu ? Ne nous pressons pas. Tout cela est déjà du passé. J'ai beaucoup de choses à vous dire et j'ai besoin de savoir ce qui m'arrive.

9

Nous nous sommes assis sur les tapis autour d'un grand plateau de cuivre ciselé, moi le dos au mur contre des coussins, à la place du chef, là où devait se reposer le bachagha quand il venait à la Guelûa, les autres autour de moi. A ma gauche le sergent interprète puis Delfini, à ma droite le vieil oncle avec son burnous pouilleux et le lieutenant Krieger, en face de moi le capitaine Allaire, le lieutenant Sauvemagne entre lui et Delfini. Le jour finissait, il commençait à ne plus faire très clair, une lampe à huile était allumée dans une niche. Tant que la lumière coule du ciel, tout semble facile. Dès qu'elle s'échappe sans qu'on puisse la retenir de son tonneau percé, les crêtes pèsent de toute leur ombre, menacent, les cris des bêtes semblent des appels, les étoiles des feux d'espions, le silence devient insupportable, il engloutit le nombre qui, dans le jour, rassure. La nuit, on aime entendre le bruit des chevaux et des mulets rongeant leur fourrage ou secouant leur licol, les jurons des palefreniers qui se prennent les pattes dans les cordes, le bavardage des tirailleurs, ne dorment-ils donc jamais ? le pas des sentinelles et des relèves. Et les pensées qui viennent alors, les images de femmes qui se lèvent, toujours les femmes, la séduction qu'elles déploient dans les rêves, l'importance qu'elles prennent, comment pouvait-on se passer d'elles, mener cette existence barbare des armes, coucher sur la dure, marcher, marcher chargés de tout ce fourniment de caisses, de ravitaillement, respirer la poussière des chemins, buter sur les pierres, suer, boire ces eaux qui flanquent la dysenterie, manger les nourritures infectes de l'ordinaire, échanger des injures quand il y a des villes, des métiers faciles, des mœurs courtoises ?

La Mokrani est venue nous saluer des deux mains avec un geste d'offrande. Elle s'était nippée : une robe sombre serrée à la taille par une ceinture de laine et retenue sur les épaules par deux broches d'argent, les cheveux dans un capuchon de soie rose fixé sur la tête par des mouchoirs verts peut-être. J'ai mal vu son visage. Elle m'a paru plus grande et plus mince, sans doute parce que j'étais assis. Tout à coup les filles sont apparues avec le grand plat de couscous, la marmite de la sauce et les cuillers de bois.

Chez vous à Tlemcen, elles seraient restées cachées. Chez les Kabyles, les filles jouissent d'une liberté plus grande. Elles peuvent se présenter sans voile devant les étrangers, manger devant eux, il arrive, m'a-t-on dit, que le soir, à la belle saison, des groupes d'hommes et de femmes parlent et chantent devant les maisons. Personne ne forçait celles-là à sortir de leur trou. Elles auraient pu tout préparer avant notre arrivée, nous observer, parler de nous entre elles, la mère aurait desservi. Il ne s'agissait pas seulement de curiosité. Puisqu'on disait qu'elles n'étaient pas mariées, je m'attendais à voir des enfants. L'une d'elles, la fille de Bou Mezrag, je le sus après, avait une quinzaine d'années, mais l'autre, celle qui déposa devant nous l'énorme plat taillé dans un tronc d'olivier, était une femme, et nom de Dieu, lieutenant Kossaïri, qu'elle était... Je cherche le mot. Je vous l'ai dit, on y voyait à peine, nos yeux ne s'étaient pas encore accoutumés à l'obscurité, les autres eurent leur attention accaparée par la colline de semoule chaude, onctueuse, quand on aime ça, qu'on a faim, qu'on a mangé pendant des semaines la tambouille des zouaves, l'eau vous monte à la bouche, on a hâte de plonger sa cuiller dans la graine pour la goûter pure avant de la mélanger à la marga, puis de se gaver, vous savez ce que c'est, ce n'est pas à un Arabe que je vais raconter ça.

Eh bien mon cher, moi je n'ai flairé que cette fille. J'ai respiré un bouquet de myrrhe, de roses et de jasmin. Vous me direz que c'étaient les effluves du cumin, le *kemmoun,* de la noix muscade et du gingembre, du piment doux, du coriandre, du fenouil, la *zerara* je crois, et du persil arabe, que je suis sensible aux odeurs, qu'elles déclenchent chez moi un mécanisme dangereux, par exemple que, pour

Marguerite, la première fois que je l'ai rencontrée, ce fut l'odeur des caroubes et du crottin dans l'écurie qui me retourna. Peut-être. Ce jour-là, quand je me suis approché de celle qui devait devenir ma femme, je n'ai respiré que le soleil sur son chemisier, un arôme sec, craquant, net, dur. Sa peau, rien. Un vague souvenir de savon ou d'eau de puits. Si j'avais senti la sueur, je me serais taillé.

Il n'y avait pas que ça. Cette fille m'a à peine effleuré et quelque chose s'est produit, enfin ce n'est pas à vous que je vais faire un cours, vous en savez plus long que moi sur ce que les femmes peuvent inspirer. Vous l'aviez déjà aperçue, je ne vous étonnerai donc pas, vous auriez dû m'en dire un peu plus, vous auriez éveillé mon appétit ou alors je n'ai pas compris, vous auriez dû insister. Aurais-je été déçu ? Nous sommes des animaux si compliqués. Elle avait vingt ans au moins, elle avait dû être mariée et son mari était mort car un homme en vie n'aurait pas laissé une femme comme elle derrière lui au moment où l'armée française arrivait avec une compagnie de tirailleurs par bataillon, ou elle était divorcée. En tout cas elle savait tout de la vie, elle n'avait peur de rien et, comme Marguerite quand je suis tombé sur elle avec mon général un jour d'été dans la Mitidja, elle m'attendait.

De la prétention de ma part ? Vous ne m'avez pas entendu quand je me disais que les femmes m'ont enseigné l'indulgence et la modestie. Comme une arête de roc dans la lumière noire d'avant l'orage, cette fille-là provoquait la foudre. Elle a glissé comme une ombre, s'est penchée, a posé sur le plateau le bassin de couscous, m'a à peine touché à l'épaule ou le bras, je ne me souviens plus, et s'est retirée pendant que la plus jeune, sa cousine, distribuait les cuillers pour nous éviter de manger avec nos doigts. Nous ne savons pas nous asseoir, encore moins rouler la semoule dans nos mains. Krieger a eu conscience de quelque chose, j'ai surpris ses yeux sur moi, le vieux à ma droite se penchait déjà sur sa part, la touillait, il n'avait presque plus de dents, il avait rejeté le capuchon de son burnous en arrière, sa tête d'oiseau de proie luisait sous ses turbans, ses joues ridées frémissaient. Par discrétion, je me mis à regarder en face de moi Allaire qui calait ses fesses sur son coussin pour mieux attaquer, et Sauvemagne un peu pincé, retenu, toujours vaguement réprobateur. La Mokrani souriait, on allait faire honneur à son repas. Je me trouvais un peu ridicule, il n'y avait que le vieil oncle et l'interprète à être assis correctement à l'orientale, les jambes repliées avec aisance alors que nous étions embarrassés par nos lourdes bottes en cuir dur, nos culottes étroites et nos vareuses trop serrées. Je me mis à goûter le couscous devant moi, dans la portion qui m'était réservée, déjà assaisonnée, avec les morceaux de mouton et les légumes disposés savamment. Delfini ne s'était pas trompé : un couscous de froment pour hôtes de marque, avec des raisins secs, cuit à la vapeur de lait, je ne sais pas comment ils font, et au miel. Rien de commun avec ce qu'on sert à Alger ou dans la plaine, un couscous de fête, un couscous de noblesse. Allaire s'était jeté gloutonnement dessus, il avait des grains dans sa moustache qu'il ne pensait pas à essuyer, il s'en flanquait une ventrée, il me lança un clin d'œil de contentement, quelle chance, les nourritures terrestres suffisaient à son bonheur.

A ce moment-là j'entendis un vague cri lointain, une plainte aiguë et miaulante. Je tendis l'oreille. C'était bien un chuintement de chat-huant. Toutes les bêtes avaient suivi les Beni Abbas dans la montagne, mais les oiseaux étaient restés. Je dis à l'interprète : il me semble qu'on entend le chat-huant. Il interrogea la Mokrani qui approuva : c'était bien l'*imiârouf*, que les Kabyles appellent encore *abou rou-rou* et *mâarouf*. Nous avons admiré un temps la justesse de ces onomatopées. J'ai eu envie d'envoyer Delfini dehors pour s'assurer que ce n'était pas un signal et bien le cri de la hulotte, le symbole de la nuit et de tout ce qui vient de l'autre côté. En Kabylie comme ailleurs, on la craint. Je me suis dit que vous l'entendiez comme nous, lieutenant Kossaïri, puisque vous étiez chargé d'assurer notre sécurité.

Ou bien c'était l'âme du bachagha qui gémissait tandis que son corps se retournait à quelques pas de nous, au pied de la mosquée. Nous avions tous vu sa tombe. Les Beni

Abbas n'avaient pas eu le temps de lui élever un monument
en gravant dans le marbre un verset de la sourate XLVII
du Coran : « Croyants, quand vous rencontrerez des Infidèles, tuez-les jusqu'à ce que vous en ayez fait un grand
carnage, et serrez fort les entraves des captifs. » Nous
aurions pu procéder à une exhumation. Les parents ou les
amis ont le droit de l'exiger dans les rites funéraires de votre
religion quand, arrivés trop tard pour les obsèques, ils
demandent à voir le visage du disparu. On enlève la terre,
on déplace les pierres qui protègent la tête, on découvre un
instant le linceul. Le bachagha avait dû être enseveli dans
les vêtements qu'il portait au moment où la balle l'a frappé.
Le sang rappelait à Dieu qu'il s'agissait d'un martyr de la
foi. De notre part, c'eût été une profanation. Le général n'a
pas osé : il connaît trop bien vos coutumes et les respecte.
Mais n'est-ce pas à cause de cela qu'il avait décidé de tout
détruire sous les obus avant de partir ? Plus j'y réfléchis
plus je crois que notre bon colonel n'aurait pas pris de lui-
même cette initiative. Bref, el Hadj Mokrani se plaignait de
ce que sa veuve nous eût reçus et de ce que j'étais assis à
sa place.

10

Ce n'est pas à lui que j'ai pensé mais à mes histoires
personnelles. Les cris de la Guelâa me rappelaient trop ceux
du Rouergue. Quelle similitude ! Comment ne pas croire
aux symboles quand ils ont cette force ? La mort et l'amour,
la mort du général de Roailles et ma nuit avec sa veuve, la
mort de Mokrani et mon passage chez lui. Je vous ai dit que
je cherchais mes mots pour parler de sa fille. Je ne vais pas
employer des adjectifs usés. Dire d'une femme qu'elle est
belle, quelle pauvreté d'expression ! Nous avons les uns et
les autres nos idées sur la beauté. Ne parlons pas de Marguerite, mais une femme de quarante ans comme Sabine de
Roailles ! Vous ne l'avez pas vue au palais de l'Agha ni à la

fête des adieux, quand elle m'est apparue au manoir de
Bach un flambeau à la main, quand elle aussi m'a offert à
dîner et que nous avons bu au repos éternel du général
qui dormait à l'étage, quand elle pleurait, tandis que, debout,
je faisais au général le rapport oral de ma guerre, ni quand
nous sommes sortis de la chambre funéraire. Mon cher nous
ne nous appartenons plus dans ces moments-là. L'amour se
rue derrière la mort, nous pousse, nous entraîne, ce cavalier
nous enlève et nous emporte. Voilà pourquoi sans doute
les femmes rêvent tant de chevaux. La fille du bachagha et
de la Mokrani était-elle belle ? Je n'en sais rien, je l'avais à
peine aperçue. Un gouffre béant m'aspirait parce qu'elle
surgissait de l'ombre, qu'elle avait vingt ans, qu'elle me
frôlait de toutes ses odeurs, je m'engloutissais en elle. Belle,
non ce n'est pas l'expression que j'emploierais. Pas de ces
mots en trompe-l'œil, pas de flambeaux d'argent, pas de lune,
pas de mensonges ou d'illusions. Simplement les chats-huants
de la Guelâa parlaient la même langue que ceux du Rouergue
pour chanter l'amour, la guerre, la vanité de ce qui passe
en même temps que son irremplaçable prix.

Je me demandais pourquoi cette fille était là. Certes je
me souvenais d'Icherridène. Je n'ignore pas que si les
hommes étaient tentés de fuir ils n'oseraient pas à la pensée
de toutes les humiliations dont les femmes les accableraient.
Quand il s'agit d'une guerre entre tribus, elles ne quittent
pas leur village. Le vainqueur les a toujours respectées et
renvoyées avec honneur. S'il s'agit d'infidèles, alors c'est la
haine qui anime ces furies. Si elles n'ont pas eu le temps
de se carapater, elles savent à quoi elles s'exposent. La
Mokrani ne risquait rien à son âge, mais elle ? Si elle n'était
pas partie c'est qu'elle accompagnait un homme qu'elle
aimait et qui était là. Le berger dont parlait Delfini ? Pour
la petite encore... Pas pour elle, un berger.

A voix basse je demandai à l'interprète de me rensei-
gner. Et son nom ? Tout le monde était occupé à manger,
on ne distingua pas mes paroles. L'interprète interrogea la
Mokrani qui fit semblant de n'avoir pas entendu. Le
vieux dressa l'oreille, son regard brilla, je crus voir un sourire

s'esquisser sur ses lèvres, ce n'était tout de même pas sa femme ? Je me dis qu'en Kabylie la tolérance est grande, l'inceste, comme dans tout l'Islam, courant, légal et même de bon ton, on se marie entre cousins, pas entre frères et sœurs de la même mère mais un oncle épouse volontiers une nièce. Ainsi l'héritage reste à la famille. Il ne s'agit pas de polygamie, on n'a pas assez d'argent pour cela, mais d'endogamie. Les haines entre cousins sont meurtrières.

L'interprète répéta sa question. Cette fois il parlait en maître. La Mokrani répondit en se détournant comme si elle crachait. Sa fille était divorcée et s'appelait... Il arrive qu'en Kabylie on donne aux filles des noms arabes. Je les aurais tous imaginés : la Parfaite, la Vie, l'Etoile, la Pure, la Fleur, la Plume, la Perle, la Bénie, que sais-je, pas celui-là : Aafia, la Paix.

De la folie ? Cela m'est déjà arrivé comme à vous de me sentir chambardé par l'apparition d'une femme. Le ciel craque, une étincelle jaillit, le coup de foudre idiot et inexplicable. Pour Marguerite, ou je ne me souviens plus, il s'agissait simplement de désir. A l'époque, le général s'est assez moqué du Don Juan de garnison que j'étais. Denef me jalousait pour la facilité et le nombre de mes conquêtes. Autant en emporte le vent. Si Marguerite n'avait pas été enceinte, j'aurais essayé de la revoir parce qu'elle était belle, voilà un cas où le mot convient. Etais-je vraiment amoureux d'elle ? Je me suis habitué à elle. Assagi, pris par mon métier de zouave, je l'ai aimée, oui, il lui arrivait de me manquer et puis les enfants nous liaient l'un à l'autre. Pour combien de femmes aurai-je commis des folies ? Deux, trois ? Peut-être davantage, la mémoire de celles-là m'a quitté. Jusqu'à la générale, à cause de cette fameuse nuit, des chats-huants, de tout ce qu'une créature comme elle offrait de luxe, de consolation aux malheurs, de rêve, d'inaccessible, mais quel réveil décevant ! Brusquement, au moment où je m'y attendais le moins, parmi cette pouillerie de la Kabylie, comme dit le capitaine Dupuis, je me trouvais en pleine tempête, nous ne parlions même pas la même langue, j'étais le vainqueur, l'oppresseur couvert du sang de son père et de ses frères, tout nous séparait, je me suis vu... Je délire naturellement, trahir n'est pas mon genre, encore moins quand on commande un bataillon, je n'allais pas trahir Krieger, Delfini, ni même Allaire ou Sauvemagne pour rejoindre Bou Mezrag et devenir un rebelle à cause d'une femme qui ne voudrait peut-être pas de moi, Aafia la Paix, quelle ironie !

11

Pourtant cette idée de la désertion m'effleura. La Mokrani était à l'âge où l'on pouvait mourir sous les obus ou autre chose, quelle importance ? Mais cette fille ! J'aurais dû être ému par l'innocence de la petite, que le colonel promettait au feu sous l'écroulement des murs et des toits. Pas du tout. La petite tournait autour de nous, veillait à ce que rien ne manquât. J'ai du mal à me rappeler comment elle était : vive, gentille, un peu moqueuse, amusée, légère, une mésange. J'avais songé un instant à amener un bidon de vin parce que chez les musulmans on ne boit rien avant la fin du repas et que je ne tenais pas à me gonfler de leur eau qui sent la peau de bouc, et puis j'y avais renoncé pour ne pas passer pour un barbare.

Rassurez-vous, je ne vous aurais pas trahi non plus, lieutenant Kossaïri, bien que vous soyez esclave et chef d'esclaves : vous servez dans notre armée, vous brûlez les villages et la terre, vous sciez les vergers pour faire payer aux Kabyles leur infamie de Sidi Ferruch, dites-vous, alors que Mokrani, s'il a cru un moment pouvoir épouser notre cause, a fini dans l'insurrection. Pour moi, encore que l'Algérie devînt peu à peu la terre où je me sentais bien, où j'avais les miens et mon destin, je n'aurais pas changé de patrie, la France meurtrie par la défaite. Mais quelle patrie a-t-on quand on aime ? Les fleurs, les bêtes sauvages, les femmes ont-elles une autre patrie que le sol qui leur convient, les limites naturelles de leur faim ou l'amour ?

En Kabylie, quand une femme est contrariée ou négligée par son mari elle retourne dans la maison de son père. Le mari essaie de se faire pardonner. Si elle ne revient pas on la considère comme divorcée. Aafia était libre de se remarier avec qui lui plaisait, une fois les questions de dot réglées.

Nous ne parlions pas beaucoup. On bouffait. La Mokrani était fière de notre appétit. Elle chargea l'interprète de me remercier de mes cadeaux. Je fus tenté de répondre que je les lui avais offerts pour la forme, que dans quelques heures... Tout à coup j'eus le sentiment d'une injustice abominable.

Et si je ne bougeais pas ? Le colonel avait dit : je suis bon prince, j'attendrai pour déclencher le tir de vous savoir en sécurité. Si je restais avec la Mokrani ? Hôte envoyé par Dieu, si je la protégeais ? Voilà, mon cher, ce que la déraison est capable de vous inspirer. Il n'y avait pas à ruser ou à feindre : quoique le capitaine Dupuis prétende que je suis un chevalier, si la Mokrani avait été seule je ne serais pas allé jusqu'à la protéger de mon corps. Je l'aurais forcée à fuir avec le vieux, je les aurais juchés sur un mulet, je leur aurais ouvert le passage d'un poste en les chargeant de toutes sortes de bénédictions et puis, hop, je n'aurais plus pensé à eux.

Je fis du regard le tour de la table. Qui resterait avec moi ? Personne. Je devais me résigner à perdre tous ceux que j'avais préférés à la vie douillette de Blida, à Marguerite, aux sorties avec la générale. J'étais bourré de sentiments dont on est peu fier : jalousie, envie, dépit, agacement que provoquaient en moi le colonel de Saintonge et le baron. Si la générale m'avait comblé de ses faveurs, serais-je parti ? Et l'autre baron, mon cheval, je le quitterais aussi ? L'idée me vint de l'envoyer chercher tout de suite. N'aurait-on pas trouvé cela étrange ? Je me dis qu'on m'accuserait de l'avoir volé. Baron appartenait à l'Etat, et, dans le cas où il m'arriverait malheur, je l'entraînerais avec moi. Libre de mes actes, je ne devais pas déterminer les autres.

12

Subitement je me mis à les aimer tous férocement, Krieger et Delfini n'en parlons pas, Allaire, le brave Allaire avec sa grosse tête de phoque et son œil pétillant, et même Sauvemagne avec son caractère de chien, il ne se prenait pas pour de la petite bière celui-là. Vous aussi, mon cher, vous avez beau être tout ce que vous êtes, vous m'auriez manqué. Et voyez l'étrange de la situation : dans ce monologue qui n'est qu'un désir de dialogue intérieur, je vous fais le récit de ce dîner auquel vous n'avez pas été convié, je m'adresse à vous comme si nous marchions côte à côte vers Bordj Boni par cette piste vertigineuse que nous avons empruntée ce matin sous les trombes d'eau. C'est donc que nous ne nous sommes pas quittés et que nous ne nous quitterons pas. Sans quoi je ne vous aurais jamais tenu ces propos. Continuons.

Cette réflexion me rasséréna. Duc de la Medjana ! Tout n'était qu'un travers de mon imagination, un transport verbal comme il en naît parfois chez moi. A l'enterrement d'Hortense, je m'ennuyais tellement parmi tous les étrangers de ma belle-famille que je commençai à tout raconter *in petto* à Antoine. Cette manie de prendre les absents à témoin d'événements auxquels ils auraient dû être mêlés, me donne l'impression de leur présence. Naturellement, je pimente tout cela d'un peu d'injustice, on ne voit que par mes yeux, et je ne vois que ce qu'il me plaît de voir, j'arrange la situation à la manière d'un romancier, j'éclaire ou j'éteins les visages à mon gré, j'accorde de l'importance à ce qui me va. Puisque je vous parlais, c'est que je vous avais retrouvé, par moments vous allongiez un peu le pas pour rester à ma hauteur, à d'autres vous tricotiez car vous avez plutôt de petites pattes, vous astiquiez la piste, vous étiez tenté de me prier d'aller moins vite. Et si vous étiez là, tous les autres y étaient aussi, Krieger derrière moi, Delfini un peu plus loin, prêts à accourir au moindre appel, Allaire devant avec la compagnie de tête, et Sauvemagne en queue comme d'habitude, avec les chevaux, chargé de pousser les traînards. Le

jour était déjà dans toute sa force, il faisait chaud, on voyait
les montagnes à de grandes distances, quand la piste tournait
on apercevait assez loin devant nous, sur les lacets, l'état-
major du colonel au milieu du bataillon de chasseurs à
l'avant-garde, les mulets de la première batterie d'artilleurs,
et parfois aussi, quand les vues plongeaient vers le nord,
dans un triangle de ciel pur découpé dans les rochers, la
haute fumée grise qui montait de la Guelâa, que nous
venions de bombarder.

12

Comme Allaire paraissait béat, je lui demandai comment
il trouvait cela.

— Assez noble si c'est sincère.

La fille de Bou Mezrag nous versa du petit lait dans des
verres, encore un luxe. Allaire but, s'essuya la bouche.

— Et même le lait aigre, *ir'i* n'est-ce pas ? une boisson
agréable et rafraîchissante qui ne me déplaît pas.

Aafia entra de nouveau avec une aiguière et une bassine
sous laquelle pendait une serviette. On aurait pu s'en dis-
penser : nous avions mangé avec une cuiller. C'étaient les
rites. Aafia vint d'abord à moi. Je me rinçai les mains avec
dignité, un peu comme un prêtre au moment du lavabo
avant l'offertoire. Je ne sais pourquoi je n'ai jamais oublié
la formule, du temps où je servais la messe. A l'enterrement
d'Hortense j'avais eu du mal à retrouver le Notre Père, et
ces mots latins me revenaient sans hésitation. Cela m'a
frappé. *Lavabo inter innocentes manus meas,* je laverai mes
mains parmi les purs... Ah, mon Dieu ! qui parmi nous
l'était ? Je vis mieux Aafia : elle avait un visage à l'ovale
parfait, sans tatouage, ce qui prouvait sa naissance noble, des
yeux noirs agrandis par le koheul, le sulfure de plomb pulvérisé que les femmes se passent entre les cils sur les bords
libres des paupières. De l'animal d'amour qu'elle était, ce

lion ailé, cette chimère que je brûlais d'enfourcher, émanaient douceur et flammes, cris de fureur et appels secrets. Quel sacrilège de penser que j'étais un prêtre ! Tout bas je dis : « Aafia... » Je lui touchai les doigts à la dérobée. Elle ne broncha pas. Sur le moment je ne sus si elle avait compris. En langue arabe le mot *aafia* revient souvent dans les expressions courantes. *Rôh bel aafia.* Va en paix, sois dans la paix, ou simplement le mot tout seul, un salut, un vœu, un échange. Quand elle en fut à Allaire devant moi, elle me jeta un regard fulgurant, à la fois interrogatif et affirmatif, question et réponse : si tu veux je suis à toi. Il me sembla que la Mokrani, toujours debout, immobile, figée, nous avait surpris.

— Pourquoi voudriez-vous que ce ne soit pas sincère ? demandai-je à Allaire.

Il semblait comblé. Il aurait volontiers roté.

— Je ne sais pas. Quand on est heureux on a tendance à se laisser griser. Peut-être un cérémonial, tout ça. Demain on recevra les hommes de retour. On leur racontera notre passage. On nous décrira. La fête sera grande, les you-you se mêleront aux cris des hulottes.

— Demain, je ne crois pas.

Au ton dont je dis cela, Allaire eut l'impression que je cachais quelque chose. Il flaira le drame, son visage se couvrit.

— Pourquoi ? Il va se passer quelque chose demain ?

— C'est toujours la guerre, dit Krieger.

Krieger me boudait encore. Il ne m'avait pas adressé la parole de tout le repas. Il ne manquait pas d'instinct.

— Le lieutenant Krieger vous a répondu. Qu'est-ce que la guerre ? L'injustice, l'horreur, le courage, casser des hommes et des maisons, un métier que nous aimons. Interrogez le lieutenant Sauvemagne. Qu'éprouverait-il si je lui ordonnais de f... le feu partout ?

— Vous m'avez demandé de venir dîner ici ce soir, mon capitaine, je suis venu. Si vous me demandez de tout brûler, je brûlerai. La discipline est la force principale des armées.

Il ne faisait que me retourner le compliment. J'usais assez

du mot de discipline. Cette formule est apparue pour la première fois chez nous dans une ordonnance royale de 1818.

— Connaissez-vous l'autre formule gravée sur les sabres de la garde nationale en 1789 ? Je vais peut-être vous paraître pédant. C'est un vers de Lucain : *Ignorant datos, ne quisquam serviat, enses.* Les épées sont données pour qu'aucun de ceux qui s'en servent ne soit esclave.

Je cherchais toujours un peu à épater en citant du latin. Je voulais montrer qu'on peut sortir du rang et posséder une certaine culture. Sauvemagne, par exemple, j'ai ma façon à moi de le priser. A ce moment-là, je l'ai haï. Cette suffisance aveugle, cette prétention, cette vanité de croire qu'il détenait la vérité qu'on lui avait enseignée dans la même école que Dupuis. L'envie me vint de le provoquer.

— Entendez cela comme vous voudrez, Sauvemagne. Pour moi, une épée dans les mains, je me sens un homme libre. Une épée dans les mains, on me respecte. Et pas seulement l'ennemi. Car l'ennemi je suppose que vous le prenez pour un sauvage. Nous pouvons dire ces choses-là entre nous, on ne nous comprend pas.

La petite venait de déposer sur le plateau libéré du couscous une assiette de crêpes au miel. Je me dis qu'Aaïa reviendrait avec son aiguière.

— Vous pensez qu'on vous a servi une nourriture de sauvages ? ajoutai-je.

— Je ne dis pas cela. Vous ne me ferez tout de même pas croire, mon capitaine, qu'ils sont très évolués. Si je ne me trompe ce sont des Berbères, les Barbares des Romains.

Tritt... tritt... Ce fut d'abord un grattement, un bruit très faible qui prit de l'assurance et qui grandit : un grillon domestique commençait à agiter son petit grelot, un mâle car il possédait un appareil stridulatoire puissant. Il n'y avait pas de grillons au château du général de Roailles, du moins ne s'étaient-ils pas manifestés, les grillons vivent surtout dans les cuisines et dans les foyers des salles à manger où

ils se nourrissent des miettes tombées des tables. Le
grillon des Mokrani se réveillait, il n'était pas effarouché
d'entendre une autre langue que le kabyle. J'eus l'impression
qu'il me saluait, qu'il m'approuvait, me disait : tu es des
nôtres, tu vois je ne me gêne pas. Quelle était sa patrie à
celui-là ? Il s'exprimait comme un grillon français. Il répliquait à Sauvemagne. Cela surprit tout le monde. La Mokrani
sourit. Elle parla au vieux. Je demandai à l'interprète de
traduire.

— Elle dit que c'est étonnant, que le grillon ne chante
pas quand il y a des étrangers.

Au fond voilà ce qui m'a décidé, lieutenant Kossaïri. Que
des hommes ou des femmes pussent se tromper, rien d'étonnant, mais un grillon ! Il aurait dû se terrer dans son trou,
deviner ce que nous étions venus porter. Ou alors
il s'en moquait, il ne risquait pas d'être écrasé, il errerait un
temps au milieu des gravats et des pierres, attendrait qu'on
reconstruise la maison et se remettrait à chanter. J'ai voulu
prouver à Sauvemagne et à Dupuis qu'ils ne savaient pas
tout. Des barbares... Que leur système pouvait grincer et se
détraquer, que les épées servaient à libérer tous les hommes.

J'ai attendu un long moment dans l'espoir qu'Aafia
reviendrait avec l'aiguière. Ce n'était pas dans les habitudes.
Quand on avait touché du miel on devait se lécher les doigts.

Je me suis levé. J'avais les jambes ankylosées. Krieger
me parut soulagé. Il craignait sans doute que je ne demande
encore à la Mokrani de chanter. Je n'avais pas besoin de ça.
Le grillon l'avait remplacée.

Elle s'adressa au vieux, qui se tourna vers l'interprète.

— Il dit qu'on avait prévu que vous passeriez la nuit
ici, que vous le pouvez si vous le désirez. Vous serez bien.

J'aurais pu me laisser tenter, je n'ai pas osé, je savais que
j'aurais contrarié Krieger. L'idée qu'il me faudrait coucher
dans la même pièce que le vieux, que je l'entendrais se
gratter la gorge, cracher et ronfler a achevé de me convaincre. Je me suis excusé. La Mokrani parut déçue.

Après les salutations d'usage nous sortîmes en silence
et nous nous séparâmes.

Avant d'entrer sous ma tente, j'eus l'idée d'inspecter les
postes. Suivi seulement par Delfini, je vous ai cherché.
Vous étiez tout en haut du village. Sauvemagne devait vous
relever dans votre tour de garde. Bien qu'il n'y eût pas de
lune, la nuit était claire. Les étoiles avaient la grosseur de
fanaux dans un port. L'étincelant baudrier d'Orion était
étendu juste au-dessus des montagnes. Plein sud je voyais
le grand carré de Pégase, épinglé.

Vous m'avez demandé si nous avions bien dîné. Je vous ai
répondu que je n'avais jamais mangé un couscous aussi délicieux. Tout était décalé. Ce n'était pas là que vous deviez
me demander cela, mais sur le chemin du retour pendant
que je vous faisais le récit de la soirée. Quelque chose s'était
détraqué, vous faisiez la gueule vous aussi, vous ne m'avez
même pas parlé des filles. J'ai regardé longuement dans la
constellation du Taureau, à gauche des Pléiades, la rouge
Aldébaran dont Marguerite prétend qu'elle descend par sa
mère, cette fameuse idée du général de Roailles. Dans ce
cas je dois descendre de Jupiter, pourquoi pas ? de Mars ou
de Vénus, ou des trois ensemble. J'ai eu envie de vous parler
de cela, mais il y avait entre nous de la gêne. Tout le monde
m'en voulait ce soir, à part Allaire peut-être, parce qu'il avait
bien bouffé. Je vous ai salué et je suis parti. Sous ma tente,
j'ai dit à Delfini, assez haut pour que Krieger m'entende,
il ne dormait certainement pas encore : « Vous réveillerez
les compagnies juste à l'aube. Quand le soleil se lèvera, il
faut que nous soyons en bas. »

13

Je n'étais pas de bonne humeur non plus. Je me suis
déshabillé, je me suis couché, puis j'ai soufflé la chandelle.
Il a fait très noir. Le misérable lumignon qui venait de s'éteindre sur la caisse de cartouches qui me servait de table de

chevet, suffisait pour éblouir un temps. A la longue je me suis accoutumé, à la jointure de la portière une étoile s'est glissée. Laquelle ? J'ai essayé de m'orienter puis j'y ai renoncé. Je ne pouvais pas déjà donner les ordres que j'avais mis au point dans mon esprit, les officiers auraient été troublés, et je craignais de me montrer moins ferme le lendemain. Le soir, on se laisse facilement gagner par une sorte d'ivresse verbale, on élève des constructions qui ne résistent pas à la secousse de la grande lumière du jour, on rêve. J'aurais préféré m'engager, m'enferrer par des paroles que je ne pourrais plus rompre. Quand on veut commettre une folie, il faut brûler les ponts derrière soi. J'avais bien tenu quelques propos inquiétants, laissé peser des menaces. Cela demeurait vague. Je restais libre.

Je regrettais d'avoir cédé à l'humeur de Krieger. Depuis quand l'humeur de Krieger comptait-elle ? Qui commandait ce bataillon ? Pour ne pas causer le moindre déplaisir à mon lieutenant adjoint, j'avais décliné l'invitation de la Mokrani et refusé une nuit avec Aafia. Quel imbécile j'étais ! Car elle m'attendait, Aafia, la mère avait tout arrangé, on aurait fait coucher le vieux dans une soupente et moi je me morfondais sur la sangle de mon lit de camp, les montants m'entraient dans les côtes, la tête trop basse j'étouffais. Il n'y avait pas un souffle de vent. Les hulottes s'étaient tues, des chacals jappaient dans les collines, à moins que ce ne fût une meute de Kabyles qui se ralliaient pour nous tomber dessus. Sur ce plan-là j'étais sans inquiétude : le jeune Sauvemagne saurait les recevoir. Quant aux hommes ils dormaient tous la mains passée dans la bretelle de leur chassepot.

Pas très loin de moi, des zouaves qui avaient dû boire parlaient fort. Je ne comprenais pas ce qu'ils disaient, des sottises probablement, des balivernes, il devait s'agir d'opinions sur les sous-officiers ou d'incidents mineurs. J'ai appelé Delfini. Il ne m'a pas répondu. L'animal ronflait déjà ? Je fus tenté de le laisser reposer puis j'ai appelé plus fort. Je l'ai entendu approcher : « Voilà, mon capitaine. » Où étiez-vous mon vieux ? Calmez-moi ces gueulards, prenez leurs noms et dites-leur que s'ils continuent je les f... au bloc

demain matin. « Oui, mon capitaine... » Le silence est
revenu. J'ai pensé que j'avais bien agi en me taisant : Allaire
serait allé trouver Dupuis, il y aurait eu un grand branle-bas.
Il fallait que je pèse bien mes mots pour le lendemain. Je
les ai tournés et retournés dans ma tête, j'ai arrêté le libellé
précis de ce que je dirais. Si j'avais couché chez la Mokrani,
ma décision n'aurait pas eu la même valeur. On m'aurait
suspecté d'un attachement coupable, ou bien, alors que ma
révolte est toute spirituelle, on se serait demandé si je n'étais
pas victime d'un enchantement magique, d'un philtre comme
les femmes en composent pour séduire.

Et puis dans quelles dispositions me serais-je relevé d'une
nuit d'amour ? Aafia m'aurait peut-être déçu. Sa défaite
n'était pas assurée. Elle aurait pu résister. Dans ce cas,
comment me serais-je comporté ? Et en mettant tout au
mieux, en supposant que cela eût ressemblé à une autre
nuit de Bach, n'aurais-je pas été comblé, repu ? Tout m'eût
apparu d'une façon moins tragique et moins tranchante,
alors que je voulais être un homme déchiré, couvert de
morsures, enragé, je refusais le baume que l'amour aurait
répandu sur mes plaies. Vous savez dans quel état bien-
heureux on se réveille après une nuit dans les bras d'une
femme qu'on a désirée. L'optimisme vous rend même capable de lâcheté. Tout mais pas ça ! Je vous parlais sottement
d'indulgence. Je ne veux d'indulgence ni à l'égard de moi-
même ni à l'égard du colonel ou de Dupuis. Cingler ceux-
là, les insulter, les fouetter, leur prouver qu'ils se trompent,
voilà ce que je veux.

Là je vous quitte. La journée a été longue et dure, j'ai
besoin de toutes mes forces pour ce qui va venir. Inutile de
continuer de m'adresser à vous puisque je ne vous reverrai
plus. Reprenons le ton normal des choses, lieutenant Kossaïri. Vous aurais-je tenu celui-là que vous m'auriez considéré
avec suspicion, que vous auriez été tenté de vous toucher
le front en vous demandant si... Non, mon cher, je ne suis
pas fou. La guerre, l'amour, la mort... Pardonnez-moi je
suis... je suis fatigué. Je devrais dormir. Je dors...

CHAPITRE III

1

L'ordonnance dégrafa la portière, se glissa sous la tente et alluma la chandelle.

— Le jus, mon capitaine.

— Déjà ?

Le caquetage des hommes montait de toute part, l'odeur et le craquement des feux gagnaient. Quel remuement, quel jacassement, mais le café de l'intendance, quelle saleté ! Denef devait fricoter là-dessus, ou alors c'était le séjour dans les magasins ou sur les fourgons qui lui faisait perdre son arôme. Hector aimait tourner dans ses mains le gobelet brûlant et grignotait parfois un biscuit de troupe. Un moment délicieux. Il pensa à Krieger qui aurait bientôt à Alger chaque matin des brioches que la pâtisserie du coin de la rue Bab-Azoun lui enverrait par un marmiton arabe.

L'ordonnance posa un broc d'eau chaude à côté de la cuvette. Tous ces jurons partout... On chargeait les mulets, les hommes bourraient leurs sacs, on pliait déjà les tentes. On coucherait ce soir à Bordj Boni puis ce serait Ighil Ali, la vallée de la Soummam, Bougie. Dans quel état d'esprit es-tu, Hector ? La Mokrani, le dîner, ce brusque incendie de ton cœur, te souviens-tu ?... A l'aube on entendait toujours les coqs et les hulottes, les uns parce que le jour se levait, les autres parce que la nuit s'en allait. Les

Kabyles avaient emmené toute la volaille. Pas les chats-huants, les régiments de choucas et les vautours. D'habitude aussi l'appel de la prière devait tomber des minarets, buter contre les parois de roche, s'y répercuter. *Allaaah*... Le nom de Dieu jeté sur la carapace de la citadelle, sur les ravins, sur les murailles à pic, dans les ruelles nauséabondes, sur la poussière, les écailles de mica, sur les toits où les pierres, posées comme des melons à sécher, empêchaient les tuiles de s'envoler dans les coups de vent, le nom de Dieu éclaboussant de rouge la dentelure des montagnes, une dernière étoile piquée au-dessus de la tombe du bachagha.

Hector se souvenait-il des discours qu'il s'était tenus ? Il paraissait moins sûr de lui. Il y avait de la brume dans les vallées de son âme. La manie de se parler le reprenait. Cette fois, un ton désabusé. Lève-toi, mon ami. Enfile ta culotte, plonge-toi le visage dans la cuvette, savonne-toi, aiguise ton rasoir contre son cuir puis contre le gras de la paume, ah ! tu n'as pas le nécessaire de toilette de Dupuis, tu n'appartiens pas à l'élite, racle-toi le cou et les pommettes jusqu'à la commissure des lèvres pour rafraîchir le collier noir auquel des fils d'argent commencent à se mêler. Voilà... Rince-toi et, en hommage à la générale, quelques gouttes d'essence de lavande sur le visage et sur les tempes. L'ordonnance a briqué tes bottes comme tu les aimes : un miroir. Et maintenant, la vareuse défraîchie, le baudrier, le sabre. Plus de solennité que d'habitude.

Pendant la nuit, sur une mer calme, sous le commandement de qui ? le navire avait franchi une longue distance. Il était en vue de rivages inconnus. Un effort. Rappelons-nous. « Je vais passer le bataillon à Allaire et le charger d'un message pour le colonel. Dupuis, je l'ignore. Le colonel aurait dû me faire émarger la note de service qui lui confiait le régiment par intérim. Allaire, vous direz au colonel : le capitaine Griès me charge de vous rendre compte de ce qu'il a décidé de... Rendre compte et décider ne vont pas ensemble, un subordonné obéit, on décide pour lui. Eh bien moi j'ai décidé, et je vous rends compte de ce que j'ai décidé. Quoi ?... »

Dupuis devait prendre son tub. Trop tôt peut-être ? On le réveillait seulement. L'ordonnance stylée en valet de chambre lui portait son déjeuner sur un plateau : du thé de Ceylan, du pain grillé, de la confiture. Chez lui tout était minuté. On attendait l'heure pile pour le déjeuner. L'officier adjoint lui présentait le rapport des événements de la nuit. Après quoi on lui passait sa robe de chambre. Le lever du roi. « Sire, vous ne vous doutez pas de ce que je vous prépare. J'ai du mal à enfoncer mon képi, j'ai besoin de me faire couper les cheveux. J'aurais dû y penser hier. A présent... Quel temps fait-il ? Mettons le nez dehors. Delfini n'attend que ça pour démonter ma tente. Le croissant de lune, un ciel frangé de pourpre, notre cuvette encore sombre, toute piquée des feux du matin, ces étoiles qui ont chu sur la terre, un air léger, embaumé par les fumées du bois. L'hiver, les toits de la Guelâa doivent plier sous la neige, on crève de froid, on est peut-être obligé de casser la glace des mares pour donner à boire aux bêtes. Il doit faire bon contre toi, Aafia... »

Tout lui revenait. Comment devait-elle dormir ? Sur des tapis dans une longue chemise de nuit. Sauvemagne avait raison, les Kabyles n'étaient pas très évolués, ils couchaient tout habillés sur des nattes. « Il va falloir que je t'apprenne la douceur des draps. Au début ça te paraîtra étrange, tu te mettras à rire, tu croiras adopter des coutumes barbares, quel dommage que tu n'aies pas vécu un temps dans l'intimité de Mme de Roailles, elle t'aurait enseigné les délices de la civilisation, les flambées de bois de cèdre, les lits bassinés, les couvertures de fourrure, les matelas moelleux, moi je préfère les couches dures. Vous n'avez pas de cheminées non plus, vous allumez des kanouns au milieu d'une pièce, la fumée s'en va par les tuiles, du moins chez les pauvres... » Chez les Mokrani il ne savait pas, il aurait dû le demander, la veille il avait l'esprit occupé à autre chose.

« Ça recommence. Si j'étais resté hier soir, un interprète n'aurait pas été nécessaire, nous nous serions bien compris. N'empêche que ça m'embête un peu, votre hygiène rudimentaire. Je n'ai pas besoin de palais comme Dupuis, mais un petit château je ne dirais pas non, avec toutes les commodités. Les vôtres sont sommaires. Malgré les amas de neige de la mauvaise saison, vous manquez d'eau. Deux fois par jour les femmes doivent aller en chercher quatre cents mètres plus bas, dans les oueds, remonter avec une cruche sur la tête. Nous, les Européens, nous avons inventé d'en garder des réserves dans nos maisons et de les amener par des tuyauteries où nous voulons. Tu me diras que les colons... Mon beau-père, enfin mon ex-beau-père puisqu'il est mort, je ne suis pas près de revoir sa fille, ne devait pas se laver souvent, sa femme non plus ; à la ferme, on avait du mal à se livrer à une toilette intime... » A sa place, Dupuis aurait transbahuté un tub avec ses bagages.

« Nous verrons cela. D'abord il faudra t'habituer à partager mon lit. Si nous nous marions ce n'est pas pour que tu dormes toi d'un côté et moi de l'autre. Ce sont peut-être vos mœurs, pas les miennes. J'adopterai certaines des tiennes, tu épouseras les miennes. Pour moi j'étais un peu un Arabe. Une fois que je ne les désirais plus, les femmes m'ennuyaient. Marguerite manifestait un si grand bonheur de vivre avec moi qu'elle me l'a communiqué. A force de sentir contre moi son grand corps doux et ses longues jambes de pouliche, j'ai souffert quand j'étais privé d'elle. Tu me diras que j'ai oublié tout cela auprès de Mme de Roailles. Non. La générale appartenait à l'ordre des cataclysmes, à la guerre, aux tempêtes de sable. Le vent finit par tomber, on se détache alors d'une bouche et d'un regard comme les fruits des arbres, et les étoiles de l'espace. Sur les montagnes on trouve des pierres que leur course dans le ciel a brûlées, on les tourne dans ses doigts comme des diamants noirs, c'est toi, c'est moi. Ton mari était sans doute vieux, tu n'as pas pu l'aimer, je t'apprendrai à dormir nue à côté de moi... »

— Delfini, allez me chercher le capitaine Allaire !

2

Le jour éclatait, le campement ressemblait à un champ dévasté, le soleil brandissait sa bannière de feu, les tuiles et les pierres brillaient. Du village des Hamadouche une file de mulets serpentait vers le terre-plein du bas.

Allaire arriva, massif, rondouillard, sa bonne bouille hérissée de la meule de ses moustaches, il s'arrêta à six pas, salua. Sur les hauteurs de l'ouest, l'escadron de chasseurs, festonné d'une dentelle de cuivre de trompette, manœuvrait.

— Venez mon vieux, écartons-nous un peu.

Il avancèrent vers l'extrémité de l'esplanade du bivouac, près d'un à-pic d'où l'on dominait la cuvette et où la colonne fourmillait, les batteries pointées, prêtes.

— Allaire, inutile de vous tenir un discours, regardez ça. Vous vous doutez de ce qu'on prépare : une fois l'avant-garde engagée sur la piste du retour, l'artillerie va effacer la paroisse des Mokrani et tout ce qui s'y trouve. Je vous passe le commandement. Vous conduirez les compagnies en bas. Vous veillerez à ce que tout le monde suive.

Le visage d'Allaire se contracta.

— Vous ne venez pas, mon capitaine ?

— Ne me posez pas de questions. Vous vous présenterez au colonel. Vous lui direz : « Le capitaine Griès me charge de vous rendre compte de ce qu'il n'est pas un Prussien. Il vous demande de ne pas détruire le village et de laisser les femmes aller où elles voudront. Sinon il ne descendra pas. » Pas de littérature mon vieux. Rien que ça. Pas un mot de plus. Répétez, je vous prie.

— Je rassemble le bataillon, je le conduis en bas, je me présente au colonel, je lui dis...

— Très bien. J'oubliais : les mulets de Kossaïri, vous les déchargerez à Borj Boni, vous vendrez la razzia aux enchères. Voilà, mon vieux. Faites vite. Et surtout que Krieger ne

se dérange pas pour me sermonner. Je vous serre la main.
A présent, laissez-moi.

Allaire se raidit, puis s'en alla.

Hector longea la falaise, gagna les premières maisons,
s'appuya contre un mur qui lui cachait l'esplanade. Il écouta
claquer les ordres puis s'ébranler les compagnies, celle de
Sauvemagne d'abord, celle des tirailleurs avec les mulets,
celle d'Allaire en serre-file. Le colonel allait étouffer. Il appe-
lerait Dupuis, lui dirait : « Votre ami Griès ne serait pas un
peu dérangé par hasard ? » Il regarderait sa montre, ajouterait : « C'est comme il voudra, moi à sept heures tapant,
je déclenche le tir. » Dupuis serrerait les dents, interrogerait
Allaire. Le capitaine Griès vous a paru excité ? Non, il était
très calme. Que s'est-il passé hier soir chez la comtesse ? Le
capitaine Griès a couché là-bas ? Nous sommes tous rentrés
au campement. Que fait-il à présent ? Rien, il attend. Il
attend quoi ? Qu'on se soumette à son bon plaisir ? Je ne sais
pas, mon capitaine.

3

Hector se redressa, déboucha du mur.

L'esplanade était vide, un feu achevait de se consumer.
Là où les mulets avaient dormi à la corde, un piquet avait
été oublié dans un peu de paille. Les traces des tentes étaient
marquées sur le sol. Brusquement il se souvint du jour lointain où le général de Roailles lui avait parlé du livre qu'il
avait annoté de sa main, *Servitude et grandeur militaires*.
« Lisez donc ça mon cher. Cela vous servira un jour... »
Il l'avait parcouru, très vite. Des histoires ennuyeuses. Des
officiers qui se collaient des cas de conscience pour des
prisonniers à exécuter sur l'ordre du gouvernement. Des
puritains de l'honneur. A présent, des vues de l'esprit. Les
lois de la guerre avaient dû changer, on se montrait plus
réalistes. S'était-on foulé les méninges pour des Kabyles à
liquider, un doute se levait-il jamais ? Ses idées d'humaniste

ou d'humanitaire avaient dû troubler le général de Roailles, ce bon velléitaire, ce chevalier utopiste. Démissionner pour ne pas secouer le poil à des rebelles dans les oasis ! La générale ne s'y était pas trompée. Un peu tard. « Ne quittez jamais l'armée... » Ce mot pendant la nuit de Bach, au moment des grandes mélancolies, avant la visite funéraire.

Il se remémora ses sermons à Sauvemagne. « L'armée, c'est l'obéissance d'abord. Si chacun agit à sa guise... » Que lui arrivait-il ? Des mots lui échappaient. Ce n'était pas sérieux. Quand on était un soldat se posait-on des questions ailleurs que dans les livres ? Un Prussien, la belle affaire ! Y avait-il, Prussien ou pas, d'autre orgueil que celui de vaincre ? Une armée pouvait-elle tolérer la moindre faiblesse dans ses rangs ? Lansquenet vainqueur ou gentilhomme vaincu, le choix souffrait-il d'une hésitation ? La victoire ne s'achetait que par la violence et l'iniquité, et puis après ? Que demandait-on à des militaires ? De gagner. Sa haine pour Dupuis l'aveuglait. Dupuis était dans la vérité. Il devait ressembler à Dupuis, devenir plus fort et plus impitoyable que lui. On ne brisait pas une carrière pour un mouvement d'humeur. Tant pis pour la justice et pour l'amour. Qu'aimait-il dire encore ? Que lorsque le métier ne plaisait pas on pouvait aller vendre des brochettes sur les marchés ? En quelques enjambées, il allait rattraper le bataillon, se placer à côté d'Allaire avec un petit rire. « Je vous ai fait peur ? Vous y avez cru ?... » Tout serait réglé.

Il eut une petite moue ironique, lança un regard attendri vers la maison des Mokrani. Il allait s'élancer quand un bruit de chaussures ferrées dans les pierres du sentier le cloua sur place.

Delfini apparut. Il marchait à grands pas, un fusil à la main, comme s'il chassait, son visage s'éclaira quand il vit le capitaine. Il mit son arme à la bretelle, approcha, s'arrêta les talons joints, la main droite allongée et raidie sur la crosse.

— C'est moi que vous cherchez ?

— Oui, mon capitaine.

— Pourquoi ?

— Je ne vous quitte pas.

— Je n'ai pas besoin de vous.

— Vous sûrement pas, mon capitaine.

— Vous savez ce que...

— Je sais, mon capitaine. Je ne vous quitte pas.

Il répétait la même phrase obstinée. Hector secoua la tête.

— Vous êtes cinglé, mon vieux. Je...

Il allait dire : « Je me préparais à descendre. » Si un adjudant revenait, n'était-ce pas qu'une vérité plus forte échappait au capitaine, que l'injustice hurlait, qu'on ne pouvait pas la tolérer ? Quelle injustice ? Pouvait-on se déshonorer aux yeux de Delfini, perdre un tel dévouement, tout gâcher ? Il biaisa.

— Ecoutez-moi. En supposant que le colonel renonce à bombarder, il me traduira devant un tribunal militaire. Evitez ça pour vous.

— Le capitaine Dupuis n'est pas passé en conseil de guerre. C'était plus grave pourtant. Il a failli vous tuer.

Non, ce n'était pas plus grave. Dupuis n'avait commis qu'une incartade pour laquelle on pouvait se montrer indulgent. Il ne s'agissait pas d'une faute contre la discipline, du crime majeur. Pour Delfini, qu'étaient la discipline, l'armée, l'honneur, la fidélité ? Son capitaine.

— Si vous étiez avec moi, on aurait tous les motifs de supprimer le témoin que vous êtes. D'ailleurs... Moi je faisais ça pour la Mokrani.

Pour la Mokrani ? Il en parlait au passé, il y croyait. Quelle plaisanterie ! Ça avait dû sauter aux yeux de tous : il aurait fait ça pour Aafia. On aurait prétendu que c'était un coup de pompe, qu'il n'avait plus sa raison, qu'une femme lui avait tourné la tête. « Le capitaine Griès me charge de vous rendre compte de ce qu'il n'est pas un Prussien... » Imaginait-on un officier prussien refusant de quitter un château qu'on allait bombarder parce qu'il avait

envie d'une fille ? On lui aurait conseillé d'emmener la
fille. Dans l'affaire du coup de revolver, Delfini n'avait pas
tout dit. Hector s'apercevait qu'il avait laissé partir l'adjudant. A son insu ? Pas d'hypocrisie. En fait, dans l'intention
de se couvrir. Et l'adjudant revenait. Le capitaine allait
ajouter : « Je me suis trompé. Nous redescendons... »

Delfini, qui avait fléchi, se redressa soudain avec un geste
d'alerte, se détourna.

4

Les sabots d'un cheval claquaient sur les ardoises, un
cheval qui trottinait, cherchait, s'arrêtait parfois si brusquement qu'on le devinait un antérieur en l'air. Delfini reprit
son arme dans les mains, la chargea. Avant de déboucher
sur l'esplanade, le chemin se cachait dans une tranchée
naturelle entre les roches. La tête haute, la bride flottante,
les étriers lui battant les flancs, le baron surgit. Il reconnut
les deux hommes, parut vouloir s'engager dans la ruelle
entre les maisons, puis fit un écart et se mit à tourner en
rond. Il encensait comme s'il saluait, changeait d'allure,
trottait l'amble un instant, sautait des obstacles imaginaires.
Delfini courut après lui.

— Holà, mon beau...

Le baron s'écarta, sonna des quatre fers, s'éloigna au
petit galop, volta, les rênes avaient glissé sur la gauche, il
pouvait s'y prendre un membre.

— Il s'amuse. Quand il en aura envie, il reviendra.
Ça alors...

Delfini, mon Dieu, à la rigueur, mais le baron ! Au moment où il se demandait ce qui inspirait Delfini, un cheval
obéissait aux mêmes raisons que l'adjudant, rompait ses
liens, s'échappait pour retrouver son maître et arrivait, pansé,
sellé, bridé, cheval d'armes qui ne pouvait pas vivre sans
son officier, cela voulait dire quelque chose, le baron chan-

geait tout. Et le grillon, la veille ? Delfini triomphait. A quoi servait de tant réfléchir ?

— Si j'avais su, je n'aurais pas fait charger votre cantine, mon capitaine.

Le baron enfin arrêté reniflait la paille qui traînait. Hector s'avança lentement, lui flatta l'épaule, ramena les rênes sur l'encolure. Tout était bien. Sans le baron et sans Delfini, on l'aurait pris pour quoi ? Il pensa au charpentier Virtaut. Delfini était de la race du charpentier, comme lui il avait pour se conduire des réflexes imprévisibles, il lui fallait se dévouer à une cause, la servir, ou alors il ne voulait pas ressembler aux Kabyles qui se trouvaient sous les ordres de Kossaïri, des orphelins qu'on avait habitués à se battre pour rien, qui n'avaient pas de drapeau, ne faisaient plus leurs prières, n'entendaient plus la voix des profondeurs secrètes, leur sang ne parlait plus. Quand ils sauraient que le colonel allait détruire le village, un cheval échappé les éclairerait plus que l'exemple d'un sous-officier.

— Mon capitaine, on va s'éloigner avec les femmes et s'abriter dans les rochers. Donnez-moi votre sabre.

A l'enterrement d'Hortense, le charpentier Virtaut avait dit, en parlant des événements de la Commune : « La liberté pour tous les hommes... » Et lui, la veille, avait jeté le même argument à Sauvemagne qui invoquait la vertu de discipline : l'épée rendait les hommes libres.

Delfini glissa le sabre dans l'étui de la selle d'armes, tâta les fontes, les fouilla avec déception. Elles étaient vides.

— Ça ne fait rien, mon vieux. Je n'ai besoin de rien. Dites donc, avec votre nom ça m'étonne que votre père ait quitté la Corse. D'habitude...

— Je vais vous dire. Mon grand-père s'est marié avec une juive, peut-être la rescapée d'un naufrage. Vous pensez à la vie qu'on lui a menée ! Dans l'île on ne s'allie pas avec des youtres. Il a dû s'expatrier. Je n'ai pas que du sang corse dans les veines.

— Je n'aurais pas cru.

Ce visage long, cet air buté, ce nez droit. Une certaine nonchalance peut-être, ou cette manie de compter, d'économiser ? Le capitaine eut une moue dubitative.

— Vous ne prenez pas les juifs pour des guerriers ? Le soir, mon père lisait tout haut la Bible, les psaumes, les prophètes. Les Kabyles, des enfants de chœur à côté d'eux. Et David ? Ils n'ont jamais arrêté de se battre, pour se défendre des Arabes, des Perses, des Egyptiens. Ils ont porté partout le fer et le feu. Ils adoraient aussi Baal et les idoles. Les rois d'Israël détruisaient tout ce qui respirait, laissaient les villes aux chiens et aux corbeaux. Et quand ils se montraient miséricordieux comme Achab à l'égard du Syrien Ben Haddad, Dieu les punissait. Après la grande malédiction, ils ont baissé pavillon, sont devenus marchands. Si vous grattez un peu vous trouvez vite chez eux l'armure. Je ne tiens à rien. Ici ou là... Alors je ne vous laisse pas tomber, à moins que, maintenant, un type comme moi, vous jugiez ça déshonorant...

Delfini se baissa, ramassa une pierre qui portait les empreintes du temps où les mers recouvraient l'Afrique, un fossile des terrains secondaires, un apticus probablement ou un œgoceras. Les montagnes en étaient criblées. Il la tournait dans ses mains, gêné.

— Delfini, vous en savez sur votre famille plus que moi sur la mienne. Je ne jurerai pas que je ne descends pas d'ancêtres grecs ou juifs. Ma femme, des Arabes. Les pierres, des archéologues peuvent dire d'où elles sortent, à quel massif elles appartiennent. Nous, avec un demi-siècle de recul, on est perdu. Vous serez roi de la Guelâa. Je l'avais proposé au lieutenant Krieger. Ça lui a fait peur.

Serré dans son burnous crasseux, l'œil allumé par la curiosité, le vieux arrivait volubile, avec des gestes.

— Qu'est-ce qu'il dit ?

— Il vous demande peut-être de venir casser la croûte à la maison.

— Donnez-lui le baron à garder.

Hector sortit sa montre : six heures. Le bataillon de

chasseurs s'ébranlait vers Bordj Boni, s'engageait dans le défilé. Delfini tendit les jumelles. En bas, les artilleurs enlevaient les couvre-bouches et les étuis de culasse des pièces, passaient l'écouvillon dans les tubes, vérifiaient les hausses et le pointage, les servants sortaient les obus des caissons, les entassaient près des affûts. Au pied de la mosquée Hector reconnut Dupuis.

— Dites au vieux de la fermer, Delfini.

5

Dupuis fouillait lui aussi l'esplanade, un mot prétentieux pour ce que c'était, une petite place creusée dans la falaise et les rochers, un créneau, il devait observer Griès, Delfini, le vieux, la tache blanche du baron. C'était le vieux qui se voyait le moins avec son burnous de la même teinte que la terre, s'il rabattait le capuchon sur ses yeux et s'il ne bougeait pas comment le distinguer ? A cette distance les uns des autres, cinq cents mètres à vol d'oiseau, même pas, une oreille fine aurait pu surprendre les propos que les gens échangeaient entre eux s'il n'y avait eu cette rumeur, ce bruit de pas et d'armes, ce caquetage qui ressemblait à celui des moineaux au réveil qui pépient à tue-tête dans les arbres ou les buissons où ils ont passé la nuit. Quand le soleil se lève, oui quel tapage ! Pas de moineaux ici, les buses et les vautours en auraient fait un grand carnage. Dans la cuvette, le vacarme des bataillons bouillonnait contre les parois, montait comme une fumée. On devait commenter la nouvelle : vous ne savez pas ? eh bien le capitaine Griès est resté chez les Mokrani, il ne veut pas que l'artillerie bousille le village, son cheval et son adjudant l'ont rejoint, on va leur taper dessus. Les uns disaient : ils ont raison, pourquoi casser le village des Mokrani, on a été reçu correctement. Les autres se taisaient. Ils n'osaient pas prononcer le mot de trahison. On parlait souvent d'un simple soldat, un exalté qui, scandalisé de la brutalité avec laquelle on agissait, avait, un soir, quelque temps avant Icherridène, gagné la rébellion. Les Kabyles l'avaient pris pour un fou, rossé et renvoyé. On l'avais mis en observation à l'infirmerie. Finalement, les médecins avaient prétendu qu'il avait agi sous l'empire de l'alcool. Un ivrogne. On avait ri. Un simple soldat pouvait déserter. Pas un officier.

Dupuis reposait ses jumelles, ses lèvres bougeaient, il parlait à Allaire un peu en retrait, dans une attitude respectueuse et inquiète. Dans ce brouhaha on ne pouvait entendre, mais à la façon qu'avait Dupuis de se raidir, de parler la tête droite comme un acteur de tragédie quand tout se noue, que rien ne peut plus empêcher le drame de se jouer, on pouvait deviner. Il devait dire :

— Que voulez-vous que ça me fasse, mon cher ? Le capitaine Griès a pris ses responsabilités. Il est en rupture de ban avec une discipline dont nous devenons les gardiens. Il a choisi le camp de l'ennemi, nous restons dans le nôtre, nous avons pour mission de réprimer une révolte, pas de composer avec des insurgés. Je n'y puis rien.

— Il n'y a plus d'ennemi, mon capitaine, répliquait Allaire d'une voix calme. Il y a des vainqueurs et des vaincus. Les règles ne sont plus les mêmes qu'au combat. Les collecteurs d'impôts passent dans les villages prélever les contributions de guerre. Pour pouvoir payer, les Kabyles vendraient leurs femmes et leurs enfants s'ils trouvaient acquéreurs. La destruction s'impose peut-être moins.

— Seriez-vous un chevalier comme votre chef de bataillon ? En 57, le maréchal Randon s'est montré généreux. Il leur a laissé leurs terres. Le résultat, vous l'avez eu sous les yeux pendant trois mois. Bou Mezrag ne s'est pas soumis, ses cavaliers nous harcèlent. Si vous tombiez entre ses mains vous pourriez apprécier son comportement. J'exécute les ordres. Le capitaine Griès les transgresse, il pouvait donner à la comtesse le moyen d'échapper. C'est même un peu dans cette intention que nous avons annoncé ce que nous préparions. Nous sommes trop bons.

— Pardonnez-moi, mon capitaine, répondait Allaire.

Il était bien, Allaire. Mieux qu'on aurait cru. Il tenait. Seul signe de son trouble sur sa face lunaire, sa grosse moustache frémissait, parfois il cillait. Il insistait :

— Nous avons trop pratiqué cette bonté pour en être dupes. Nous libérons des gens pour mieux les perdre. Les femmes Mokrani, si le capitaine Griès les avait pressées de fuir... Les escadrons de chasseurs avaient la mission de sabrer tout ce qui bougeait.

— A la guerre il y a des aléas.

— En voilà un, mon capitaine. Je ne suis pas sûr qu'il tourne à notre avantage. Et le moral de la troupe ? On se demandera pour quelle raison un homme comme le capitaine Griès...

— Ecoutez, mon cher, cette question me dépasse. A sept heures les batteries ouvriront le feu. Votre chef de bataillon devait être ici avec nous. S'il préfère se placer hors la loi... Regardez-le. Il nous provoque.

Dupuis levait un peu le bras, le glissait hors de la courroie des jumelles, qu'il tendait à Allaire.

— C'est vous qui lui avez envoyé son cheval ? Il vous l'a demandé ?

— Le cheval s'est échappé. Comme Delfini.

— Vous m'étonnez.

Allaire rendait les jumelles que Dupuis replaçait sur sa poitrine. On poussait un groupe d'otages vers la mosquée.

6

Le soleil déjà haut frappait les montagnes de plein fouet. Au-dessus des bataillons qui s'ébranlaient, le massif de roc pelé, griffé, raviné, se relevait avec dureté, la lumière pétrissait des pans d'ombre bleue. Derrière les premiers contreforts, on devinait entre ses abîmes le défilé d'accès puis une autre chaîne teintée de rose et d'or avec des escarpements et des falaises, domaine des aigles et des mouflons, des vallées

encaissées, des crêtes en éperons et en aiguilles où s'accrochaient de maigres forêts, plus loin encore une blondeur de
terre brûlée et de sable. Dans ce décor, la voix de Dieu
pouvait se faire entendre. En bas, au pied des villages, un
remuement d'insectes, huit canons pareils à des jouets bien
alignés dans un paysage sans jardins ni arbres fruitiers où
ne vivaient que des chèvres, des bêtes sauvages et des
hommes.

Hector regarda de biais les mains osseuses du vieux posées
sur la bride du baron, et, touchée par la gloire du matin,
sa tête semblable à un morceau de roche fauve, couturée,
marbrée, vergetée, couverte de signes et de stigmates, de
sceaux, de lignes secrètes, de traces ramifiées en tous sens
comme une paume, par endroits le dessin subtil de la peau,
à d'autres les minces coups de rasoir des douleurs, des blessures à peine cicatrisées.

Il se retourna vers l'effondrement d'où les obus allaient
monter en sifflant. Cinquante minutes à peine. De courtes
flammes jailliraient des tubes avec un peu de vapeur, l'explosion se produirait avant le rugissement des projectiles. Mourir sous les obus prussiens, cela se justifiait. Mourir pour la
comtesse, comme disait Dupuis, n'était-ce pas ridicule ? Mon
cher, en as-tu seulement tâté une ? Je ne parle pas d'une
vieille comme celle-là, mais d'une jeunesse, habituée à rêver
dans des parcs à la française sous des tilleuls centenaires et
des marronniers à fleurs roses ? Ton art à porter une tasse de
thé à tes lèvres, la soucoupe sous le menton, et à croquer des
petits fours aurait dû t'ouvrir les portes des châteaux. Moi
une marquise, parfaitement, pas n'importe laquelle et pas
dans un salon. Après ça tu comprends qu'on ait de l'aristocratie une autre idée que toi...

— Dites-moi, Delfini, si on se mariait ? En temps normal, on paie quatre ou cinq cents francs de dot. Nous les
aurons pour rien. Moi la grande, vous la petite. Elle vous
plaît ?

— Celle-là ou une autre...

— Seulement il faudra parler le kabyle. A moins que
vous ne lui appreniez le français.

— Vous ne vous y ferez pas, mon capitaine. Coucher toute l'année à côté des sacs de fèves et de pois chiches... L'hiver, tout doit être noir, les rochers, la montagne, les maisons, les gens.

— Savez-vous comment on se marie ici ? Une fête naturellement, beaucoup de chansons et de coups de fusil, et toujours le jeudi parce que les jeunes époux se réveillent le vendredi, consacré à Dieu et aux prières. Un beau cortège, des musiciens avec des flûtes et des tambours, le marabout qui lit la IVᵉ sourate du Coran, les cadeaux, la fiancée qu'on installe sur une mule et qu'on escorte dans un délire de you-you. Là, de son trône, elle lance aux invités des noix, des glands doux, des gâteaux, des œufs durs, puis elle descend, elle entre dans la maison, reçoit les présents, le gueuleton commence. Mais elle a toujours près d'elle un khelkhal d'argent pour lui rappeler son servage et ses chaînes. Il ne faudra pas l'oublier, ce khelkhal. Le repas de noce, je ne sais pas si nous aurons le temps de le préparer. Nous pourrions remettre ça à plus tard. Limitons-nous aujourd'hui à faire notre demande. Ça ne s'est jamais vu, des Roumis arrivés en vainqueurs et vaincus par leur conquête, soumis aux lois et coutumes du pays, s'installant au milieu des Kabyles. On devra leur laisser croire que la beauté de leurs filles nous a tombés, que leur soleil éclipse tous les autres. Evidemment, ne comptons pas trop sur une pension du gouvernement. Vous et moi, Delfini, je me demande même si on ne va pas nous considérer au début comme rebelles. Quelle erreur de la part de nos compatriotes ! Conquérir ce peuple sans s'allier avec ses filles ? Vouloir qu'on se soumette à nous parce que nous sommes les plus intelligents, les plus forts, les plus riches, qu'on nous aime aussi ? Autrefois, si nous avions ramené des Berbères dans nos bagages, il n'aurait même pas fallu envisager de nous établir avec elles. On tolérait cela, à la rigueur, chez les cadres du Sud. A Alger avec une mouquère ? Toutes les portes se fermeraient. Ne parlons pas de l'avancement. Pareille mésalliance, un péché indélébile ! Nous sommes des fous, Delfini, mais aussi des précurseurs. On finira par nous élever une statue rue d'Isly en face du père Bugeaud. Peut-être pas les colons, ils auraient peur de donner leurs filles à des bics, mais les autres, ceux qui viendront après et descendront de nous. « Aux fondateurs d'une nouvelle race, aux géniteurs des chevaux du soleil... » Avec bénédictions de l'archevêque et du grand muphti. Aux yeux de nos contemporains, nous aurons tort. La postérité nous donnera raison. Ça vous suffit ? Vous avez de la chance. Bravo, mon cher. Vous ne seriez pas revenu, je rejoignais. Il n'en faut pas davantage. A présent, je découvre pourquoi j'ai refusé de descendre, pourquoi vous êtes remonté. Allons retrouver ces dames.

Le vieux les suivit avec prudence, attacha le baron devant la porte, puis les précéda, on l'entendit parler à la Mokrani, il revint, fit signe d'entrer. Hector consulta sa montre.

— Il nous reste quarante minutes, dans l'armée on a un grand souci de l'exactitude. Ça ne vous a jamais paru idiot, Delfini, cette manie de la précision ? A moi oui. Mais le moyen de manier de la troupe et du matériel sans avoir l'œil sur l'heure ? Ou alors il faut devenir poète. Asseyons-nous.

La Mokrani sortait des tasses. Un flot de lumière jaillissait par la porte ouverte, des mouches tourbillonnaient sans bruit, zigzaguaient, se posaient sur les mains et les visages.

— Je ne sais pas comment nous allons nous faire comprendre. Vous ne parlez pas quelques mots de leur langue ? Dommage.

Il tira un petit cigare de sa poche, l'offrit au vieux qui le tourna dans ses doigts, l'alluma, le goûta avec gourmandise puis aspira longuement la fumée et la rejeta pensivement.

— Il y a dans leurs rites du mariage quelque chose qui m'a toujours intrigué. Le soir, quand les amis du marié le conduisent au seuil de la chambre conjugale et qu'il les congédie, le marié trouve la fiancée qui l'attend. Savez-vous ce qui se passe ? Mon cher, la fiancée se lève, l'homme tire son sabre ou son poignard et la frappe trois fois sur l'épaule du plat de la lame. Pour conjurer le mauvais œil ? Il y a déjà des mains de fathma sur toutes les portes, on n'a pas arrêté de jeter du grain pour éloigner les mauvais génies. Je me demande si ce n'est pas un vestige des croisades ou de Rome. Ils arment leur femme chevalier. Ils doivent lui dire : Que cette épée te donne la force de me supporter, que tu sois pareille à elle, droite, pure, brillante, tranchante, aiguë. Que je te garde à mon flanc, défense, rayon de gloire, amour. Sur les tombeaux de nos chevaliers, jusque dans leur lit, toujours entre les femmes et eux une épée. Je vous prêterai mon sabre. Grâce au baron nous aurons des noces de prince : un cheval au lieu d'un mulet. Ça vient, ce café ?

Assis sur ses talons, prêt à décamper, le vieux jacassait. Les canons l'inquiétaient probablement. Il devait raconter à la Mokrani tout ce qu'il avait vu, agitait les mains, ajustait son turban.

— Il voudrait bien savoir pourquoi on est là, dit Delfini.

— Une surprise, monseigneur.

« On s'établit parmi vous. Le sergent-chef Delfini ne regrette rien, moi non plus. Il n'y a que mes enfants à me tracasser. Marguerite aura une pension car on n'osera pas dire que nous ne sommes pas morts au champ d'honneur. Elle se remariera. Qui sait ? avec le colonel de Saintonge, si la générale se laisse enlever par l'autre baron... »

7

Il regarda avec étonnement la jeune femme qui apportait le café, le versait, restait debout devant les hommes, leur souriait.

— Delfini, ça va trop vite. Je m'y perds...

Il ne reconnaissait pas ce visage grave, consumé par les yeux que le koheul agrandissait, des yeux de chouette, d'énormes fleurs grises et bleues, épanouies face au jour.

« Je n'étais pourtant pas saoul hier, j'ai bu de l'eau toute la journée. J'aurais dû passer la nuit avec elle, j'ai eu tort de laisser mon imagination s'échauffer... » Pourquoi se souvenait-il encore de cette colonelle ? Elle avait de l'allure sous les baleines de ses corsets, on disait que des généraux lui avaient fait la cour, elle avait bien simulé de la résistance, s'était déclarée surprise et brusquée, tout avait craqué partout. Après, quand elle s'était rhabillée, les yeux bouffis, le visage rouge, quelle débâcle en lui ! Elle le couvrait de caresses, l'étouffait dans ses bras, mais là plus personne, il ne pensait qu'à prendre la poudre d'escampette. Elle lui en avait voulu. Encore n'était-il pas question de lui consacrer sa vie comme à Aafia la Paix. « Ma vie, mon honneur, tout le tremblement. Si je me rappelais mes élucubrations à mon réveil... Je voulais lui apprendre à coucher dans un lit avec des draps, je divaguais... »

Il tira sa montre.

— Delfini, allez voir ce qui se passe.

Aafia attendait qu'il parle. Dans sa langue ou dans une autre, qu'importe ! Le ton d'une voix suffit parfois. On entend le cœur qui inspire les paroles.

Hector secoua la tête. Tu ne sais pas ma belle. Dans trente minutes, le colonel et mon ami Dupuis vont tout régler. A moins cinq ils lâcheront une première salve sur les rochers, une semonce. A mon avis longue, pour signifier que toute retraite est coupée, qu'il faut descendre. Ils nous observeront, dans l'espoir de nous voir détaler comme des lapins, ou nous affoler. Allaire et Krieger feront de grands gestes, ils m'appelleront, ils brandiront des fanions. Je ne bougerai pas, vous serez terrorisés. Vous pousserez des cris, vous m'insulterez, vous m'accuserez de vous avoir trompés, je ne comprendrai pas.

Delfini revint.

— Tous les bataillons sont déjà en route, mon capitaine, sauf le nôtre, arrêté en colonne.

— Les batteries ?

— Le colonel est derrière elles, à cheval, les otages à côté de lui.

Le vieux se leva, entraîna la Mokrani.

— Vous n'êtes pas volé, Delfini, la petite n'est pas mal. Pour moi ça ne me dit plus rien. Vous comprenez, vous ?

Delfini déplaça un peu les jumelles dans leur étui béant.

— J'ai vu des portraits de ma fameuse grand-mère. Elle était devenue énorme. Je me suis toujours demandé comment un homme avait pu tout braver pour ça. Un mystère. Fidèle jusqu'à sa mort, le grand-père. Et nous pour l'armée ? On l'aime, on s'engage, on rempile. Vous encore, des avantages, des épaulettes... Quand j'ai été désigné pour la Kabylie je me suis dit qu'après ce serait fini. Il a fallu que je vous rencontre.

— Quelle heure avez-vous ?

— Moins vingt-cinq bientôt.

— Comme des rats, mon vieux. Le lieutenant Krieger a du jugement.

Il changea de ton.

— Si vous en réchappez, taisez-vous. N'allez surtout pas leur mettre dans l'idée que c'est pour Aafia que j'ai accompli cette... comment appeler ça ? ils seraient trop contents. Vous vous souviendrez, c'est pour la vieille que j'ai refusé de descendre. Il y a quelqu'un d'autre que je vais jobarder, vous voyez qui ?

— Le colonel ?

— Plus haut que ça. Plus haut que l'amiral-gouverneur. Vous ne voyez pas ?

— Non.

— Dieu, mon cher, Dieu lui-même. Il va me ranger à côté des Trônes, des Dominations, des Vertus, les trois chœurs de la hiérarchie des anges. Ou parmi les martyrs. En toute honnêteté je devrai dire : Seigneur, vous vous trompez. Je ne suis qu'un pauvre type. Le colonel m'a écrasé sous ses obus parce qu'il croyait que j'étais un traître. Je n'étais qu'amoureux d'une femme. Et encore. J'ai confondu l'amour de la justice avec l'amour d'une créature. Quand mes yeux se sont dessillés, trop tard, je ne pouvais plus reculer. Contentez-vous de me donner une toute petite place parmi vos palefreniers. Je ne serai bon qu'à conduire vos mulets. C'est uniquement par vanité, Seigneur, que je n'ai pas cédé. Il me suffisait d'envoyer Delfini agiter un mouchoir. Nous redescendions sains et saufs. Nous laissions la comtesse, le vieux et les filles aux soins des artilleurs.

— Vous ne ferez pas ça, mon capitaine.

— Le capitaine Dupuis ne serait pas là, je calerais peut-être. Lui en bas, non, un principe.

— Quel principe, mon capitaine ?

— Vous supportez ça, vous, d'être invité chez les gens, et de les remercier comme ça ? Je veux bien qu'on les extermine comme mon maître Saint-Arnaud, sans demi-mesure. Vous me direz que, pour ma part, j'ai commis des brigandages. J'étais jeune, une bonne excuse, je n'avais pas connu la défaite en France. Je sais à présent ce qu'on éprouve : on ne pense plus qu'à se venger. En 57, le brave maréchal Randon a traité les Kabyles comme des chiens. Quatorze ans après, ils se révoltent. Ils recommenceront. Je me mets à leur place, la civilisation c'est autre chose, ou il ne faudra pas nous étonner si les tirailleurs de Kossaïri deviennent à leur tour des Mokrani. Et qui accusera-t-on de s'être conduits comme des salauds ? Vous et moi. Comme on ne tient pas compte de mes avis, je reste ici.

8

— Vous êtes Don Quichotte, mon capitaine, et moi... Rossinante est venue vous rejoindre pour que votre équipage soit au complet. Dulcinée la voilà. Il ne manque pour moi qu'un bourricot. Ça doit se trouver facilement.

— Dulcinée, voyez ce que j'en fais. Hier, j'ai cru... Ce matin, plus rien. Ça m'a quitté. Elle me prendrait par la main, que je répondrais non. Ce n'est plus ça. Ce mariage, n'y pensez plus. Je suis gascon, ne l'oubliez pas. Je m'amusais. Et puis les Kabyles ne donnent pas leurs filles à des étrangers. Vous me direz que nous... Même si nous étions des princes.

Des hommes qui ont foulé leurs champs, coupé leurs figuiers, incendié leurs villages et leurs récoltes, massacré leurs frères, non. Il y aura toujours ça entre nous. Et puis vous avez raison, la religion, les coutumes, les mœurs comment s'y plier ? Les colons ont les pieds sur terre, ils ne vont pas dans la lune. Un jour, une nuit oui. Toute une vie ? Impossible. Oublions ça. Quelle heure est-il ?

— Moins vingt.

— Retournez voir ce qu'ils font.

Hector mit sa main dans la poche de sa tunique, en tira sa croix enveloppée dans du papier fin et l'accrocha sur son cœur. La Mokrani et Aafia se penchèrent. La Mokrani désigna d'un geste interrogatif la tête de Romaine qui brillait avec sa chevelure d'or et son diadème de diamants au centre de la couronne de lauriers et de l'étoile d'argent. Sur la croix du bachagha, il était au moins commandeur, s'inscrivait le profil de l'Empereur.

— Nous avons changé de régime, comtesse. La République. Si mes petits camarades me retrouvent ils devront des égards au chevalier que je suis. Je me demande pourquoi je vous dis ça sans interprète pour traduire. Par besoin de parler probablement. Les minutes qui se précipitent. J'y pense, chez vous il y a eu des femmes à conduire les révoltes. Cette fameuse Lalla bent Cheikh qui s'illustra au temps de Bou Baghla, l'homme à la mule. Vous voyez, je ne suis pas complètement ignorant. Vous admirez que je connaisse Lalla bent Cheikh ? Je vais même vous dire où le général Yousouf l'a prise : dans un fond d'oued près du col de Tirourda. Un décor pour chasse au loup. Elle vous ressemblait peut-être, comtesse. Une Velléda, une prophétesse. Et de votre âge. Son frère s'appelait Si Taïeb, ça vous dit quelque chose ? Il y a quelques années elle vivait encore près d'Aumale, elle chantait des complaintes héroïques comme vous. Quoi de neuf, Delfini ?

— Rien, mon capitaine.

— Je leur raconte l'histoire de leur Jeanne d'Arc de 54 et 57 qui allait dans les villages pour appeler à la guerre sainte. Chez nous on aurait écrit sur elle cent livres et dix

livrets d'opéra. Eux, rien, des chansons qu'on aura oubliées
dans un siècle. Ils en feront aussi sur nous. Ils célébreront
les deux Roumis de la Guelâa morts sous les coups de leur
propre artillerie. Il nous reste combien de temps ?

— Un quart d'heure.

Hector se leva. Il sortit de la maison, suivi du vieux et
de Delfini, flatta le baron.

Etait-il un Don Quichotte ? Il se mit en marche vers
l'esplanade, net, le collier de barbe rafraîchi, les bottes luisantes, la croix pendante, le képi droit, son cheval d'armes
conduit par un vieux Kabyle, Delfini à la suite avec son long
pas nonchalant. Le général de Roailles n'avait pas osé. Un
aristocrate, un théoricien. Peut-être savait-il trop de choses.
Un intellectuel qui lisait des ouvrages condamnés et faisait
jouer du Mozart alors qu'il aurait dû s'imposer, briser les
résistances à son autorité et, puisqu'il se disait libéral, forcer
les autres à respecter son libéralisme. Ça se contraint, les
idées, ça se dicte, une volonté, quand on en a les moyens !
Monsieur le marquis répugnait à frapper, voulait de l'amour
et de la dévotion. Quelle illusion ! Hector Griès, fils de
notaire, agissait sans réfléchir. Le moyen de ne pas commettre une sottise une fois lancé ? Qui pouvait discerner la
vérité de l'erreur, la raison de la déraison ? Il eut envie de
dire : « Vous savez Delfini, je crois que les cas de conscience
ça existe. » Inutile de troubler Delfini. Ce Sancho Pança
avait rejoint son maître. Tout était là.

9

— Les jumelles, Delfini.

Le colonel s'était écarté avec Dupuis, à cheval lui aussi.
Sans témoins pour les entendre. Dix minutes seulement
avant la semonce. Les artilleurs à leurs pièces, les culasses
ouvertes, attendant les obus, les servants prêts à enfourner,
les pièces réglées, les hausses vérifiées. « ... se briser la tête

sur la pierre du serment... » Une phrase du livre de M. de Vigny, un aristocrate encore, un amateur de littérature. Il s'agissait bien de ça ! Comment se fût comporté M. le comte Alfred de Vigny à la Guelâa des Beni Abbas, au moment où deux batteries de montagne allaient ouvrir le feu sur un capitaine et son sous-officier adjoint ? Quelles périodes pompeuses eût-il tournées dans son encrier pour magnifier ce drame ? Moi, dans ces cas-là, je ne sais pas, je me contente d'insulter Dupuis qui me répond par un coup de revolver ou de faire porter au colonel un message. Si j'étais colonel, je te le dresserais, le Griès ! Je lui apprendrais le règlement. D'ailleurs c'est ce qu'il doit dire à Dupuis. Vous n'avez pas changé d'avis, mon cher, longue la première salve ? Et s'ils s'échappent, nous les poursuivons de nos tirs ? A mon sens mon colonel, répond Dupuis, nous ne pouvons pas nous permettre de gaspiller nos munitions. Elles peuvent nous être trop utiles par la suite. Le village liquidé, nous abandonnons Griès à son sort. S'il n'est pas touché, à leur retour les hommes de la Guelâa l'accuseront de tout ce qui s'est produit. Et si nous l'atteignons... Alors, quand vous voudrez, dit le colonel. Dans cinq minutes.

Hector tendit les jumelles à Delfini.

— Amusez-vous. J'en ai assez.

Cette débâcle dans les entrailles. On se laisse emporter par le verbe, on tient des discours à la Mokrani, on lui parle de Lalla Fathma, on bombe le torse, on se pavane avec une croix, à cinq minutes de la fin tout est pulvérisé. A Icherridène quand ça chauffait, je taquinais Krieger, je lui demandais s'il n'avait pas les foies. Etrange. Les Arabes ne parlent jamais du cœur, ce muscle creux. Pour eux les émotions ont pour siège le foie, cet organe noble qui commande l'ensemble des fonctions digestives et sanguines. Tout passe par lui. S'il se contracte, s'il s'engorge, tout s'arrête. J'ai vu des hommes décomposés par la peur, des loques. Le cerveau ne marche plus, les jambes flageolent, les mains tremblent, la bouche bafouille, le corps se vide. On dirait qu'en moi tout commence à se détraquer. Un brouillard flotte devant mes yeux, mon sang se rue à grands battements de pompe, je m'enfonce dans des amoncellements de coton, des rochers en coton. Je ne vais pas jaunir ?

— Les jumelles, Delfini.

Le colonel rappelait Dupuis qui revenait, en pressant son cheval, se mettre à sa gauche, un peu en retrait. Si je montais le baron moi aussi ? Ce serait plus digne, ça ferait tableau de bataille.

— Une dernière question à mon propre usage. Franchement, Dupuis, le jour de votre incident avec cette tête brûlée de Griès, quand vous nettoyiez votre revolver, est-ce par hasard que le coup est parti, ou bien... Entre nous ?... Je peux vous affirmer que cela ne franchira pas le cadre de notre conversation.

Dupuis réprimait mal un mouvement de contrariété. Cette vieille histoire n'était donc pas enterrée ? Allons mon petit ami, un effort. Souviens-toi de la brillante instruction que tu as reçue et des formules qu'on t'a fourrées dans l'esprit : un officier ne ment jamais. La devise d'un saint, je ne sais plus lequel : « Plutôt la mort que la souillure. »

— Puisque vous insistez, mon colonel, je vous avouerai que ce n'est pas tout à fait par hasard. Griès m'avait insulté. Après la conquête d'Icherridène, je suis allé le voir dans l'intention de lui demander raison.

— Vous n'aviez pas bu ? Ça arrive...

— Vous n'ignorez pas que j'ai de l'aversion pour le vin. Jamais une goutte. Quand Griès est revenu flambard, tenant des discours à la cantonade, sûr de lui, la colère m'a emporté. Le malheur voulait que j'eusse une arme dans les mains. C'est tout.

« Que j'eusse... » Toujours précieux, Dupuis. Toujours dans un salon. S'il s'emportait, c'était avec modération de langage et d'expression.

— Vous auriez dû préciser cela à la commission d'enquête.

— J'ai craint de vous desservir.

Soudain un chien se mit à hurler à la mort. Hector se retourna vers les maisons du haut, d'où la plainte dévalait. Un chien resté terré dans une cache ou revenu dans le village pour appeler les hommes et le ciel au secours, un chien qui sentait le malheur lui dévorer les flancs. Ses vociférations devaient remplir la cuvette. On devait les entendre en bas.

Le colonel bougea la tête.

— Je ne suis pas responsable des conflits qui éclatent entre officiers. N'en parlons plus. Dans trois minutes je commanderai le feu. Vous me décevez un peu.

Un officier n'éprouvait ni regrets ni remords à propos d'un hors-la-loi. L'épée s'abattait sur lui.

— Ma conscience est claire, mon colonel.

S'il y avait eu un aumônier, il aurait à tout hasard aspergé les rochers d'une absolution. Ce chien, bon Dieu, qui flairait la mort et gueulait dans les ruelles. Il ne resterait pas de pans de murs, les maisons étaient trop basses, leurs pierres sèches s'écrouleraient, il y aurait un éboulis dans la falaise, des blocs se détacheraient, rouleraient jusqu'en bas. La petite mosquée en pisé des Mokrani ferait un grand nuage sale que le vent balaierait, elle formerait un grand tas de poussière et de gravats sur la tombe du bachagha. Le chien partirait comme une flèche, la queue entre les jambes, il compléterait le tableau, le nouveau Don Quichotte aurait un chien.

Le colonel s'avança vers l'artilleur. On éloigna les chevaux que le fracas des départs pouvait effrayer. Le colonel et Dupuis tenaient solidement les leurs, les rênes courtes.

10

Hector pensa que sa vie allait s'achever. « Comme elle a été courte ! Le temps m'a manqué. Je ne sais rien et surtout je n'ai rien fait. Je n'ai pas assez regardé le ciel et la terre,

seulement les femmes, j'ai les mains vides. Les uns me
renieront, les autres m'oublieront. Un général lègue son nom
à une victoire ou à une défaite, je n'ai été qu'un capitaine
de zouaves, on m'expédiera vite, je n'ai blousé personne,
encore moins Dieu quoi que j'en dise, je n'ai trompé que
moi... »

Mourir sous les coups des siens était-ce mourir au combat ? Son corps était pareil à une enveloppe creuse, une
dépouille de bête que les vautours guettaient au-dessus d'un
puits de lumière. Le soir venu les chacals trouveraient-ils seulement quelque chose de lui ? On répétait aux Arabes qu'à
peine frappés par l'ennemi, le paradis s'ouvrait à eux, des
anges les conduisaient dans un jardin où des jeunes filles
éternellement belles et à la virginité toujours renaissante,
les houris, étaient leur récompense. Leur prophète avait
proclamé que le paradis était à l'ombre des épées, que les
morts au combat ne seraient pas soumis au Jugement dernier,
c'est pour cela qu'on les enterrait dans l'armure de leurs
vêtements ensanglantés. « Les miens vont s'en aller, les
autres quand ils reviendront donneront mes ossements aux
chiens. Moi un Gascon, mis au monde pour les franches
lippées arrosées de vin de Cahors et d'armagnac, dans quel
guêpier me suis-je fourré, par quel mystère ? On se défie
entre camarades, on piaffe parce que l'avancement est trop
long, on appelle la guerre, on croit la faire dans la montagne, on rentre avec du butin, on s'embarque, on assiste à
une débâcle, on en réchappe, on se rejette dans le bain et là,
un enchaînement de rivalités, de déceptions, de forfanteries
et de hasards arrive à me lier à de grands mots : la justice !
Je m'en f... de la justice, mon colonel ! J'ai péché contre elle
plus que vous ! Je n'ai jamais pensé qu'à des coucheries.
Si Dupuis ne m'avait pas renvoyé à Alger... Rappelle-toi,
c'est faux. A Icherridène déjà, tu avais changé. C'est vrai
j'aurais dû écouter mon père, vendre comme lui des maisons et des terres, dresser des actes de mitoyenneté, gérer
un petit magot, recevoir à dîner le sous-préfet, parler politique les pieds sur les chenets et m'endormir le soir près
d'une fille de famille, la tête sur l'oreiller de mon bien.

Tout va finir dans les rochers. Par un gouffre noir ? Par
une illumination ? Les autres se le demandent-ils aussi ?
Est-ce pour cela que les femmes s'agitaient tout à l'heure
et que la barbe du vieux tremble, on dirait qu'il s'étrangle,
il grogne, il est furieux que je ne le comprenne pas, il me
montre les canons, les maisons, il se demande ce que je
fabrique là. Moi aussi, les canons je les vois comme lui.
Aurait-il les foies à son âge ? Si la mort était un brusque
passage, si on me poussait dans l'abîme sans que je m'y
attende... Je regarde l'heure, je m'interroge, je guette. Dans
un instant, les chefs de pièce vont se tourner vers les commandants de batterie et lever le bras, quand ils l'abaisseront,
le tonnerre de la première salve craquera. Les secondes que
je connaîtrai, quel siècle à franchir ! Ce sera quel accom-
plissement, quelles tendresses enfin accordées et reçues en
surabondance, quelle connaissance, la possession de quel
absolu ? On croit en Dieu, on l'invoque, on l'appelle au
secours, on élève son âme vers lui, tout cela reste vague,
la mort une vue de l'esprit, est-ce qu'on imagine qu'on
puisse mourir ? On voit les autres, le général entre ses bouquets de roses, Hortense serrant son lis sur sa robe de mariée,
le vieux Marjol dans sa boîte de luxe fournie par la municipalité de Boufarik, on se dit que c'est normal, il faut des
gens de bonne volonté pour laisser aux autres un héritage,
des pensées dignes, des cérémonies, des prières, on n'arrive
pas à croire qu'un jour... Denef haussera les épaules et
roulera des yeux rouges, oh ! pas de pleurs ou d'émotion,
de cette irritation des paupières et de la cornée, en Algérie
la lumière est trop vive, on respire trop de poussière, il n'y
comprendra rien, il refilera à la popote de l'état-major les
paniers de pinard qu'il me ramenait, ces messieurs les
boiront en claquant la langue : pas mauvais ce picrate, il
a un goût de framboise. Denef n'osera pas avouer que c'était
ma réserve, on ne prononcera plus mon nom, il reniflera
en lui-même une oraison funèbre, se dira que j'ai toujours
eu le cerveau un peu détraqué, en même temps une certaine
joie l'animera, je ne serai plus là pour me moquer de ses
manies, j'avais été promu capitaine avant lui, ça ne le gênait

pourtant pas, il était officier des détails et d'approvisionnement, nous ne figurions pas sur la même liste, il aurait peut-être le culot d'aller voir ma femme si la crainte de se compromettre ne l'en empêchait. La générale courra embrasser Marguerite : ma chérie quel malheur ! Ah ces hommes ! qu'on démissionne ou qu'on aille jusqu'au bout, l'armée vous berne toujours. Si ces bons artilleurs me tuent d'un seul coup je ne sentirai rien, mais s'ils me fendent la poitrine ou le ventre, si je souffre, si j'agonise en gémissant... Ma mère, où est ma mère oubliée, délaissée ? Elle sait seulement que je suis revenu en Algérie. Entendra-t-elle le cri que je pousserai vers elle ? Je suis une bête égarée hors des clôtures. Aux approches de l'hiver, chez nous les paysans se débarrassent des vaches sèches et les conduisent dans des pâturages où il y a encore quelque chose à racler. Quand il n'y a plus rien, les bêtes s'échappent dans les vignes ou le long des chemins pour ronger l'herbe des fossés. Ce tirailleur que j'ai relevé, je suis comme lui, j'ai le vertige et personne ne prend ma tête dans ses mains... Je ne sais même plus quel jour nous sommes... »

11

— Delfini, ça suffit. Rendez-moi mon sabre, montez sur le baron et fichez le camp. Ecartez-vous d'abord et quand ça cognera, descendez. Rejoignez le bataillon. Oubliez ça. Vous direz que tout est de ma faute. Si vous rencontrez le chien, emmenez-le. Allez, fissa. C'est un ordre.

Il regarda Delfini détendre la courroie de son chassepot pour le glisser en bandoulière derrière son dos, enfourcher lourdement le baron, esquisser un salut. Il manquait d'élégance, Delfini, il enfonçait trop les pieds dans les étriers, il faisait tourner son cheval sans appuyer les rênes sur l'encolure. Un sous-officier d'infanterie...

— Ce n'est pas votre faute, mon capitaine. C'est la Kabylie.

Cette manie de moraliser ! Que voulait-il dire, ce petit-fils de juive ? Que lui, Hector Griès, ex-commandant d'un bataillon de zouaves, avait été, le temps d'une nuit, amoureux non d'une Kabyle mais de la Kabylie ? Les choses se compliquaient sans qu'on sût pourquoi, le vieux continuait d'interroger avec ses mains. Les servants s'approchaient des pièces. Encore une minute. Non mais j'ai la berlue. Je serre la poignée de mon sabre dans mes deux mains, je m'appuie dessus, ça résiste, je ne rêve pas.

Les artilleurs démontaient. Les mulets s'approchaient. On chargeait les tubes sur les bâts. Quelqu'un décrochait, grimpait. Qui était-ce ? Delfini avait filé avec les jumelles. A la façon dont le type courait, on aurait dit Krieger. Un piège alors ? Une ruse ?

— Tirez, bande de salauds ! Je préfère mourir là que fusillé sur le front des troupes...

L'homme s'élançait à travers les rochers, s'arrêtait un instant, agitait les bras.

— Mon capitaine !...

Il reprenait sa course hors du sentier pour couper les lacets qu'il escaladait comme un bélier, il était déjà à cent mètres, glissait, les pierres roulaient sous ses pas, il se relevait en soufflant, rejetait derrière son baudrier la sacoche qui l'embarrassait, n'en pouvait plus. En bas, les batteries étaient repliées, une file d'équipages s'engageait sur la piste de Bordj Boni. Ce temps chaud, quand on pensait au déluge de la veille ! A peine des nuées derrière les crêtes, peut-être, le soir, éclaterait l'orage qui n'avait pas voulu crever après le coup de vent du sud.

— Mon capitaine...

Krieger avait trouvé son sourire, il dérapait avec ses gros souliers ferrés, faisait jaillir des étincelles sous ses semelles cloutées, il était en nage.

— Vous auriez pu prendre le chemin, vous seriez monté aussi vite. Qu'est-ce qu'il y a mon vieux ?

— Vous avez vu : on ne bombarde plus.

— Vous en êtes sûr ?

— Le colonel vous demande de descendre.

— Vous n'essayez pas de me rouler ? Je descendrai et alors on remettra les pièces en batterie...

Plus de bruit tout à coup. Plus de rumeur. Plus de hurlements de chien. Il fallait prêter l'oreille pour discerner le claquement métallique des tubes et des affûts mal arrimés sur le bât des mulets, le martèlement des sabots, le graillement rauque des conducteurs, un cliquetis, un craquètement qui s'éloignaient.

— Dites-moi la vérité, Krieger. Ne me trompez surtout pas.

Le lieutenant enleva son képi, épongea la sueur qui lui ruisselait du front sur les joues et dans le col, la barbe lui mangeait le visage, la joie l'étouffait, il dégrafait sa tunique en haletant.

— Je n'ai pas dormi de la nuit, mon capitaine. Je me doutais. Je voulais vous chercher, le capitaine Allaire m'a entraîné. C'est fini. Vous avez gagné. Le colonel vous attend.

— Pour me faire des compliments ?

— Ah ça, il n'était pas content. Il enrageait. Vous l'insultiez, il comprenait qu'on vous étende, avec un autre vous n'y coupiez pas, le général présent vous n'auriez pas agi de cette façon. Finalement il a dû avoir peur de se faire engueuler. Ce n'est pas le commandant en chef qui a donné cet ordre. Le colonel a vu qu'on était divisés, qu'on discutait. Il a dit : c'est une vraie tête de cochon votre chef de bataillon. Je n'ai jamais eu pareil cabochard avec moi. Il me paiera ça. Et sa rombière...

— Doucement, mon cher. Il n'y a pas que la rombière. Je me radine avec toute la clique. Si vous bombardez quand même, vous n'aurez que le chien.

A la maison, plus de discours. Des gestes. On pliait bagage. En route. Les femmes aussi. Allez, comtesse, ramasse tes fringues. Empile tes bricoles dans un foulard. On t'expliquera en bas. Avec vous j'emmène ma victoire.

14

12

Il avançait à pied derrière Krieger, le sabre dans la main gauche, la main droite à la bride du baron revenu, sur le baron la Mokrani. Le dernier, Delfini, en serre-file, poussait les filles et le vieux.

La Mokrani, on avait dû la menacer. Delfini en colère n'avait pas hésité. Le chassepot braqué sur elle et en route ! Le capitaine était trop bon, un cheval pour elle ! Il avait fallu la hisser, elle protestait, ne gueule pas comme ça ma vieille, on ne va pas te violer, elle n'avait pas l'habitude de ces harnachements, elle ne savait comment se tenir, elle ballottait comme un paquet de linge sale, elle croyait qu'on l'emmenait en captivité, mais non à Bordj Boni, après tu iras où tu voudras. Pour qu'il n'y eût pas d'équivoque, le capitaine voulait montrer la comtesse et les filles au colonel, et tenait lui-même le cheval par la bride, comme un lad. Avec une autre selle il aurait mis les trois femmes sur le baron. Pourquoi la vieille seulement ? Il s'était interrogé : la vieille faisait plus digne, plus solennel, plus respectable. Pourquoi pas lui, à cheval ? Il n'était pas un Romain traînant des vaincus derrière lui. Delfini l'avait traité de Don Quichotte. Qu'aurait-on dit en le voyant descendre ainsi de la falaise ? De là à conférer cette place à la vieille... Ils auraient pu aussi aller tous à pied. Il ramenait une mariée. L'époux légal était dans la tombe au pied de la mosquée du haut, avec entre les deux yeux la balle qui l'avait tué. Un autre époux sans doute, un époux mystique, le ciel, et dans le ciel le soleil. On n'imaginait rien d'autre, tous les mots auxquels on pensait étaient au féminin, toutes les grandes choses, la gloire, la justice, la vie, l'armée, la montagne, la liberté, la paix, la guerre, la dignité, tout au féminin dans la langue française, avec un sens de noblesse et d'éminence, sauf l'honneur et le soleil, ces mâles.

Delfini se disait que la vieille mettrait ça plus tard dans une chanson, qu'elle expliquerait comment l'âme du bachagha avait empêché les canons de tirer, que sa veuve avait descendu la colline sur la monture même qui avait emporté le Prophète, un cheval avec des ailes, une selle d'or sur un caparaçon brodé avec des martingales en tapisserie, une cavale à tête de femme aux yeux de nuit, et en guise de crinière une chevelure noire, déployée de l'épaule jusqu'aux jarrets, avec un casque pointu de licorne, des colliers de corail, des escarboucles étincelantes sur la têtière, le panurge, les œillères et les muserolles, la croupière et la sous-ventrière, un diadème de pierreries, des plumes et des balzanes de brocart bleu. Mon Dieu, ce n'était que le baron, un modeste canasson d'infanterie qui se déhanchait en descendant les degrés de la pente et secouait la Mokrani agrippée à la selle avec son baluchon. Le baron veillait à poser ses sabots à plat pour ne pas glisser sur les éclats de schiste et d'ardoise, appuyait sa bouche sur la main du capitaine, la caressait, la mordillait par affection. Aafia et la petite trottinaient derrière, le vieux celui-là pas de danger, on ne va pas vous brutaliser mais avancez mes belles, moi Delfini je ne vous laisse pas, il suffirait d'un instant de distraction pour que vous vous carapatiez comme des chèvres, vous êtes comme moi, vous vous demandez si ce farceur de Griès ne nous a pas jobardés... Quand il m'a ordonné de m'en aller avec le baron pourtant, il était pâle, la blague tournait à la tragédie.

13

Sur le sentier de rocaille, Hector se laissait dégringoler, les jambes raides sur le talon de ses bottes. Les lacets du chemin il fallait les prendre à l'extérieur, prudemment, pour éviter au baron de trébucher. Cinquante mètres plus bas presque en à-pic, sur le terre-plein que l'artillerie avait quitté, le colonel et Dupuis, seuls, et, derrière eux, le bataillon serré en colonnes de compagnies entre les parois grises des falaises avec, au-dessus, une couronne d'azur violent et des vautours.

D'où fusait la musique qu'il entendait ? Le vent jailli des montagnes, une tempête de vent venue des grandes étendues de la mer et du désert où se heurtaient le cri de tous les animaux de jour et de nuit, le chant des hommes, le bruit du galop des chevaux, des you-you de fête, un choral immense, énorme, tumultueux, ça ne ressemblait plus aux musiques délicates et parfumées du bon général de Roailles qui n'avait pas osé s'aventurer dans le Sud avec des convois pour châtier des rebelles. Moi, mes aïeux, j'ai flanqué le feu aux villages, tué ceux qui me résistaient, bousculé quelques filles, à présent ça suffisait, le bachagha était mort, on l'avait ramené en hâte dans un lit de branchages édifié sur le dos d'une mule, le temps de la colère était passé. Ouvrez-vous, portes du ciel, voici le prince à pied, conduisant une vieille reine déchue avec ses filles qui m'ont fait rêver. Elevez-vous, portes éternelles, je reviens chez les miens que j'ai failli perdre ! Devant moi mon fournisseur de sandwiches que je vais engueuler parce qu'il n'est pas rasé, quand on a comme lui un poil de Maure ancien conquérant d'Espagne, ah ce n'est pas un romantique celui-là, il n'entend rien, il se retourne de temps en temps sur moi, quand on a un poil pareil on se rase deux fois par jour comme Dupuis, mais oui je suis là, si vous saviez mon vieux je n'ai pas envie de m'enterrer auprès du bachagha dans ce nid à puces, ni d'écouter le soir crier leurs chouettes, hurler leurs chiens et radoter leurs vieillards.

— Votre képi, Krieger !

Où se croyait-il, ce lieutenant ? Il suait, ça se voyait, le drap de sa tunique était inondé, aussi pourquoi monter droit dans la falaise au lieu d'emprunter le sentier ? Par amour pour son chef ? Par hâte ? Coiffez votre képi, mon ami, nous allons nous présenter à ces messieurs, avec notre équipage,

je m'arrêterai à dix pas, je lâcherai un instant la bride, je
saluerai et là j'abandonnerai le baron à l'ordonnance. Le
colonel me tendra la main ou pas, je m'en f..., à midi j'aurai
ramené mon bataillon à Bordj Boni, la Mokrani ira où elle
voudra, les filles et le vieux se perdront avec elle dans les
broussailles, je ne retournerai pas à Alger, je m'arrangerai
pour qu'on me donne quelque chose à commander à Fort-
National, à Aumale ou à Beni Mançour avec des Kabyles à
administrer, j'apprendrai leur langue, j'aurai sous mes ordres
un escadron de collines, de crêtes, de cols et de défilés, une
harka de loups, un vol de vautours et de faucons qui m'es-
corteront. Krieger me quittera pour sa chère épouse, Kossaïri pour les eaux vives de Tlemcen. Je garderai Delfini,
peut-être Allaire qui espérera se coller une ventrée de couscous tous les jours et le petit Sauvemagne. Ouvrez-vous,
portes éternelles, faites tourner une guirlande d'étoiles
autour de nous, que croulent les cataractes d'or du ciel,
dévalent les torrents qui ravagent les cimes et entassent le
limon dans la plaine ! Me voilà, me voilà avec ces trois chacals femelles et ce vieux mâle rusé. Nous revenons de loin,
vous avez failli nous percer du fer des obus, vous m'avez
forcé à un dur passage, ce n'est pas la pitié qui vous a
retenus. Quoi alors ? Qu'on n'ait pas peur de vous, voilà qui
vous impressionne. Vous commencez à vous poser des
questions, vous êtes perdus. Pas peur ? Si vous m'aviez vu
prêt à basculer, j'aurais donné cher pour respirer l'odeur de
cuir et de drap mouillé de la piétaille en marche sous la
pluie. Vous m'avez fait frôler quelque chose d'immense,
des ténèbres et des illuminations, sans musique en tout cas,
un grand silence qui serre la gorge. Je me demande si je
dois vous remercier. A l'heure qu'il est ce serait fini, mon
sang sécherait, cette terre couverte de poussière d'astres et
d'écailles l'aurait bu, mon âme l'entendez-vous bramer dans
cette solitude, recouvrir le petit bruit des godasses de Krieger
et de Delfini, le claquement des sabots du baron, le pied
des filles, non il effleure à peine le sol, il glisse sur les aspérités de la roche, tout cela devient le sifflement du vent, le
halètement des multitudes qui s'appellent de crête en crête,

le grondement des oueds en crue. Je ne sais pas si vous avez eu raison de m'épargner. Saint-Arnaud n'aurait pas hésité. Il ne serait pas resté comme vous en bas, il serait monté, il aurait installé son campement chez la Mokrani, m'aurait nommé duc de la Medjana. Je l'aurais servi. J'ai raté mon rendez-vous avec Dieu. En ce moment je saurais si cela valait la peine. Dans l'espace notre planète doit ressembler à une lune, j'ai l'impression de déboucher de l'éternité, il y a des nuages qui traînent sur les hauteurs comme des fumées et je me retrouve avec le désir de manger du saucisson et de boire un verre de vin rouge, quelle déchéance ! En une nuit j'étais devenu cette terre lointaine, j'avais le goût des cerises d'Icherridère dans la bouche, je portais la marque des sabots de Dieu, j'étais pur, déchiré, je vais me remettre à vous ressembler...

Le colonel n'entendait pas le choral d'orgue qui labourait le ciel. Sous son képi noir et rouge galonné d'or et d'argent il dodelinait un peu sa grosse tête enfantine. Soudain, il laissa échapper un court éclat de rire. Quelle harka burlesque accompagnait cette vieille chouette perchée, les yeux à demi clos, sur le cheval ! Il répondit à peine au salut du capitaine et se retourna vers Dupuis, vaguement goguenard derrière lui.

— Dépêchons-nous. Cette plaisanterie nous a fait perdre du temps.

Le capitaine Hector Griès feignit de ne pas comprendre.

Il avança tandis qu'Allaire aboyait devant le bataillon.

Il surprit le regard de Kossaïri planté, non sur lui mais, de biais, par-dessus son épaule, son Aafia que Krieger essayait en vain de retenir. Princesse altière, elle suivait son roi, et on lui présentait aussi les armes.

Il sourit. La musique qui l'habitait encore en sourdine revint brusquement lui emplir le cœur, triomphale.

AIDE-MÉMOIRE DU LECTEUR

PREMIÈRE PARTIE

LA NUIT DE BACH

CHAPITRE PREMIER

Où, le 24 juin 1871, quelques mois seulement après l'avoir quitté à son départ de Blida pour la France, le lecteur retrouve Hector Griès en pleine bataille de Kabylie, se préparant à donner l'assaut à un village. Des bâts de mulets qui empêchent les Kabyles de fuir se mêlent à un rêve amoureux du capitaine. Concert des balles et des obus devant Icherridène l'irréductible, déjà détruit une première fois le 24 juin 1857 par les armées du maréchal Randon. Portrait du lieutenant Krieger. Ardeur guerrière du capitaine qui confond un instant des you-you de femmes, un chant de haine, avec le grésillement des cigales. Le secret d'un vrai combattant : ne pas penser. Qu'est-ce que la peur ? Qu'est-ce que l'amour ? Le capitaine bouscule ses hommes, les entraîne et avance, escorté de l'adjudant Delfini, à travers les rochers où passent des nuages qui charrient avec eux les images de Blida, de Boufarik, les souvenirs de la plaine et de Marguerite. Des fiers généraux de 57 il ne reste, après 70, que des souvenirs de honte. De quelle femme le capitaine a-t-il rêvé ? Un brin de lavande le lui révèle, mais le

CHAPITRE II

Les cerises d'Icherridène cueillies dans les vergers détruits ont un goût délicieux. On en envoie un panier à
Mme Krieger. Comment on pare un village pour le sacri-
fice. Comparaison entre les Prussiens et les Kabyles. Pourquoi scie-t-on les arbres ? Pourquoi un militaire de race
peut-il éprouver des nausées de l'âme ? Les blessures de
70. Ce qu'est un village kabyle. A quoi servent des
femmes qui n'ont pas eu le temps de s'échapper, quelles
douleurs secrètes elles réveillent : la proclamation de la
République, la défaite de Sedan, la fin des rêves d'Afrique,
la traversée de la France vaincue, un élan vers le général
de Roailles dans son Rouergue. Comment un réflexe de
salut se transforme en veillée étrange. Le lecteur assiste
en pleine nuit à ce qui fut, neuf mois plus tôt, l'arrivée
d'Hector à la résidence « seigneuriale », découvre un nouveau visage de Mme de Roailles et partage un souper aux
chandelles. Est-ce l'évocation de cette soirée qui écarte le
capitaine Griès des femmes d'Icherridène ? Le lecteur
monte avec lui à l'étage du château, entend la confession
de l'ancien aide de camp à son chef couché entre des
bouquets de roses et de bougies, le voit poser une main
sacrilège sur l'épaule nue de Mme de Roailles. Ce qui
s'ensuit : un moment d'éternité, le retour à Alger avec la
honte de la défaite, les retrouvailles avec Marguerite et les

CHAPITRE III

DEUXIÈME PARTIE

LES FEMMES DE LA PLAINE

CHAPITRE PREMIER

Sa blessure a ramené le capitaine Griès à Alger où Marguerite l'a rejoint, puis à Boufarik. A l'origine du silence de Marguerite, il n'y a pas un hussard, comme l'imaginait Hector, mais un colonel d'artillerie et le retour de Mme de Roailles. Pèlerinage du lecteur aux lieux historiques de la ferme. La visite au général de Roailles et la répression d'une révolte vues à travers les colons, l'insurrection à travers les idées de M'hammed, le serviteur arabe. Lætitia Bouychou, un arbre qui ne portera que des fleurs, la Kabylie une terre d'orgueil et de faux-monnayeurs. Le lecteur assiste à l'arrivée du facteur avec un télégramme expédié de Sidi Moussa : Hortense est morte. Marjol refuse de se déranger pour assister à la cérémonie. Le capitaine Griès fait pour Antoine le récit des obsèques : Hortense dans sa robe de mariée, la famille, les gendarmes, les enfants de chœur en rouge, le charpentier Virtaut, le cortège funèbre. Vues nouvelles sur la révolte de Kabylie, la Commune de Paris, les prolétaires, la République, la société future, la coexistence avec les Arabes. Le lecteur assiste à l'absoute chantée dans l'église Saint-Charles de Sidi Moussa, à l'enterrement, puis au retour à la ferme Paris et au repas qui suit. Hector éprouve un violent besoin de bonheur 157

CHAPITRE II

A Blida, un grand changement s'est produit dans l'âme de Mme de Roailles. C'est la raspoutitsa russe. Le lecteur apprend comment le général a vécu dans son manoir après avoir quitté Alger et quel désenchantement un séjour dans les solitudes du Rouergue a étendu dans le cœur de sa femme. Ce qu'était le mirage d'un voyage à Blida, subi-

CHAPITRE III

TROISIÈME PARTIE

LA GUELÂA

CHAPITRE PREMIER

CHAPITRE II

CHAPITRE III